novum premium

Christina Maria Werner

Lust am Leben – Lust am Sterben

Eine Lebensphilosophie

novum premium

Bibliografische Information
der Deutschen Nationalbibliothek:

Die Deutsche Nationalbibliothek
verzeichnet diese Publikation in
der Deutschen Nationalbibliografie.
Detaillierte bibliografische Daten
sind im Internet über
http://www.d-nb.de abrufbar.

ISBN 978-3-903271-05-0
Lektorat: Tobias Keil
Umschlagfoto:
„Der Himmel", Mario Sala
Umschlaggestaltung, Layout & Satz:
Dieter Kraft

Gedruckt in der Europäischen Union
auf umweltfreundlichem, chlor- und
säurefrei gebleichtem Papier.

www.novumverlag.com

Vorwort

„Der Mensch ist ein Teil des Ganzen,
das wir Universum nennen,
ein in Raum und Zeit begrenzter Teil.
Er erfährt sich selbst,
seine Gedanken und Gefühle
als getrennt von allem anderen –
eine Art optische Täuschung des Bewusstseins.
Diese Täuschung ist wie ein Gefängnis für uns,
das uns auf unsere eigenen Vorlieben und
auf die Zuneigung zu wenigen beschränkt.
Unser Ziel muss es sein,
uns aus diesem Gefängnis zu befreien,
indem wir den Horizont unseres Mitgefühls erweitern,
bis er alle lebenden Wesen und die gesamte Natur
in all ihrer Schönheit umfasst.“

Albert Einstein

7,47 Milliarden Herzen schlagen derzeit in ihrem ganz eigenen Takt. 7,47 Milliarden Herzen, jedes einzelne seit Adam und Eva erfüllt von einer tiefen Sehnsucht nach Anerkennung, Liebe und Einheit. Alle Herzen gehen getrennte Wege nach den Vorgaben einer Welt, die ausschließlich auf Äußerlichkeiten fixiert ist. Sie alle suchen rein über das Denkvermögen, den Verstand, nach einem Sinn und finden nur Vergängliches, Unbeständiges, das sie für eine kleine Weile zu befriedigen vermag.

„Lust am Leben – Lust am Sterben“ beschreibt die außergewöhnliche Liebesgeschichte zweier Menschen, die eingefleischte Muster und Prägungen hinter sich lassen und lernen, die Schönheit der Welt zu erfahren. Aufgewachsen in verschiedenen Ländern, unter dem Dach äußerlich andersartiger Familien, fügt das Schicksal die beiden Hälften wie von unsichtbarer Hand geführt zusammen. Magie, hörbares Knistern, schwängert die Luft, eine nicht zu beschreibende Anziehungskraft zwischen zwei Menschen macht den Weg frei zu einer Liebe, die unerschütterlich bleibt und Eric und Evina zu einer Einheit verschmelzen lässt.

Der Weg ist steinig, gepflastert mit Ängsten, Zweifeln und Trauer, führt vorbei an Wegkreuzungen, wo zahlreiche Markierungen und Hinweisschilder verunsichern. Ein Wegweiser, die „zufällige“ Begegnung mit Peider Baselgia, einem weisen Eremiten in den Bergen, stellt die Weichen zu einem ungewöhnlichen Pfad und bringt das Traumpaar Eric und Evina in ein tiefes Verständnis für das wahre Leben. Peider Baselgias Botschaften, die im Buch typografisch von der bewegenden Geschichte um Eric und Evina abgesetzt sind, geben Impulse für die eigene Entwicklung und betten das Geschehen in einen universellen Zusammenhang, dem wir alle angehören.

M.A.

Kapitel I

Evina – Kindheit und Jugend

In reiner Liebe war sie gezeugt worden und erblickte an einem kalten Februartag das Licht dieser Welt, liebevoll empfangen von beiden Elternteilen, die nach all den Kriegswirren und Entbehrungen ihr großes Geschenk dankbar in Händen hielten. Blau angelaufen ahnte dieser winzige Körper bereits, was eine Geburt in die materiell-energetische Existenz bedeutete, wusste um die Bürde, die leidvollen Erfahrungen, die sich nun in seinem Programm zeigen würden. Doch die Natur ist weise, sie hatte auch hier vorgesorgt. Auf den ersten Schock beim Eintritt in die Welt der Materie folgten zusehends quietschendes und heiter gestimmtes Vergnügen, vollkommene Unbeschwertheit als erste Zeichen eines tiefen Seelenfriedens, mitgebrachtes Rüstzeug in diese neue Inkarnation.

Frohgemut zog das Kind seine ersten Bahnen im Schoße einer neutralen Ebene, in der Denken und Ichbezogenheit noch keinen Platz hatten und völlig unbekannt waren. Wann immer, wer auch immer Kontakt mit dem Neugeborenen suchte, schaute aus diesen Augen ein unsagbarer Frieden, der die Gesichter der Umstehenden erhellen ließ, ein Lächeln, wie es herzerfrischender nicht hätte sein können. Die Verbundenheit mit der Quelle, die Einheit, soeben erst verlassen, war in diesem Stadium noch tief verwurzelt und wurde für die Außenwelt sicht- und spürbar gemacht. Herzen gingen auf. Das Sein, das allen Formen innewohnt, berührte die Seelen.

Das kleine Menschlein wuchs heran, gedieh prächtig, wurde umsorgt, gehegt und gepflegt, erblühte in der reinen Liebe von Vater und Mutter, versprühte klar und unverdorben das jedem Menschen innewohnende Leuchten, bis diese Unbeschwertheit einen ersten Dämpfer erhielt. Eine Aufforderung zur gesetzlich verankerten Pockenimpfung, der widerwillig seitens der Eltern gefolgt wurde, verursachte eine unwiederbringliche Störung im

Gemüt, ließ die angeborene Fröhlichkeit verstummen und äußerte sich in Form von kläglichem Wimmern und kümmerlichem Aufbegehren. Obwohl die Mutter – einer natürlichen Intuition folgend – die Impfstelle unverzüglich ausgewaschen hatte, nahm das Einspritzen von Fremdeiweiß in diesen makellosen kleinen Körper seinen verheerenden Lauf und darf mit Fug und Recht als irreparable, destruktive Maßnahme und beschwerlichen Eingriff in dieses Leben gewertet werden.

Entstanden aus dem Nichts durch körperliche Vereinigung zweier äußerlich gegensätzlicher Formen zeigt sich ein gesund-kraftvolles neues Wesen in der Welt der Materie. Neun Monate lang war das All-Eine, das göttliche Bewusstsein, am Werk gewesen, wuchs ohne menschliches Einwirken eine neue Lebensform heran, und nun – kaum geboren – maßten sich weißgewandete Herren an, in die groß-gewaltige Schöpfung einzugreifen, Wohlgefühl einzuschränken, unbescholtenes Leben zu verstümmeln und dafür Lorbeeren einzufordern.

Hören wir, was Peider Baselgia uns zum Thema Impfungen zu sagen hat:

„Verfangen in unentwegte Gedankenspiele und durch vom Ego gesteuerten Selbst kreierte Angst – ohne jegliches Urvertrauen in eine höhere Macht, in den göttlichen Kern, der allen Formen innewohnt, lassen sich Menschenkinder immer wieder und immer mehr von ihrem falschen Selbst auf der Oberfläche führen und verführen. Die westlichen Zivilisationen kommen dem geistigen Verfall näher und näher, irren unbewusst durch die Welt der Materie, erschweren sich die Zeitreise durch aus Gedanken erschaffene, profitorientierte Regeln und Rituale und haben dabei längst vergessen, wer und wie kraftvoll und mächtig sie wirklich sind.

Eine neue Schöpfung, eine neue Form, materialisiert sich auf dem Übungsfeld Erde. Welch ein Wunder! Welch gewaltiger Schöpfungsakt! Welch unfassbares Zusammenwirken von Energie und Molekülen! Ein pulsierendes Energiefeld, wie es nur vom Formlosen, von der Essenz des All-Einen, erschaffen werden kann, die sich im Unsichtbaren, im ewigen ‚Sein', verbirgt.

Ohne tiefgründiges Wissen, ohne Weisheit und in Unkenntnis der reinen Liebe befolgen Menschenkinder die von Menschenhand geschaffenen Vorschriften, lassen sich von selbst ernannten Auserwählten in die Irre führen, geben alle Macht, die ihnen innewohnt, aus der Hand und sorgen für Aufruhr in den kleinen großen Seelen. Das Trauerspiel nimmt seinen Lauf."

Ungeachtet dieses ersten Einschnitts in die äußere Lebensqualität setzte das Kind seine irdische Reise fort. Lebhaft kroch und spielte es sich durch die Tage, wohl behütet und geliebt von der Großfamilie und zahlreichen Mitwirkenden eines mittelständischen Bäckerei- und Lebensmittelbetriebes.

Angelpunkt des damaligen Lebensstadiums waren die elsässische Großmutter und der durch alle tiefen Täler des vorausgegangenen Kriegsgeschehens gewanderte Vater. Beide kannten Not und Leid aus kriegerischer Zeit und beide zeigten sich immerwährend erfüllt von tiefer Dankbarkeit und unerschütterlichem Vertrauen auf göttliche Führung.

Aus heutiger Sicht könnte man sagen, das Familienunternehmen glich einer uneinnehmbaren Festung. Es sorgte für leibliches Wohl ebenso wie für geistige Nahrung. Die äußeren Freiheiten waren groß, Spielgefährten für das Kind ebenso zahlreich wie die Räume, um sich zu begegnen, Streiche zu verzapfen und die Außenwelt zu erforschen. Straßen, Höfe, Feld, Wald und Wiese gehörten den Kindern, das Leben gestaltete sich zwang- und sorglos, die Verbindungen zu Mensch, Tier und Pflanze in diesem Umfeld waren geprägt von Natürlichkeit. Die Vergangenheit war vorbei, die Zukunft noch nicht da. Gegenwärtigkeit ließ die Tage angst- und stressfrei passieren. Hingebungs- und freudvoll gab man sich dem funktionalen Tun als Broterwerb hin, praktizierte Gemeinschaft nicht nur bei der Arbeit, sondern auch bei entspannten Zusammenkünften, die damals – nach Empfinden der kleinen Seele – Herzen öffneten.

Mit der Einschulung wurde der Tag kürzer, das unbekümmerte Da-Sein beschnitten. Die ersten Wolken zogen am Himmel auf, unverstanden von unserem inzwischen sechsjährigen Kind, das nicht begreifen wollte, warum es ab jetzt stundenlang täglich still auf einer harten Schulbank sitzen, Hieroglyphen und Zahlen in Form bringen und seine wahren Bedürfnisse verschweigen musste. So geschah es am dritten Schultag, dass Evina, wie unser Kind namentlich genannt wurde, die Lehrerin nach der Schulstunde aufsuchte und ihr frank und frei versicherte, dass es ihr an diesem Ort nicht gefalle und sie lieber wieder nach Hause gehen wolle. Es kostete Eltern, Großeltern und Lehrerin eine gehörige Portion berührender Argumente, unserer Schülerin zu erklären, dass sie aus dieser Gefangenschaft längere Zeit nicht mehr herauskommen würde, dass die Gesetzmäßigkeiten dieser Welt keine andere Wahl zuließen.

Unverständlich war's! Auf spielerische Art hatte sie in ihrem kleinen Leben doch schon so viel gelernt. Sie konnte Schweine füttern, der Großmutter im hauseigenen Garten helfen, bei der Kartoffelernte der umliegenden Bauern mitwirken, Äpfel schälen und in Schnitze teilen für die feinen Kuchen, welche die Bäcker Heinz und Hans so lecker herrichteten, Kirschen entsteinen, sich alleine die Schuhe binden, beim Abwasch in der Küche und beim Zusammenlegen kleiner Wäscheteile Regina und Käthe behilflich sein und sich bei samstäglichen Wanderungen in Gottes freier Natur mit Base Enya singend und trällernd vom Vater in Naturkunde unterweisen lassen. Wozu also dieser ganze Aufwand, sich künstliches Wissen anzueignen und dabei bewegungslos ruhig dazusitzen? Das war eindeutig zu viel für dieses unverdorbene kleine Geschöpf.

Schauen wir, was uns der Weise aus den Bergen zu Erziehung und Bildung mit auf den Weg geben möchte:

„Lang ist es her, seit die kleine Seele mit dem ersten einschneidenden Abschnitt auf ihrer irdischen Lebensreise konfrontiert worden ist. Was zu damaliger Zeit noch in den Anfängen einer vom falschen Selbst, dem Ego, geschöpften Gesetzmäßigkeit wurzelte, hat inzwischen nach eurer Zeitrechnung seinen Höhepunkt erreicht. Tiefes, seit Urzeiten allen Menschen innewohnendes wahres Wissen liegt unentdeckt und verborgen in euch Menschenkindern, wird immer mehr abgedrängt von oberflächlichen, in der dualen Welt vermeintlich wichtigen, kopflastigen Errungenschaften. Alle eure selbst erfundenen, vom Verstand erdachten Systeme führen weg von eurer Verbundenheit mit der euch innewohnenden Essenz und fördern bereits im Kindesalter konkurrenzierendes Denken, Einsamkeit, Leid und Leiden. Der Weg geht weiter und weiter zu elendem Siechtum, Krankheit und Gefühlen von Verlassensein – bis hin zum Zusammenbruch, wenn das Maß des Erträglichen die Seele der Kleinen verstümmelt.

Hammerschlägen gleich trichtern Eltern, Schulen und sogenannte wissenschaftlich fundierte Lehranstalten für ein wahres und wahrhaftiges Leben unnötiges und unwichtiges Wissen in die geschundenen Seelen ein, anstatt die in der Tiefe ihrer Seele verborgenen Talente und Gaben sich entfalten zu lassen.

Der Kommilitone wird zur Gefahr, zum Feind, den es zu besiegen gilt. Wettkämpfe finden statt, bei denen die Besten, die Ersten, gefeiert, vergängliche Freuden gewürdigt, die Samen des Ego in die Seele gepflanzt werden – statt das Saatkorn der Liebe und der Einheit zum Blühen zu bringen.

Die jeder in die Welt der Materie inkarnierenden Form innewohnende Vollkommenheit wird an euren Einrichtungen aberzogen. Wahrhaftiges Wissen aus den tiefen Gründen der Seele, der göttliche Funke, den der Schöpfer aller Dinge in jede seiner Schöpfungen hineinlegt, wird zugemüllt und darf das Sonnenlicht nicht schauen.“

Tagtäglich, bei Wind und Wetter, vier Jahre lang machte sich Evina, den ledernen Schulranzen auf dem Rücken und Zahlen- und Buchstabenallerlei im Kopf, mit einer kleinen Gruppe Gleichgesinnter zu Fuß auf den Weg zur Lehranstalt. Vier lange Jahre – und dennoch blieb genügend Platz für Sport, Spiel und Spannung in Gottes freier Natur. Die samstäglichen Ausflüge mit Vater und Cousine Enya erweiterten sich mit dem Heranwachsen auf vierwöchige sommerliche Ferientage bei der Tante auf dem Land im Weinbaugebiet der Mosel. Die unverheiratete Schwester des Vaters empfing die kleine Reisegruppe mit unbändiger Freude in ihre natürliche Einfachheit, die sich im Außen durch Plumpsklo, Waschzuber und Selbstversorgung aus biologischem Anbau widerspiegelte. Das war unverfälschte Wellness pur. Das Leben zeigte sich echt und intensiv von seiner sonnigsten Seite, wo selbst Regentage zu freudvollen Erfahrungen führten. Die umliegenden Bauern und Waldarbeiter mutierten zur eigenen Familie. Die stillen Abende draußen am Kartoffelfeuer entlockten den Kehlen fröhliche Lieder und erfüllten die laue Luft und die Herzen mit unendlichem Frieden. Die Einfachheit, die Verbundenheit mit der Natur, die Gegenwärtigkeit des Augenblicks machten das Leben reich und hinterließen Spuren, erste Anzeichen einer tieferen Bewusstheit, die damals von Evinas begrifflichem Denken noch nicht erfasst wurde.

Inzwischen hatte sich die Ursprungsfamilie der materiellen Welt um ein weiteres Mitglied vergrößert. Cousine Rebecca hatte Zugang zur Erde gefunden und wuchs kräftig heran und unserer Evina ans Herz. Die Großmutter war nach wie vor der starke Rettungsanker und während des Tages Ersatz für die abwesende Mama, die eine Filiale im Ortszentrum betreute und daher nicht präsent sein konnte. Oma war es dann auch, die der erstgeborenen Enkelin einen prägenden Stempel aufdrückte, indem sie in jeder noch so ausweglos scheinenden Situation darauf hinwies: „Alles Gott zu überlassen und das Leben geschehen zu lassen." Dieses Urvertrauen in eine höhere Macht setzte sich unbemerkt im Herzen unseres Kindes fest. Während das Gros der Familienmitglieder Gott diente und seine Werke pries, lebte die Große Mutter ihre Erkenntnis auf Schritt und Tritt. Sie überstrahlte mit ihrem inneren Frieden gleichmütig alle Herausforderungen, die das irdische Da-Sein mit sich brachte.

Als der Tod erstmals ins Leben des mittlerweile zwölfjährigen Mädchens seinen Fuß über die häusliche Schwelle setzte, seine Flügel ausbreitete und die Große Mutter nach einjähriger Bettlägerigkeit mit familiärer Betreuung und Pflege unter seine Fittiche nahm, blutete Evina das Herz. Dennoch machten sich eine nicht zu eruierende Gelassenheit, ein stiller Friede breit, der dem Tod den Stachel nahm.

Ein im Haus schwarz verhängter Raum barg den Sarg mit diesem toten Körper, dessen friedvoll lächelndes Gesicht den Geruch nach Ausgelöschtsein verhüllte. Die Lebenskraft, die Eine Energie, hatte sich aus einer Form herausgelöst und war zur Quelle, zum Ursprung, zurückgekehrt. Für Evina schien alles vertraut zu sein. Erfüllt von einer nach wie vor tiefen Verbundenheit führte sie Kondolenzbesucher – die damals noch zahlreich ins Haus strömten – ans Totenbett, streichelte immer wieder Hände und Wangen des verblichenen Körpers, ging völlig auf in diesen friedvollen Momenten der Vertrautheit und nahm die Heiligkeit des Augenblicks, die hier durchschien, ganz bewusst wahr. Sie ahnte etwas von der Gnade, die ihr zuteil wurde, weil in diesem familiären Umfeld sogar das Geheimnis Tod gewürdigt wurde. Die gedankenleere Stille nahm Gevatter Tod den Schrecken. Tränen durften fließen.

Die Zeit des Abschiednehmens neigte sich dem Ende zu, als eine schwarze Kutsche, gezogen von schwarz ummantelten Pferden, im Hof einfuhr und der leblose Körper, das alte, vom vielen Tragen abgewetzte Kleid, darin abgelegt wurde. Eine Karawane von Menschen schritt andächtig und leise der Karosse zum entlegenen Friedhof hinterher. Still und heilig auch dieser

Augenblick des Begleitens, der ein Gespür für das Einssein aller Formen erkennen ließ. Der nicht enden wollende Trauerzug versinnbildlichte aber auch Wirken und Trachten dieser Großen Mutter, die in wahrer Gottesliebe sich immer *Ihm* zu ergeben wusste, wodurch die Kraft und Klarheit, dieses undurchdringliche Energiefeld, sich auf andere spiegelte.

Das Zentrum der Liebe, das Asyl, der Zufluchtsort für alle mühselig Beladenen, war ausgelöscht, hatte aber markante Spuren in den Herzen hinterlassen. Man kehrte an seinen Arbeitsplatz zurück, nahm das funktionale Tun wieder auf – doch irgendwie wurden ab jetzt die Brötchen kleiner gebacken.

Die religiösen Ambitionen, der Eifer, mit dem die Restfamilie dem alten Gott huldigte, blieben unverändert und weckten in den mittlerweile pubertierenden Cousinen den Wunsch, sich ganz und gar dem Heiland durch die Erwachsenentaufe hinzugeben. Dieses Ereignis erschütterte die Älteste bis ins Mark. Bänke und Balken bogen sich unter der Last der Gläubigen, die diesem Schauspiel beiwohnten. Die Empore drohte unter der donnernden Hymne von „Näher mein Gott zu dir ...“ zu bersten. Die weißgewandeten engelsgleichen Täuflinge stiegen einzeln in das unter der Kanzel großzügig angelegte Taufbecken und näherten sich triefend nass bis unter die Haarwurzeln einem gottgefälligen neuen Abschnitt ihres Lebens.

Eine ähnliche, in ihrem Ausmaß jedoch noch gewaltigere Massenhypnose hatte Evina bereits miterleben dürfen. Ein wortgewaltiger Prediger mit Namen Billy Graham füllte die Hallen mit Heil suchenden Menschen aller Altersklassen – nicht wissend, dass alles Heil bereits in ihnen liegt und nur darauf wartet, erkannt zu werden. An all diesen Veranstaltungen, bei denen laut Hosianna gerufen und die Zuschauer und Zuhörer auf die Sünderbank gedrückt wurden, hatte auch Evina teilgenommen, konnte sich aber nie auf die dort vermittelten Darbietungen einlassen, deren

Botschaften ihr fremd waren und blieben. Und so war sie denn auch wirklich bis ins Mark getroffen, als Enya und Rebecca ihr Zeugnis ablegten, um als Mitglied in die Gemeinschaft der Gläubigen aufgenommen zu werden.

Wie konnte es sein, dass drei kleine menschliche Wesen, in gleicher familiärer Gemeinschaft aufgewachsen, so unterschiedlich von Worten berührt wurden. Auch Evina hatte keine Sonntagsschulstunde versäumt, ihre Stimmgewalt bei jedem Kirchenlied herzhaft eingebracht, den Predigten aufmerksam gelauscht – und doch konnte sie sich nie auf das Gehörte wirklich einstimmen, geschweige denn die Symbole „Kreuzigung" oder „Abendmahl" nachvollziehen. Es fiel ihr schwer, deren Deutung „Er nahm alle Sünden auf sich und starb für dich auf Golgatha" oder „die Oblate als Leib Christi zu verspeisen" und „den Wein als Blut Christi zu trinken" Glauben zu schenken. Im Gegenteil riefen diese nach menschlichem Ermessen ausgelegten Botschaften, die nach Kannibalismus rochen, in Evina Abschreckung und Unverständnis hervor, ja sie verängstigten geradezu ihr offenes Herz.

Gott ist Liebe, so hatte es zuhause immer geheißen. Was war das für eine Liebe, die Bedingungen an sich knüpfte und darauf beharrte, ihr Folge zu leisten? Ihr Kopf fand keine Antwort – und so folgte sie vertrauensvoll ihrem Herzen, das ihr den wahren Weg zeigen würde. Sie blieb das, was sie nach außen hin war: das schwarze Schaf in der Familie, die Heidin, weil immer noch ungetauft. Sehr zum Leidwesen der Mama, die nach der Taufaktion von Enya und Rebecca nichts anderes im Sinn hatte, als die Tochter auch auf diesen Weg zu befördern. Endlose Gespräche, die eher massiven geistigen Auseinandersetzungen glichen, führten dann letztendlich zu einem guten Schluss, nachdem der katholische Vater herbeigeeilt kam und klar und bestimmt verkündete, man solle das Mädchen in Ruhe seinen eigenen Weg gehen lassen. Diese Worte reichten aus, um den Haus- und Seelenfrieden langfristig zu besiegeln.

Alle Religionen geben vor, allein im Besitz der Wahrheit zu sein, und stiften dabei so viel Unfrieden. Wie konnte es dazu kommen – und was ist Gott wirklich?

„Ich freue mich, eine Botschaft zu übermitteln, die euch alle, die ihr fortwährend Suchende seid, in ein tiefes, bewusstes Verstehen bringt.

Über all die Jahrhunderte hat sich der Schöpfer aller Dinge in euren Köpfen zu einem durch Gedanken geformten, unwirklichen Wesen entwickelt, hat in euren Vorstellungen eine materielle Gestalt angenommen, die sich von der wahren Realität immer weiter entfernt. Dieser von euch erschaffene Gott, so wie ihr ihn wahrnehmt, ist eine Projektion eures Verstandes, degradiert zu einem Himmelsboten, der euch den Genuss auf Erden vermiesen und am Ende die Reisenden mit Auflösung und Tod bestrafen will. Ein Gott, der mit dem Ursprünglichen nichts gemein hat, abtrünnig geworden von der Wahrheit, der einzigen Wirklichkeit in euch, die ist, war und immer sein wird.

Selbst ernannte Auserwählte, die sich von machthungrigen, gierigen Gedanken getrieben in Gruppen und Institutionen formieren, führen euch gekonnt und unbemerkt, weil unbewusst, in die Irre, haben das Unendliche, das Ewige, die Ur-Energie, die allen und allem innewohnt, auf ein mentales Götzenbild reduziert. Das falsche Selbst in ihnen fordert das kollektive Ego auf, diesem nach ihrem Bild erschaffenen Vater-Gott nachzufolgen, an ihn zu glauben, ihm Ehre zu erweisen, ihn zu preisen und ihm zu lobsingen – nicht wissend, dass sie nur ihr eigenes Ego, die Illusion eines falschen Selbst anbeten und anbeten lassen. Wer in den Lobgesang einstimmt, wird willkommen geheißen als Kind Gottes, gesegnet – und unbeugsam geknechtet, wenn er Tun und Wirken dieser Verkünder des Wortes Gottes nicht würdigt oder gar in Zweifel zieht. Eure Geschichte hat es unzählige Male gezeigt – und zeigt es noch immer –, wie Ungläubige als Ketzer verhöhnt, verbannt und vernichtet wurden und heute noch werden. Könnt ihr sie noch zählen, die Götter eurer Welt der Dualität, die durch verknöcherte Denkstrukturen gewachsen sind, Leid und Leiden verursacht und Unfrieden in und um euch gestiftet haben?

In alle sich auf der Erde manifestierten Formen – Stein, Pflanze, Tier, Mensch – hat die Ur-Kraft, das All-Eine, seinen Fingerabdruck hineingelegt, euch auf die Reise in die materiell-energetische Existenz geschickt, die Schönheit des Seins zu erfahren. Diese eine unsägliche Freude, der Friede Gottes, der Einkehr hält, wenn geschehen darf, was geschieht. Bewusstheit ist das Schlüsselwort. Kein Verlangen mehr, kein Wünschen, kein Wollen ... Jetzt seid ihr Zeuge einer Kraft in euch, die alle Ketten des Verstandes zu sprengen vermag."

Wenige Jahre nach dem Hinübergehen der Großen Mutter veränderten sich unmerklich die Strukturen innerhalb der Familie. Die Weisheit, die alle Fäden in der Hand gehalten hatte, war nicht mehr präsent-fassbar, die Einheit bröckelte, jeder zog sich hinter den Schutz eines eigenen Vorhangs zurück. Der enge Raum, der in den Nachkriegsjahren anschmiegsames Miteinander gewährte und Wohlgefühl vermittelte, erweiterte sich zusehends.

Hinter dem großelterlichen Anwesen erschloss sich neuer Platz, wo Vater, Mutter und Evina, abgesondert vom noch verbliebenen Clan, ein kuscheliges Heim errichteten, zu dem sich ein üppiger Garten gesellte, dem der Vater zu jeder Jahreszeit eine bunte Palette nahrhafter Früchte und Gemüse durch seiner Hände Arbeit unter Mitwirkung des Einen Schöpfers, der alles wachsen und gedeihen ließ, entlockte. Von dieser reichhaltigen Nahrungsquelle profitierten auch die Mitglieder der Restfamilie bei den sonntäglichen gemeinsamen Mittagessen.

Die Zeiten änderten sich und mit ihnen veränderten sich die Menschen. Die Identifikation mit materiellem Besitz und egoistischen Errungenschaften nahm deutlich zu. Wo früher ein trautes Mit- und Füreinander die Gemeinschaft prägte, jeder sich im anderen erkannte, gerieten die Menschen nun immer mehr in den Sog des sich vergleichenden Individualismus. Auch Evinas Mutter rutschte ab und zu in diesen Strudel hinein, zog die Tochter mit, während der Vater derlei Ambitionen nicht kannte.

Mittlerweile war Evina ins Gymnasium gewechselt, dessen Besuch die Eltern durch monatliches Schulgeld ermöglichten. Nach wie vor gab sich das Kind Mühe beim Lernen, nach wie vor hatte es Mühe damit. Rechnen, die abstrakte Zahlenwirtschaft, aber auch die Fächer Erdkunde und Geschichte weckten so gar nicht sein Interesse. Zu welchem Zweck, so fragte sich Evina immer wieder, musste man sich antiquierte Daten und Geschehnisse einverleiben und merken? Einzig das Erlernen von Sprachen gelang ihr mühelos. Fasziniert erlebte sie den Deutschunterricht und dessen schöngeistige Sprachgewalten, ja liebte es geradezu, diese „buchstäblich" in ihre Aufsätze einfließen zu lassen. Mehrmals geschah es dabei, dass Themenarbeiten schlecht benotet wurden, weil ein alter Kauz namens Professor Birkenstein nicht wahrhaben wollte, dass ein kleiner Backfisch so ungewöhnliche Formulierungen und tiefgründige Beschreibungen seinem eigenen Hirn entlocken konnte. Er verkannte, dass wahre Kreativität nicht einem Hirn entspringen, sondern ausschließlich aus einer tieferen Ebene geschöpft werden konnte. Dies klarzustellen eilte die Mutter das erste und einzige Mal zur Lehrerschaft. Sie hatte längst begriffen, dass nur der Verstand, der Kopf, in der Lage war, Banales, Hässliches entstehen zu lassen, und sie verbürgte sich dafür, dass ihre Tochter sämtliche Schreibarbeiten allein, ohne äußere Fremdeinwirkung, zum Blühen gebracht hatte.

Im Gegensatz zu Evina meisterten Enya und Rebecca ihre schulische Laufbahn mit Bravour. Überall, wo Evina kläglich versagte, zeigten die Basen wahre Talente, waren begeisterte und virtuose Klavierspielerinnen, gingen auf in der Gemeindearbeit und füllten dank ausgezeichneter Schulnoten, die vom Großvater mit Geldstücken honoriert wurden, ihre Schatztruhen. Ihrer Programmierung entsprechend gingen alle drei Mädchen ihren Weg. Ein Weg, der für alle Menschen unterschiedlich beschaffen war, der an verschiedene Tränken – aber letztendlich immer zurück zur Quelle führte.

Während die Cousinen fleißig und emsig mit ihren Begabungen unterwegs waren, genoss Evina vermehrt die meditative Stille bei Gartenarbeiten und Pflege der häuslichen Atmosphäre. Ihr Blick war immer öfter auf den Vater gerichtet, der seine Hingabe an Beruf und Gartenbewirtschaftung unter freiem Himmel so unverdrossen und wahrhaftig zu leben wusste. Evina spürte die Stille, die ihn umgab, wenn er im Frieden mit sich und der Welt seinen harten Küchenstuhl bewohnte und sein wacher

Geist gegenwärtig durch die Scheibe der Terrassentür in die grüne Vielfalt der Natur schaute. Dieser wahrnehmbare Frieden, von dem sie jedes Mal so berührt wurde, stellte sich ein, wenn das Denken mit seinen unzähligen Erwartungen stillstand. Es dauerte allerdings noch viele Jahre, bis dieses Phänomen sich ihr am eigenen Leib offenbaren würde.

Gottes Wege schienen wahrlich unergründlich. Der Tag kam, an dem das früher schon einmal aufgekeimte Gefühl, die Schulbank zu verlassen, sich erneut Luft verschaffte und dann Realität wurde. Wegen schlechter Noten hatte Evina eine Klasse wiederholen müssen. Sie saßen an diesem Morgen beim Frühstück in froher Runde, als der Vulkan ausbrach. Lavaströmen gleich flossen Tränen aus Evinas Augen, liefen über die heißen Wangen in ihren feuerspeienden Mund. Einer Explosion gleich knallten entschiedene Worte in die verblüfften Gesichter der Eltern, die völlig überrumpelt von diesem gewaltigen Ausbruch augenblicklich den Ernst der Lage erkannten. So geschah es tatsächlich, dass der Familienrat beschloss, die schulische Laufbahn der Tochter zu beenden und eine Ausbildung zur Fremdsprachen-Sekretärin zu bewilligen. Endlich – unter das Thema Schule und Studium war ein dicker, fetter Schlussstrich gezogen worden, den sie wiederum dem Väterchen zu verdanken hatte. Vater, der sich nie von Noten und Zeugnissen hatte beeindrucken lassen und in der Vergangenheit oftmals betonte, dass jeder Mensch alles wahre Wissen bereits in sich trage und das Leben dazu diene, diese Geschenke in sich zu entdecken und auszupacken. Die liebe Mama fügte sich und begleitete Evina ohne Unterlass verständnis- und liebevoll auf ihrem Weg – getreu ihrem Motto: „Der Heiland wird's schon richten!"

In der Privatschule, die Evina nun regelmäßig frequentierte, fühlte sie sich wohl. Das Lernpensum war gewaltig, aber dank der kleinen Schülergruppe, die sich untereinander prächtig verstand, floss es leicht und spielerisch in die Berufsanwärter ein.

Mit wehendem Diplom in der Hand startete Evina ihre erste Bewerbung bei einer bekannten Mode-Marke und wurde auf Anhieb von der Exportabteilung eingestellt. Trotz körperlicher Erschöpfung brachte Evina ab jetzt gute Laune und am Ende des Monats ihr erstes, selbst verdientes Geld nach Hause. Zwischendurch frischte sie bei einem zweimonatigen Aufenthalt in der französischen Schweiz ihre Sprachkenntnisse auf – nicht ahnend, dass dieses Land für sie einmal Heimat werden würde.

Nach vier arbeitsintensiven, kurzweiligen Jahren packte Evina das Fernweh. Sie kündigte mit einem Tropfen Wehmut im Herzen ihre Stelle und zog mit zwei Freundinnen aus Hamburg und München, Christa und Lisa, als Au-pair nach London. Einundzwanzig Lenze jung pulsierte das Leben nun kräftig in ihren Adern. Hausarbeit, Schulbankdrücken, kulturelle und allerlei wilde Abenteuer bereicherten ihren Erfahrungsschatz, gestalteten sich ungestüm zu einem Spiel ohne Grenzen.

Kapitel II

Eric – Kindheit und Jugend

Zur gleichen Zeit, eine lange Wegstrecke entfernt Richtung Süden, reifte die andere Hälfte heran, die in einer späteren Lebensphase mit Evina ein Ganzes bilden würde. Das Land, in das dieser männliche Gegenpol auf dem Höhepunkt des grassierenden Zweiten Weltkrieges eingeboren worden war, lebte in vollkommenem Frieden mit der restlichen Welt – getreu dem am 1. August 1291 auf der Rütliwiese abgelegten Eid: „Wir wollen sein ein einig Volk von Brüdern." Es galt weithin als Oase, in der eine viersprachige Nation sich gemeinschaftlich gegen eine Involvierung in die von ein paar Machthungrigen in Gang gesetzte Vernichtungsmaschinerie entschieden hatte.

Wie Evina, so zögerte auch Eric, wie das Kind benannt wurde, in die Welt der materiell-energetischen Existenz einzutreten. Längst überfällig, folgte daher die Mutter dem Rat ihres Hausarztes, die Treppen im Haus rauf und runter zu hüpfen, und tatsächlich konnte der winzige Körper sich nicht mehr halten und rutschte – ein Sonntag war's – durch den Geburtskanal geradewegs in ein Umfeld, das in damaligen Zeiten an Glanz kaum zu überbieten war. Der materielle Wohlstand präsentierte sich als herrschaftlicher Prachtbau, umrahmt von schmuckem Ziergehölz, und war in den weiß geschürzten Kinderfrauen ebenso sichtbar wie in der Ausstattung von Erics Schlafstatt.

Draußen vor den Türen der umliegenden Länder tobte der Krieg in seiner höllischsten Form und zeigte den Betroffenen seine wütigen Grimassen, die an den dicht verriegelten Grenzen des Garten Eden abprallten. Wo einst saftig grüne Rasenflächen und formvollendete Rabatten, mit duftig bunten Blumen und Gewächsen gefüllt, Üppigkeit und Reichtum erkennen ließen, breitete sich jetzt die Eintönigkeit aber Nützlichkeit groß angelegter Kartoffelfelder aus. Wie sonst hätte das ausgegrenzte Land der Berge, Seen und Wälder überleben können? Und schließlich lag es ja in der Tradition dieses neutralen Fleckens Heimat, sich zu bescheiden und sämtliche innewohnenden Kräfte zu mobilisieren, um an der Außenseiterposition nicht hungers sterben zu müssen. So stand auch das einzige Kriegserlebnis des Knaben Eric sinnbildlich für die Wahrnehmung eines ganzen Volkes – als er, ausgelöst durch den massiven Druck einer grenznahen Detonation, unverhofft vom „Töpfchen" fiel.

Wohlbehütet wuchs Eric im Schoße seiner Weltenfamilie kräftig heran, betreut und begleitet von Kinderschwestern, die allen dreien, Edda, Maya, ganz besonders jedoch dem kleinen Eric, zu engen Vertrauten wurden. Eric, ein scheues und dennoch ungestümes und wissbegieriges Kind, das sich fröhlich durch sein Umfeld plapperte, Fragen über Fragen zu seiner Umgebung stellte und in seiner Beharrlichkeit, überzeugende Antworten zu erzwingen, unschlagbar blieb. Dieser Eric, dem so vieles nicht einleuchtete und der unter anderem nicht verstand, warum zur Schlafenszeit Lichter gelöscht und Türen verschlossen werden mussten. Ohne Unterlass forderte er Licht in sein Dunkel ein, ließ nicht locker in seinem kindlichen Aufbegehren, das man – als die Nerven zu zerreißen drohten – mit den Worten niederzustrecken versuchte, der „liebe Gott" wolle das so. Man hätte eigentlich wissen müssen, dass der blonde Lockenschopf um keine Antwort verlegen war. Dennoch reagierten die Anwesenden überrascht, als der Satz: „Ich habe mit dem ‚lieben Gott' schon gesprochen und er hat ja gesagt" durch den Raum in deren verblüffte Gesichter flog. Der „liebe Gott" schien diesem kleinen Wissbegier ein recht vertrauter Kumpane zu sein. Von jetzt an dämmerte ein mattes Licht in der Bettnische von Erics Schlafgemach und erhellte nachts seine zarte Seele.

Seit frühester Kindheit setzten Regeln und Rituale den innerfamiliären Beziehungen Grenzen. Der Zugang zu Vater und Mutter war wie in Geschäften durch Öffnungszeiten reglementiert, die zeitweise und immer öfter von Eric boykottiert wurden. So geschah es eines Abends – eine illustre Gästeschar hatte sich zu einem glanzvollen Fest in den unteren Hallen eingefunden –, dass Eric von unbändiger Neugier getrieben die Gitterstäbe seines Kinderbetts gefahrlos überwand, sich unbemerkt in seinem Nachtkostüm unter die Abendgesellschaft mischte, das Podium eines herangezogenen Stuhls bestieg und einem sprachgewandten Könner gleich souverän seine erste Rede hielt. Zur köstlichen Erheiterung der Geladenen und Erschütterung der sprachlosen Eltern.

Die Phantasie dieses Knaben war grenzenlos. Er unternahm Versuch um Versuch, die Schreie seiner kleinen Kinderseele vernehmbar zu machen, sich Gehör zu verschaffen, um endlich wahrgenommen zu werden. Nach Aufmerksamkeit ringend ersann er – im Gleichklang mit seiner Schwester Maya – ein weiteres Spiel, das den Unmut der Familie hervorrief. In ihren Kinderbettchen stehend bewegten sich beide so heftig hin und her, bis die ganze Fracht an der gegenüberliegenden Wand zum Stillstand kam. Niemand hat je erfahren, ob Maya unbewusst aus Solidarität zum Bruder oder aus ähnlichen Gefühlen an diesem Spiel so tatkräftig mitwirkte. Eltern, Erzieher, aber auch Edda, die Älteste, waren völlig rat- und hilflos.

Es bleibt auf ewig ein unentschlüsseltes Geheimnis, wer letztendlich der Idee zum Durchbruch verhalf, jedenfalls landeten die Betten mit den beiden Unschuldsengeln befrachtet kurzerhand im tiefen Keller. So abgrundtief wie der Vollzug dieses Gedankens tat sich der neue Raum vor den Geschwistern auf. Und dann – endlich. Auf dem Höhepunkt dieses nächtlichen Spektakels, als die Hilferufe der kleinen Seelen die Seele der anderen doch noch berührten, setzte der herbeigeklingelte Arzt mit der Vergabe homöopathischer Globuli dem Spuk ein Ende.

Ähnlich wie bei Evina gestaltete sich die Schulzeit bei Eric äußerst schwierig. Eric, so hatte es immer geheißen, Eric, dieses besondere Geschöpf, sollte später einmal etwas werden. Groß und berühmt wie sein Vater, dessen Bild Eric in seinen kindlich formulierten Nachtgebeten stets hochgehalten hatte, indem er vor dem „Amen" einen Satz anfügte, der da lautete: „Lieber Gott, ich bin ein Christ, mach mich, wie mein Papi ist!"

Spielkameraden waren rar, die Räume zum Tollen und Toben begrenzt, jedes noch so kleine Vergnügen gab ausschließlich die Familie her und selbst Ferientage hoben die Beschränkungen durch gesittetes, artiges Benehmen nicht auf. Eric hatte keine Wahl. Wollte er die Anerkennung und Aufmerksamkeit seiner Eltern bewahren, das ahnte er, musste er sein ganzes Wirken, seine Kraft, auf Lernen und Leistung ausrichten. Nur diese Anpassung garantierte ihm häuslichen Frieden, traute Momente mit der verehrten Mutter und kurze Augenblicke der Beachtung seitens des so weit entrückten Vaters.

Fragen wir einmal, was der Alte aus den Bergen zur Institution Familie generell zu sagen hat:

„Willkommen im Reich der Unendlichkeit, im Weltenmeer der Einen Energie – willkommen ihr alle, die ihr euch auf der Suche nach dem vergessenen Schatz des Friedens und der Freude verloren habt in den Irrungen und Wirrungen eurer Gedanken.

In eurer dualen Welt sind Beziehungen im Allgemeinen wie auch inner- und außerhalb von ‚Familie' im gegenseitigen Wechselspiel untereinander von polaren Gegensätzlichkeiten geprägt. Die Frau bedingt den Mann, der Tag die Nacht, das Gute das Böse, die Lust das Leid. Nichts anderes kann auf der Oberfläche eurer Existenz wahrgenommen werden. Die Erscheinungsform der Familie, der Gruppe, die Zusammengehörigkeit, die Einheit, bedingt gleichsam die Individualität, das Alleinsein, das Getrenntsein vom Ganzen. Das eine bedingt das andere – so scheint es. Und doch, bei genauerem Hinschauen, unter dem Deckmantel eurer Gedanken, hat der Himmel, das All-Eine, in den entlegensten Winkel eures Herzens die Essenz seines Bewusstseins hineingelegt, des ‚Einen' Bewusstseins, das nicht trennt, sondern eint. ‚Familie', ein Gruppenverbund, einst die natürlichste Daseinsform für neues Leben, formiert, um es zu nähren, Aufmerksamkeit und Achtsamkeit auf dessen Bedürfnisse zu richten, es liebevoll anzuleiten für die Welt draußen vor der Tür – und dann die Schubkraft des All-Einen wirken und geschehen zu lassen hin zum angstfreien, selbstbewussten Flug durch die Gezeiten.

‚Familie', eine heute von euch durch Denken ersonnene Unternehmensform, die vorgibt, Leben selbst erschaffen und darüber verfügen zu können, eine Einrichtung, die neues Leben in seiner wahren Größe missachtet und beschränkt, weil die echten Bedürfnisse verkannt werden.

So wie das Tierreich und unberührte Urvölker – einer natürlichen Wahrnehmung folgend – die Urkraft, die göttliche Energie, gedanken-

frei fließen und wirken lassen, so ist Familie in ihrer ursprünglichen Daseinsform der gesunde Nährboden, der sprudelnde Quell schöpferischer Kreativität für Groß und Klein.

Durch alle Evolutionen hindurch hat sich der Mensch durch Denkstrukturen immer weiter und immer mehr von der ihm innewohnenden Urkraft entfernt. Abgeschnitten von seinem wahren Selbst, von der einzigen Wirklichkeit, vom ‚Dein Wille geschehe', sich seiner göttlichen Essenz klar nicht mehr bewusst, geben ihm seine aus der Erinnerung geborenen Gedanken vor, ‚Macher' seines Lebens und ‚Macher' seiner Nachkommen zu sein, denen er – je nach Gedankenkonzept – seine eigene Prägung aufsetzen will. In diesem Wahn sind Menschen sich nicht mehr bewusst, dass neues Leben von ihnen nicht geschöpft werden, sondern einzig durch sie Einzug halten kann in die Welt der Materie. Die Versuche, anderen gleich zu werden oder einem Ideal zu entsprechen, sind Vorstellungen in ihren Hirnen und werden langfristig zu großen Konflikten führen.

Alle Zeichen stehen auf Zerfall. Sich des wahren Inhalts ihres Geschenkpakets Kind nicht mehr bewusst, übergibt das Naturreservat Familie alle Macht in fremde Hände, schenkt sich nicht einmal mehr die Liebe, die Freude, dieses wunderbare Geschenk in seiner reinsten Form auszupacken.

Was nützt es dem Menschen, wenn er die ganze Welt gewänne – und nähme doch Schaden an seiner Seele [1]. Das herauszufinden wird euer Abenteuer Leben in bewusste Bahnen lenken. Die Angst zu leben, die Angst zu sterben, Geburt und Tod – alles Gegensätze in eurer Welt der Dualität. Ihr ängstigt euch um eure Familie, Angst hier, Angst dort, angstvoll lasst ihr euch leben, treiben auf der Oberfläche der von eurem falschen Selbst kreierten Angst einflößenden Gedanken.

[1] Markus, Kapitel 8, Vers 36

Warum nicht einfach der Angst direkt ins Auge sehen? Bewusst wahrnehmen, was ist. Lasst euch durchtränken von den heilenden Wassern des Augenblicks, die euch mit Frieden und Daseinsfreude umspülen. Gottes Brünnlein hat Wasser die Fülle, wenn ihr euch dem, was ist, ergebt. Mit diesem Urvertrauen geht ihr über die Grenzen eurer familiären Bande hinaus, werdet ihr euch in euren Kindern, in allen Formen wiedererkennen."

Die Stürme des Krieges hatten nachgelassen. Draußen vor der Tür und innerhalb des familiären Regimes beruhigte sich die Lage. Die Menschen beeilten sich, Versäumtes nachzuholen, die Zeit der Angst und der Entbehrungen gänzlich zu vergessen und nun tatkräftig wieder mit frischem Potential voranzuschreiten. Die Epoche der materiellen Errungenschaften war geboren.

Eric und sein Vater indessen gerieten zusehends aneinander. Bislang war es Eric nicht gelungen, den Vorstellungen des Vaters zu entsprechen, und gleichermaßen war auch die Sehnsucht des Jungen in Bezug auf das väterliche Erbarmen ungestillt geblieben. Das pubertierende Kind schlüpfte vermehrt unter die weiten Röcke der Mutter, deren Einfluss auf die Tatsache, dass Eric in den Augen des Familienoberhauptes nicht reüssierte, so gering zu sein schien wie der von Mäusen auf die Katze. Eine Lösung bahnte sich an, als der Patriarch entschied, die Aufnahmebereitschaft von Wissen gezielt zu maximieren und den Sohn in speziell dafür ausgebildete Hände zu geben. Ein geeignetes Institut war schnell gefunden. Koffer wurden gepackt und mitsamt dem Knaben und dessen Tränen per Chauffeur in die Weiten der Bergwelt verschickt.

Nichts – außer der äußeren Situation – änderte sich. Erics Tränen schmeckten nach wie vor salzig, die Angst zu versagen saß ihm immer noch im Nacken. Auch die Gitterstäbe, die den Raum begrenzten, der ihn gefangen hielt, waren noch da, einfach neu besetzt durch Personen – sogenannte wandelnde Lexika –, die seinen Unverstand für die aussichtslose Lage zusätzlich verstärkten. Die Briefe, die in kurzen Abständen ins elterliche Haus flatterten, waren konserviert vom Salz seiner Tränen, und die darin formulierten Hilferufe ließen die nicht zu leugnende seelische Not erkennen. Es dauerte noch eine Weile, bis der Hitzegrad, der Stahl zum Schmelzen bringt, erreicht war. Vielleicht war es das Herz der Mutter, das – in pulsierendem Rhythmus mit dem des Sohnes – das Herz des Vaters erreichte und erweichte, sodass der sich schließlich und endlich geschlagen gab und Erics Rückführung in vertraute Gefilde veranlasste.

Freude herrschte, als die Limousine mit aller Bagage im Hof einfuhr, die kostbare Fracht entlud und Eric sich selig in die offenen Arme von Edda, der Ältesten, stürzen durfte. Die seit Langem unter den Geschwistern schwelenden Dämpfe des Mitgefühls und der Liebe nahmen Form an und würden bis zum Lebensende nicht mehr versiegen. Mit dieser Liebe, von unzähligen Dichtern als Himmelsmacht besungen, erblühte die Seele, die ab jetzt Wunder um Wunder auf Erics Lebensweg streute. Wundersam spektakulär prangten alsbald die Noten auf dem Maturazeugnis, wundersam spärlich in Worte gehüllt drang des Vaters Lob an des Sohnes Ohr.

Die erste große Hürde war geschafft – die zweite bereits sichtbar am Horizont. Gerade wollte Eric Anlauf nehmen, das nächste Hindernis zu überspringen, da legte ihm der Himmel unverhofft ein weiteres Geschenk vor die Füße. Eine süße Zeit des Nichtstuns auf des Meeres und der Liebe Wellen breitete sich einen Sommer lang vor ihm aus. Die unbändige Kraft des Wassers, die frische Brise der Luft, die wärmenden Strahlen der Sonne inmitten freiheitlicher Ausgelassenheit junger Menschen – noch nie hatte sich das Leben von einer so hochprozentigen Schokoladenseite gezeigt, die den Tank der Freude in seinem Herzen nahezu überquellen ließ. Die unsägliche Lust, mit der er unbekanntes Territorium erforschte, erstarkte das Blut in seinen Adern und den Glauben an sich selbst. Ganz zart wie eine sich öffnende Blume reiften in ihm eine nie gekannte Kraft und Klarheit heran, sich den Herausforderungen des Lebens zu stellen und sie so anzunehmen, wie sie sich ihm präsentieren würden.

Der Ernst des Lebens machte vor ihm keinen Halt, doch Ernst wurde nicht mehr so ernst genommen. Selbst die Rekrutenschule und der Beginn des anstehenden Studiums konnten ihm keine

Angst mehr einflößen. Sogar den Wechsel vom Fach Kunstgeschichte nach nur zwei Semestern ins Ressort der Juristerei, diesen Wunsch seiner Eltern, nahm er widerstandslos entgegen.

Edda, die enge Vertraute, die liebende und geliebte Schwester, zentrierte sich als ruhender Pol und verlässliche Gefährtin, die mit Eric durch dick und dünn watete. Ohne besondere Zwischenfälle flossen die Jahre dahin. Die Universität blieb – wie das sonntägliche Ausflugsziel Kirche – für Eric ein Ort des Grauens, den er mit Siebenmeilenstiefeln nach Beendigung der Vorlesungen verließ, um sich, zuhause angekommen, mittels eines heißen Vollbads und einer harten Bürste die maskierten Fratzen und Dämonen seiner Seele von der Haut zu schrubben. Äußerlich reingewaschen vom Quell des Lebens nahm er frisch und fromm erneut im Auditorium Platz.

Das Tempo, das Eric vorgab, erstaunte die Reihen. Den Orden eines „Licentiatus Iurisprudentiae" auf der Brust legte er meisterlich sämtliche Prüfungen ab und setzte dem Ganzen die Krone und sich selbst im Eilverfahren noch den Hut eines „Doctor Iuris" auf. Es war vollbracht. Früher als erwartet. Vollgepackt mit Sprach- und Rechtswissen, Neugier und gute Laune im Gepäck, das Schwert des Samurais im Gürtel, Nippons Fahne in der Hand stürmte er schnurstracks ins Kirschblütenland. Eine neue, freiheitliche Ära konnte beginnen.

Kapitel III

Einzug Evina ins „Gelobte Land"

Wenn das Leben dir Zitronen reicht – mach' Limonade draus. Nicht nötig. Der handgeschriebene Brief, der Evina am Ende ihrer London-Tour erreichte, stand für die saftige Süße einer Orange und winkte Evina mit einer weiteren Erfahrung, die für die Evolution ihres Bewusstseins wohl hilfreich war. Nicht lange – und schon schipperte die Fähre über den Kanal, ratterte der Zug mit der Heimkehrerin an den Ausgangsort Elternhaus zurück. Vierzig Tage Entspannung in vertrauter Umgebung. Dann war es so weit.

Frei wie ein Vogel unter dem Himmel, leicht und unbeschwert, flog Evina in das von aller Welt gelobte Land, bezog ihr neues Reich. Einen modernen Arbeitsplatz für den Tag, ein winziges Zimmer mit Waschgelegenheit für die Nacht. Ein Blick aus dem Fenster beraubte sie sogleich aller Illusionen. Häuser, nichts als Häuser, aufeinandergeschichtete Steine, Menschen, nichts als Menschen, die aufgeregt hin und her liefen – und auch die Bäume waren nicht grüner und wuchsen nicht in den Himmel. Was, so fragte sich Evina, war hier so anders in diesem „Gelobten Land"?

Briefe, unzählige Briefe transportierten von nun an Berichterstattungen, Gedanken und Eindrücke aus ihrem neuen Umfeld in das ferngelegene Elternhaus. Briefe, die in ihrem Leben noch oft als Informationsträger für abrupte Veränderungen eine große Rolle spielen sollten.

Parkettsicher, wie sie war, legte Evina trotz des noch fremden Arbeitsumfeldes hingebungsvoll ihre Tanzformationen hin. Sie scheute nichts, fühlte sich für keine noch so schwierige oder niedrige Arbeit zu fein. Seit frühesten Kindesbeinen an wusste sie als aufmerksame Beobachterin der Großen Mutter, dass

Hingabe ein Schlüsselwort für innige Freude war, die jedem unwilligen Tun den bitteren Beigeschmack nahm.

Ein Jahr verging. Ein Jahr, das Evina die natürliche Vielfalt eines Landes offenbarte und sie ob all der Naturschönheiten ins Staunen brachte. Ein erfahrungsreiches Jahr, das sich nun dem Ende zuneigte.

Der befristete Aufenthalt war abgelaufen. Der winzige Raum, der ihr Obdach gewährt hatte, gekündigt. Die Abschiedsfeierlichkeiten mit einigen Freunden in einem Club waren in vollem Gange, als ein aus dem Nichts herausgetretener Unbekannter Evina ein Tänzchen und nach dessen Vollzug in einem Gespräch geradewegs eine neue Stelle anbot, unbeschränkte Aufenthaltsbewilligung inklusive. Was hatte das zu bedeuten? Evina hinterließ ihre Adresse – und verließ unbeeindruckt die Lokalität und das Land. Zuhause angekommen breitete sie die mit ihren Augen eingefangenen und in ihrem Herzen bewahrten Bilder wortgewaltig vor ihren Eltern aus.

Evina stockt der Atem, als der Postbote nach zehn Tagen einen Brief ablieferte, der die nächste Weiche auf ihrem Lebensweg stellte. Dem Unbekannten, der inzwischen einen Namen hatte, war es tatsächlich gelungen, den Stempel für einen unbegrenzten Aufenthalt und eine neue Arbeitsstelle einzubringen. Das war doch nicht die Möglichkeit! Konnte es sein, dass der Lebensweg jedes Menschen tatsächlich einem kosmischen Gesetz unterlag, lag sogar alles, was geschah, letztendlich in den Händen des All-Einen? Mamas Lieblingssatz: „Der Heiland wird's schon richten" tauchte ganz plötzlich am Horizont auf, erschien vor Evinas geistigem Auge und in einem völlig neuen Licht. Irgendwann, das wusste sie, würde der Tag kommen, der ihr die Antworten auf die sie seit Kindheitstagen quälenden Fragen geben würde.

Das kleine schäbige Zimmer war frei, noch nicht weitervermietet. Evina richtete einen Dankesgruß nach „oben" und sich gemütlich im Zimmer ein. Der materielle Wohlstand hatte auch vor ihr nicht Halt gemacht, und so parkierte jetzt unter ihrem Fenster ein eigenes Automobil, das die Eltern ihr großzügigerweise mit auf die Reise gegeben hatten. Ach, dieser Vater, diese Mutter, diese unersetzlichen Schätze, die sie so unbeirrt auf ihren Tief- und Höhenflügen begleiteten. Danke, danke Gott für dieses große Geschenk.

Die Firmenkette, in der sie nun als neues Glied eingereiht war, lag weit draußen vor der Stadt. Dank Evinas flottem Gefährt konnte sie die Distanz leicht überwinden. Doch schon nach drei Wochen standen die vier Räder still. Die Probezeit war noch nicht abgelaufen, da fiel das Glied bereits wieder aus der Kette. Evina schmiss den Job und ihrem „Mister Unbekannt“ ein paar deftige Worte an den Kopf, nachdem sie die wahren Beweggründe durchschaute, die ihn zu seinem „Liebesdienst“ verleitet hatten. Zum ersten Mal in ihrer Laufbahn war sie richtig sauer.

Unbekanntes Land, unbekannte Situation – doch sieh’, ihr Unglück war ihr Glück. Der Stempel im Pass war unwiderruflich, eine neue Anstellung, dieses Mal wieder bei einem Modelabel, rasch gefunden. Vier arbeitsintensive, mit freundschaftlichen Banden verknüpfte Jahre folgten. Frischer Wind wehte auch in ihrem neu angemieteten Apartment. Evina stand geradewegs in ihrer Blütezeit, war zu einer schönen jungen Frau gereift, die in ihrer Unschuld, ihrer Unverdorbenheit und Liebe zu sich und ihren Mitmenschen kaum zu überbieten war. Von Lebenslust und Fernweh ergriffen, arrangierte sie eine dreimonatige Auszeit, reiste mit Donata, ihrer Arbeitskollegin und guten Freundin, vier Wochen zu den Pyramiden und Azteken und freute sich auf zwei Monate Herumlungern bei Mama und Papa im trauten Heim und Garten. Danke Gott. Danke für all die vielen Erfahrungen. Danke auch für den Brief, der Evina im Haus der Eltern vorgelegt wurde und der ihr davon Mitteilung machte, dass sie entgegen der Abmachung im Modeteam nicht mehr willkommen und ihre Position anderweitig vergeben worden war. Puuuh ... Das war „dicke Post". Und dieses Mal war es Evinas Vater, der sich zur vertrauten und vertrauensvollen Bemerkung hinreißen ließ: „Es ist, wie es ist – und wer weiß, wofür es gut ist."

Evina ließ sich den Wind nicht aus den Segeln nehmen. Kurzerhand setzte sie ein Inserat in die Zeitung und wurde postwendend mit Stellenangeboten überflutet. 240 Menschen, die nach ihr suchten. Jetzt bekam Hilla, ihre Bauch- und Busenfreundin aus der Schulzeit, ihren großen Auftritt. Mit verbundenen Augen warf sie die Couverts in die Luft, kniete sich andächtig auf den Teppich im Wohnzimmer und pickte unter äußerster Konzentration drei Umschläge heraus. Wahrlich ein magischer Moment, als sich die erste Hülle öffnete – und ein mit blauer Tinte und von geschliffener Hand beschriebenes Papier zum Vorschein kam. Unter neugierigen Blicken und wissbegierigen Ohren begann Evina vorzulesen. Die Stille im Raum war unüberhörbar. Vier fassungslose Gesichter schauten sich an. Dann die Explosion. Schallendes Gelächter aus entspannten Mienen.

Evina bekam den Job. Das Rad des Schicksals drehte sich weiter.

Die Menschen glauben, sie könnten frei entscheiden und hätten Einfluss auf ihr Leben. Woher nehmen sie die Gewissheit – und was hat das mit dem „freien Willen“ auf sich?

„Meine lieben Kinder des Universums, hört die Botschaft wohl, die immer dieselbe war, ist und sein wird – vom Anbeginn eurer Zeitrechnung an. Was glaubt ihr, hat den Fisch im Wasser, die Vögel unter dem Himmel, die Wolken am Firmament erschaffen, was bringt die Blume zum Blühen, wer, was haucht allen Formen, die sich auf dem Planeten Erde mit ihrer Pracht und Schönheit entfalten, den Odem ein? Wer, was lenkt die Natur und deren Mitwirkende – Stein, Pflanze, Tier, Mensch – und hält sie in geordneten Bahnen, was verleiht der Eiche die Macht und die Kraft, sich als Eiche und nicht als Kirschbaum zu enthüllen, dem Veilchen die Zartheit, den Duft und die pralle violette Farbe? Unendlich wirkt die Schöpferkraft, die Eine Energie, in allen sich zeigenden Formen. Und so wie das Saatkorn vom Weizen nicht als Hirse aufgehen kann, so wird der Same der göttlichen Urkraft, der verborgen in jeder menschgewordenen Gestalt ruht, seiner Bestimmung gemäß aufgehen und erblühen.

Es liegt in der Natur des im unendlichen Multiversum wirkenden, alles belebenden Ursprungs, die Dinge geschehen zu lassen, wie sie geschehen sollen. Von der Ebene der Ganzheit aus gesehen, fügt sich jedes Glied in die unendliche Kette makellos ein. Mit Heranwachsen des dem Menschen eigenen Ichbewusstseins, dem Ego, hat der Verstand im Laufe der Gezeiten die Oberhand über euren bewussten Geist gewonnen und bestimmt heute in einem Ausmaß euer Leben, das mehr und mehr zu Verwirrung und Leid führt, euch immer weiter in Distanz bringt zu eurem göttlichen Kern, dem wahren Selbst.

Nichts anderes ist die Welt als eine große Bühne, wo das All-Eine, der Ursprung, sich durch Billionen von Formen selbst erfährt und alle Fäden fest in Händen hält. Dasselbe Spiel, das ihr in euren Schauspielhäusern und auf euren Theaterbühnen bewundert und bestaunt und – akzeptiert. Der Dramaturg verteilt die Rollen an die Mimen. Der Liebhaber spielt seine Rolle, der Betrogene spielt seine Rolle, die Verführerin, der Intrigant, der Mörder – sie alle spielen den ihnen zugewiesenen Part, sprechen oder singen ihre Texte so, wie es das Stück vorsieht. Der Hofnarr schielt nicht nach der Rolle des Kaisers, der Gehörnte denkt nicht daran, in die Rolle des Liebhabers zu schlüpfen, der Mörder beharrt nicht auf der Rolle des Opfers. Sie alle geben sich dem hin, was das Stück vorgibt, und unterwerfen sich inhaltlich den geltenden Regeln des Regisseurs. Kein Ego, das die Aufführungen durch sinnlose Änderungswünsche, abartige Vorstellungen und Erwartungen erschwert.

Anders der Mensch auf der Bühne seines Lebens. Das falsche Selbst will Mitspracherecht, will Einfluss nehmen auf Natur, Mensch und Situationen. Es verlangt Beachtung, verurteilt, bewertet, hasst und wehrt sich durch penetrante Gedankenkonstrukte grundsätzlich gegen das, was ist – es sei denn, das Geschehen im Augenblick präsentiert sich ihm als angenehm. Dann will das Ego mehr davon, greift nachhaltig in die Trickkiste seines Denkens und versucht, über immer neue Fluchtmöglichkeiten Einfluss zu nehmen auf den gegenwärtigen Moment, auf das, was ist.

Nun – sagt mir, wie viele Wünsche, Vorstellungen und Erwartungen aus der Palette eurer Gedankenpyramiden haben durch euren ‚freien Willen' Erfüllung gefunden? Ihr Kleingläubigen, warum so verkrampft in eurem Tun? Warum sich quälen mit dem Gedanken, ihr hättet euer Leben selbst im Griff? Kein aus dem Kopf geborenes Hirngespinst wird je eure wahre Sehnsucht stillen können. Es führt zu nichts, führt euch einzig weg von dem euch innewohnenden Frieden.

Schaut diesem so genannten ‚freien Willen' einmal klar ins Gesicht. Ihr geht auf eine Reise, macht euch auf den Weg irgendwohin – liegt es da in eurer Hand, sicher am Ziel anzukommen? Ihr habt Arbeit, Haus und Hof, Geld verloren – könnt ihr da bestimmen, was in der

Folge passieren wird? Könnt ihr Einfluss nehmen auf Krankheit, Siechtum und Tod? Liegt es in eurer Macht, Reichtum und Armut unter den Menschen zu verteilen? Wäre dann der Wille eines armen Schluckers weniger stark ausgeprägt als der eines Millionärs?

Die in euren Köpfen lodernde Flamme des Ego verbrennt die euch innewohnende Schöpferkraft, macht euch einsam und unglücklich in eurem stetigen gedanklichen Bemühen, besser, schöner, reicher zu sein als der Bruder an eurer Seite. Wie besessen erhebt ihr euch über euren Nächsten, jagt nach Erfolg und Anerkennung. Die krankhafte Sucht nach Mehr lässt euch ruhelos und unbewusst im Weltenmeer treiben. Spätestens im Angesicht des Todes, wenn euer Körper, eure Form, zerfällt und sich auflöst – ja, spätestens dann schmilzt alles dahin, was sich aus Gedanken formiert hat. Wollt ihr so lange warten?

Ich sage euch: ‚All eure Werke und die Mühe, die ihr gehabt hattet, siehe, da war es alles eitel und Haschen nach Wind und kein Gewinn unter der Sonne.‘ [2]

[2] Prediger Salomo, Kapitel 2, Vers 11

Das, was bleibt und ewig währt, ist das unendliche Bewusstsein, die All-Eine Energie, deren Kraft ihr nie zu schöpfen wusstet durch die dröhnenden Gedankenkonzepte in eurem Kopf. Lasst euch ab ***jetzt*** *tränken vom universellen Gesetz – ihr habt nur diese Wahl. Sagt* ***ja*** *zum gegenwärtigen Moment, zu dem, was ist, und wisset, nichts geschieht, was nicht das Prädikat ‚wertvoll‘ zu verdienen vermag. Benetzt vom Quell des Lebens wird der Friede Gottes in euch einkehren, der höher ist als alle Vernunft.“*

Kapitel IV

Aufeinandertreffen der beiden Hälften

„Bitte läuten – und eintreten", stand auf dem blank geputzten Messingschild, das am einladenden Portal der Stadtvilla prangte. Evina atmete dreimal tief durch und ließ mit wispernder Stimme die von der Großen Mutter bei vielen Gelegenheiten gesprochenen Worte „Wenn Gott für mich ist – wer könnte wider mich sein!" über ihre trockenen Lippen gleiten. Sofort überkam sie ein tiefer Frieden. Sie folgte der Anweisung auf dem Schild – und trat ein.

Evina kannte die Kanzlei von ihrem Vorstellungsgespräch her. Was die äußere Fassade versprach, konnten die Innereien nicht halten. Einfach und bescheiden die Raumgestaltung – die beiden Raumgestalter indessen Raum einnehmend, umwerfend, dynamisch. Schneidig-elegant wie die Anzüge, in denen sie steckten, nahmen die Herren Doctores den Neuankömmling in Empfang, führten ihn freudig erregt in den Konferenzraum und wiesen Evina in ihren Arbeitsbereich ein. Der Umgangston, die Art und Weise, wie man hier miteinander umzugehen wusste, war eine Oktave höher als normal und überraschte Evina, die sich schnell und gerne daran gewöhnen würde. Geschmeidige Erscheinung, diskrete Vornehmheit, sprachgewandte Kommunikation und ein zarter Hauch echter Daseinsfreude ließen auf ein erquickliches Miteinander hoffen. Und da sie nicht als Dekorationsbeilage hierhergekommen war, nahm Evina in Ermangelung weiterer Helfershelfer ihre Arbeit unverzüglich auf.

Wieder einmal hatte der Himmel für seine Schützlinge auf Erden wunderbar Vorsorge getroffen, den Zeitpunkt für das Zusammenfinden der zwei Hälften präzise gewählt. Seit einem Jahr erst hatte Eric seinen Fuß wieder auf heimatlichen Boden gesetzt, seine juristische Laufbahn in einer bekannten Anwaltsfirma aufgenommen, um kurze Zeit später dem Ruf des Kollegen Frédéric in die Selbstständigkeit zu folgen. Die Sekretärin, von der Eric und Frédéric tatkräftige Unterstützung erhofften, entlarvte sich als Flop, wurde den Anforderungen nicht gerecht – und so kam Evina ins Spiel. Ein Spiel – so wusste sie seit ihrem ersten Besuch –, das bis zum Endsieg heftige Dramen und liebestolle Abenteuer mit sich bringen würde.

Magie, hörbares Knistern, schwängerte damals die Luft, eine nicht zu beschreibende Anziehungskraft zwischen zwei Menschen machte den Weg frei in Erics blaue Augen, die Evina eine tiefe Zuneigung und Vertrautheit signalisierten. Hier schlugen zwei Herzen, weder verwandt noch verschwägert, im gleichen Takt und feierten stille Wiedersehensfreude in einem neuen Leben.

Jahre später erinnerte sich Eric von Zeit zu Zeit gerne an diesen Augenblick, der wie ein Blitzeinschlag das Feuerwerk der Sinne entzündete, wobei er – heftig grinsend – Evinas auffälliges orangefarbiges Outfit für diesen Knalleffekt verantwortlich zu machen suchte! Alle Einzelheiten dieses Treffens – angefangen bei Evinas erfrischendem Auftritt über Gestik und Mimik bis hin zu den feinen Worthülsen – blieben in Erics Gedächtnis zeitlebens erhalten.

Das Terrain, in dem sich Evina bewegte und in dem sie zunehmend Sicherheit gewann, erschloss sich ihr im wahrsten Sinne als Kornkammer unter all den Plätzen ihres Wirkens und Schaffens. Sie lernte die Ehefrau von Frédéric kennen und machte Bekanntschaft mit Erics Freundin Yolanda, die ihr – wenn sie im Büro vorbeischaute – jeweils ein „Zvieri", eine Nachmittagsverpflegung, in ein siegessicheres Lächeln verpackt aufs Pult legte, bevor sie im offiziellen Privatgemach von Eric verschwand. Geduldig wartend – wie eine Katze vor dem Mauseloch – übte sich Evina in freundlich diskreter Zurückhaltung und wachte aufmerksam über das weitere Geschehen.

Nicht zurückhalten konnte sie sich, als ihr eine erschwingliche Wohnung in einem ruhigen Außenquartier angeboten wurde.

Mit dem Einzug in die hübsche Bleibe schoss Götterbote Amor seinen Pfeil in ihr offenes Herz, den Ronaldo – so hieß er – eine kurze Weile dort stecken ließ. Eine unverhoffte Begegnung, die neue Freunde, verrückte Ausflüge, heiße Nächte und erste Gleit- und Sturzflüge im Schnee auf ungewohnten Brettern zur Folge hatte. Die Gruppe um Ronaldo kannte kein Pardon und führte in Freizeitwelten, die Evina nur vom Hörensagen kannte. Während sie voll in Aktion mit ihrem Jüngling unterwegs war, zerbrach das Glück von Eric und seiner Gespielin.

Es war ein Montag, als Evina frühmorgens das Büro betrat und ihr die kahlen Wände geradewegs ins Auge schossen. Wo am Freitag noch bunte Bilder den Eingangsbereich zierten – Gemälde, die der Farbpalette der Gespielin entsprungen waren –, grassierten jetzt unbescholtenes Weiß und die vage Vermutung, dass der gestrige Sonntag wohl kein Sonnentag gewesen war. Schweigend nahm Evina ihre Arbeit auf, konnte ein leises Frohlocken nicht verbergen und beobachtete gespannt die Lage. Als unfreiwillige Mithörerin wurde sie Zeugin eines Gesprächs unter den Herren Kollegen, das ihr das ganze Ausmaß des Kampfes, der gestern stattgefunden hatte, enthüllte. Anscheinend hatte Erics Mutter vom Techtelmechtel ihres Sohnes mit Yolanda erfahren und diese zu einer unverfänglichen Teestunde ins elterliche Anwesen eingeladen, wo es dann zum Eklat mit nachfolgendem Rausschmiss kam. Evina, seit Geburt nie auf den Kopf gefallen, hielt angespannt ihr stupsiges Näschen in die Luft und witterte sofort die Gefahr, die von dieser besitzergreifenden Mutter ausging. Dieser Warnschuss wurde still registriert und in ihrem Gedächtnis gespeichert.

Die Atmosphäre in den darauf folgenden Tagen war bis aufs Äußerste angespannt. Eric versenkte sich in seine Arbeit und hielt die Tür zu seinem Bereich fest verschlossen. Evina hütete ihre Zunge, konzentrierte sich wie alle Insassen der Bürogemeinschaft auf ihr Tun und überließ die Geschicke der Zeit.

Parallel zu diesem Zwischenfall erschien auf dem Arbeitsfeld eine frisch von der Universität ausgelagerte Juristin. Tiziana, ein schöner, feuriger Rotschopf mit Wallehaar, entstammte einer hochkarätigen, im Süden ansässigen Familiendynastie, die das Land, wo die Zitronen blühen, regierte. Tiziana wusste mit Frau und Herrn Biedermann nichts anzufangen und vermisste das „dolce far niente" ihrer südlichen Region. Starre Regeln und strukturierte Arbeit waren für sie ein Graus. Sie schaffte es so gerade eben, täglich pünktlich in der Kanzlei zu erscheinen, nutzte aber jede Abwesenheit der Kollegen infolge auswärtiger Termine, um sich stante pede auf den Teppichboden ihres Zimmers zu betten und mit einem Mantel zugedeckt ins Land der Träume abzudriften. Während Tiziana sich im Tiefschlaf an der Quelle regenerierte, bestieg Evina ihren Beobachterposten, genannt Bürosessel, und ließ die Eingangstür nicht aus den Augen. Ihr war die ehrenwerte Aufgabe zugewiesen, Tiziana im Gefahrenmoment aus dem Land der Träume heraus- und in die Realität zurückzuholen.

Das Stimmungsbarometer stand wieder auf „heiter". Ein Monat verging. Müde, aber glücklich nahm Tiziana ihren ersten Lohn in Empfang und steuerte nach Büroschluss in Begleitung von Evina geradewegs in ihre Lieblingsboutique. Innerhalb einer Viertelstunde schaffte sie es im Rausch zügelloser Glücksgefühle, die in zehntausend Minuten erwirtschaftete Geldenergie in eine Hermès-Tasche und das neunundneunzigste Hermès-Tuch umzuwandeln. Sie erschrak heftig, als Evina ihr erklärte, dass sie soeben die Existenzgrundlage einer ganzen Familie für einen ganzen Monat zerstört hatte. Fröhlich lachend lud Tiziana mit einem Schulterzucken in die Spanische Bodega ein, wo die Rechnung nach einem formidablen Mahl schließlich doch bei Evina landete.

Es erstaunte Evina von Tag zu Tag mehr, wie viel Aktivitäten, sei es durch Arbeit oder Vergnügen, ein junges Menschenkind verkraften konnte. Die auf Bettfreuden und Freizeitspaß beschränkte Verbindung zu Ronaldo zerbrach, dafür erweiterten sich die engen Kontakte zu Tiziana auf gemeinsamen Wochenendtouren ins Land der Mimosen, Palmen und Zitronen, zu den Schlössern des Bayernkönigs Ludwig II. und den Märkten und friedlichen Flecken im Schwarzen Wald.

Und so begab es sich zu der Zeit, dass Tom, Erbe eines Transportunternehmens aus dem hohen Norden, sein Verlöbnis mit Tiziana bekannt gab – und dieser Akt von den Eltern des Zukünftigen nicht geschätzt wurde. Da machten sich die versprochene Tiziana und der Single Evina ein letztes Mal gemeinsam auf den Weg, die Ehelosigkeit unbekümmert zu genießen, und fuhren an einem freien Wochenende den Vorboten des Frühlings entgegen Richtung Süden. Evina bemerkte als Erste, dass sie verfolgt und beobachtet wurden. In gebührendem Abstand hinter ihnen preschte immer dasselbe Auto, in gebührendem Abstand heftete sich ein fremder Mann an ihre Fersen. Was immer sie taten, wohin sie auch gingen, der „unsichtbare Dritte" war mit von der Partie und ruinierte ihr trautes Miteinander. Wer war er? Was steckte dahinter? Unentwegt regten sich in Tiziana und Evina die Gedanken, pausenlos kreiste ihr unruhiger Verstand um das Geschehnis und weigerte sich, der unerwünschten Begleitung einfach keine Beachtung zu schenken. Es gelang weder der einen noch der anderen, das Affenhirn zum Schweigen zu bringen. Die Reise mit dem ungebetenen Gast huckepack im Nacken war zu beschwerlich, ein Albtraum, aus dem die Signorinas erst vor Tizianas Wohnungstür wieder erwachten. Dort verschwand das mysteriöse Monster, das sie auch auf dem Heimweg eskortierte, im grauen Nebel der Nacht.

Atemlos ließen sich die beiden Abenteurer auf Tizianas weiches Sofa fallen, fassten beide gleichzeitig eine Zigarette, nahmen einen kräftigen Schluck Cognac, den Tiziana trotz Alkoholabstinenz auf den Tisch zu zaubern wusste, und versuchten damit die Aufregung und das bange Gefühl runterzuspülen. Gefasst betätigte Tiziana die Wählscheibe des Telefons. Sofort meldete sich die weiche Stimme von Tom, der Licht ins Dunkel brachte und die ungeschminkte Wahrheit zu Tage förderte.

Tatsächlich hatte Tiziana mit ihrem feuerroten Haar und feurigen Temperament des Südens, diese Tiziana, die Tom vor den Traualtar führen wollte, die Reizüberflutung der elterlichen Sinne angefacht. Entfesselt von jeglichen moralischen Grundsätzen, ohne die Gefühle ihres Sohnes zu respektieren, hatten die Eltern des Zukünftigen in Tat und Wahrheit einen Detektiv engagiert, der Tiziana, den Dorn in ihrem Auge, Tiziana, die leibhaftige Verkörperung ihres Hasses, durch nachweisliche Sünden zu Fall bringen sollte. Was um Himmels willen wollte man den beiden unbescholtenen Mädchen in die Schuhe schieben? Evina war fassungslos über die Frechheit und so viel liebloses Gebaren innerhalb der eigenen Familie, störte sich aber auch an Toms ambivalentem Verhalten, das zum Himmel stank. Vor Evina tauchte das Bild von Erics Mutter auf, die in gleicher Manier die Liebe des Sohnes mit Steinen bewarf und wie Toms Eltern den egoistischen Deckmantel benützte: „Ich will ja nur dein Bestes."

Der Coup der Eltern war missglückt – so schien es zunächst. Doch Tizianas Schmerzpegel war mit diesem Zwischenfall über das Maß des Erträglichen angestiegen. Sie machte Tabula rasa, verließ Tom, ließ dessen Eltern herzlich grüßen, brach ihre Zelte bei Anwalt & Company ab und sagte der deutschsprachigen Region Adieu, um sich wieder an der italienischen Mutterbrust anzusaugen. Die äußere Distanz tat der inneren Verbundenheit der beiden Weggefährtinnen keinen Abbruch. Viele Jahre noch lagen sie sich immer wieder in den Armen, teilten einander Freud und Leid und konnten sich das Lachen nicht verkneifen, als nur wenig später der Erfahrungsschatz von Evina durch ein ähnliches Intermezzo bereichert wurde.

Veränderung – nichts als Veränderungen breiteten sich nun im Außen vor Evina aus. In die Nachfolge von Tiziana reihte sich ein blonder Jüngling ein, der als Jurist mit Namen Justus Justitia, die Göttin der Gerechtigkeit, gleich im Doppelpack vertrat. Lautlos, fast unbemerkt ließ er sein erworbenes Wissen in Rechtsschriften und Gerichtsverhandlungen einfließen. Anfängliche Unsicherheiten im zwischenmenschlichen Bereich waren dank Evinas unkompliziertem Verhalten und ihren hin- und mitreißenden Schwingungen rasch ausgemerzt. Justus, der Gerechte – Evina traute und vertraute ihm.

Das Arbeitspensum, das nun täglich auf Evina wartete, war enorm und vergrößerte sich von Tag zu Tag. Das Anwaltstrio berauschte sich förmlich am Studium der Prozessakten und an der Ausfertigung erfolgversprechender Schriften – schuftete sich auf der Karriereleiter höher und höher. Gemeinsame Frühstücks- und Mittagspausen waren rar. Hin und wieder gelang es Evina, die Gemüter durch einen ihrer kurzen Auftritte als Pausenclown zu erheitern. Lachen ist ja bekanntlich gesund – sorgt für Entspannung und gute Stimmung. Ansonsten ließ sie sich schwung- und freudvoll auf die Herausforderungen ihres Allrounder-Postens ein. Seit Wochen pendelte sie nur noch zwischen Pult und Bett hin und her, Freizeit und Vergnügen waren stark in den Hintergrund gerückt. Ihr derzeitiges Vergnügen bestand in ihrer Arbeit, die Sogwirkung der drei arbeitswütigen Rechtsgelehrten hatte nicht vor ihr Halt gemacht. Fachmännische Unterstützung durch eine zusätzliche Kraft wurde strikt von Evina verneint, sie beanspruchte weiterhin das Recht, Alleinherrscherin über die Männerdomäne zu bleiben. Sie gab alles, was sie zu geben hatte, und verabschiedete sich erst, wenn das Tagwerk vollbracht war.

So fiel sie auch heute nicht aus der Fassung, als Eric Evina unter vollem Einsatz seiner gehobenen Wortwahl um eine „Nachtschicht" bat. Voller Elan warf sie sich an ihre IBM-Executive und ratterte durch das Buchstabenallerlei, als plötzlich vor ihr die Silhouette einer aufgeputzten jungen Dame auftauchte, die zu Eric vorgelassen zu werden wünschte. Evina erschrak. Wieder einmal hatte sie das Läuten an der Tür vor lauter Konzentration auf die Tastatur überhört – und wieder einmal schien es ihrer Aufmerksamkeit entgangen zu sein, dass eine neue Flamme Erics Herz entzündet hatte.

Wie schaffte es dieser Eric immer wieder so schnell, frisches Kalbfleisch aufzustöbern? Ohne eine Antwort aus ihrem Hirn abzuwarten, kündigte Evina gehorsam die sich als Ariane vorgestellte Besucherin übers Telefon an. Im Bruchteil einer Sekunde öffnete der sonst eher bedächtig-langsame Eric die Tür, begrüßte huldvoll und überschwänglich die Angebetete und führte sie handumschlungen in sein persönliches Revier. Evina atmete kräftig durch. Irgendwann in diesem Theaterstück würde *sie* die Hauptrolle bekommen.

Im Dreißigminutentakt überbrachte Ariane, die neue Zuliefererin, von Hand beschriftete Blätter, die Evina per Maschine formvollendet zu einem Text verarbeitete. Dann kam, was kommen musste. Der Sesam öffnete sich. Heraus trat die Botin und setzte ein Tablett mit Essenskrümeln auf leeren Tellern und Lippenrot an leeren Gläsern und Tassen vor Evinas leicht gerümpfte Nase. Arianes schnippischer Hinweis, das Geschirr müsse noch abgewaschen werden, brachte das Fass zum Überlaufen. Das schnurrende Kätzchen mutierte zur fauchenden Katze. Evina sprang auf, packte das Tablett, drückte es dem Eindringling in die Arme und heuchelte süß aus zusammengebissenen Zähnen, dass das Küchenpersonal schon frei, aber Abwaschmittel, Wasser und Trockentuch an der Stelle zurückgelassen habe, die mit „Geschirrküche" bezeichnet sei. Ohne eine Reaktion abzuwarten, packte Evina ihre Siebensachen und verschwand.

Auweia. Die Stippvisiten der Botin in der Kanzlei nahmen zu. Von Justus erfuhr Evina, dass Ariane erst kürzlich ein Beziehungsaus garniert hatte – obschon ihr vorab das Eheversprechen gegeben und das Brautkleid schon gefertigt worden war. Justus und Evina ahnten nichts Gutes. Dann lag er da. Evina traute ihren Augen nicht, als beim Öffnen der Post ein Mietvertrag für eine gemeinsame Wohnung zum Vorschein kam. Ja, war denn das die Möglichkeit? Ariane und Eric nach kaum zwei Monaten unter ein und demselben Dach? Wusste Erics Mutter vom bevorstehenden Auszug ihres Herrn Sohnes? Den Vertrag an ihre Brust gedrückt schoss Evina hinüber zu Justus, der in schallendes Gelächter ausbrach und ein knappes: „Warten wir ab" über die Lippen brachte.

Beide, Evina und Justus, warteten. Der Gefahrenmelder schwieg. Die Spannung stieg. Nichts tat sich. Auch der gegenzuzeichnende Vertrag war noch nicht zwecks Retournierung auf Evinas Schreibtisch aufgetaucht. Dann platzte die Bombe.

Es war wieder ein Montag, als Eric völlig verstört in der Kanzlei erschien. Man sah ihm an, dass irgendetwas Schreckliches passiert sein musste. Er steuerte geradewegs in sein Büro, orderte bei Evina zwei Kaffee und zwei Glas Wasser und bat sie zu sich ins Zimmer.

Wieder war es die verfängliche Teestunde im elterlichen Anwesen unter Vorsitz des Zeremonienmeisters Mutter, die dem Würgegriff der Familie den entsprechenden Rahmen gab. Das Drama verlief formvollendet, als Ariane, mutiger oder auch impertinenter als ihre Vorgängerinnen, den Eltern zeigen wollte, wer hier ab jetzt den Ton angeben würde. Geschüttelt von Schmerz und Tränen öffnete Eric sein Herz. Evina ließ ihn gewähren. Er war völlig verwirrt, wusste weder ein noch aus, vor allem aber war ihm nicht klar, wie er der elterlichen Gewalt entkommen könnte. Evina hörte ihm mit Haut und Haaren, mit allen Sinnen, ihrem ganzen Körper zu. Frei von jeglichen verurteilenden Gedanken saß sie still und ruhig da und ließ den Dingen den Lauf. Ein berührender und bewegender Moment – stark und ohne Worte. Die Herzensgüte, die Evina für Eric empfand, war grenzenlos. Erics Tränen versiegten. In seinen Augen leuchtete die Schönheit und Vollkommenheit seines tiefsten Wesens, seiner wahren Natur. Erfüllt von Stille und Frieden kehrten beide an ihren Arbeitsplatz zurück.

Lieber Peider Baselgia, könnten Sie bitte zum Phänomen „Raum geben" ein paar Gedanken formulieren und erklären, wie genau das unmittelbare Gewahrsein funktioniert?

„Macht eure Herzen weit auf und vernehmt die Botschaft, die euch in eine neue Bewusstheit führen wird: In eurer modernen hoch technisierten Welt lassen sich Menschen immer mehr unbewusst auf der Oberfläche ihres Da-Seins führen und verführen, kommunizieren herzlos ausschließlich über ihren Verstand, der sie fest im Griff hält, und werden gefangen gehalten von dem aus ihrem Denkapparat sprudelnden Gedankenstrom.

Der ‚moderne Mensch' begegnet seinem Nächsten, ohne ihn wahrzunehmen als gleichen Teil eines Ganzen, stellt sich als getrenntes Wesen über ihn. Selbst in euren persönlichen Beziehungen, im intimen Beisammensein zweier Menschen, gibt der Verstand euch vor, wer ihr zu sein habt. Alle eure zwischenmenschlichen Beziehungen finden auf einer gedanklich vorgegebenen, oberflächlichen Ebene statt, werden beherrscht von Erwartungen, Bewertungen und Meinungen, die nur aus euren Köpfen stammen. Die Furcht, nicht genug, nicht anerkannt zu sein, die Angst zu leben und die Angst zu sterben begleiten euch auf Schritt und Tritt durch eure Zeitenreise – und längst habt ihr vergessen, wie freud- und friedvoll Leben wirklich ist. Drum wisset ein für alle Mal, nur wer sich gegen das sträubt, was ist, bleibt an der Oberfläche kleben, unterwirft sich der fadenscheinigen Welt der Illusionen, überlässt ihr die Wischiwaschi-Reaktion auf das Geschehen und wundert sich, dass er aus dem existenziellen Schlamassel nicht herauskommt.

An einem Beispiel möchte ich euch zeigen, wie es in eurer sogenannten Realität in Tat und Wahrheit wirklich aussieht: Ihr trefft auf einen anderen Menschen, steht ihm von Angesicht zu Angesicht gegenüber, hört seinen Geschichten, Wehklagen und Widerfahrnissen zu. Ihr schaut ihn an, glaubt, dabei zu sein, Anteil zu nehmen an seinem Geschick – doch was geschieht da wirklich in euch? Schaut genau hin! Während euer Gegenüber spricht, flattert in eurem Kopf eine Girlande von Gedanken, eine Endlosliste lautloser Kommentare. Unentwegt plappern eure Hirne ihre Gespinste vor sich hin, die sich verbal Bahn brechen Richtung Gesprächspartner – also fortdauerndes Beurteilen von Person und Situation. Meinungen, nichts als Meinungen. Vergängliche Formen, die keinen Bestand haben. Das ist euer Alltag. Benennen, verurteilen, vergleichen, sich erheben über des Bruders Freud und Leid – im Individuellen wie im Kollektiven. Diese zwanghafte Sucht, alles zu etikettieren, ist nur in der vom Ego geprägten Welt der Illusion, auf der rein menschlichen Ebene der Formen zu finden.

Im Reich des Formlosen, auf der Ebene der All-Einen Energie, begegnet ihr eurem Bruder nicht als einem von euch getrennten Wesen. Ihr begegnet ihm in einem Raum, der die Einheit von allem, was ist, enthüllt. Seinem Nächsten, seinem Gegenüber ‚Raum geben' heißt, ihn so anzunehmen, wie er gerade ist, ohne sein Verhalten, seine Wahrnehmung von Geschehnissen um und in ihm gedanklich zu bewerten. Keine Besserwisserei. Gegenwärtig präsent im Jetzt hört ihr dem Bruder mit eurem ganzen Körper, mit ganzem Herzen zu, verlasst euer Gedankenkino, richtet alle Aufmerksamkeit auf euren Atem – und verweilt ruhig und bewusst in der gedankenleeren Stille. Ihr ‚gebt Raum', lasst das Geschehen in seinem So-Sein zu. Zuhören in der Stille von Gedanken – das ist der Auslöser von Veränderung. Indem ihr den andern sein lasst, geschehen lasst, was geschieht, wird eine Energie freigesetzt, die nicht von dieser Welt ist. Tiefer Frieden breitet sich aus, im einen wie im andern. Die Wirkkraft des Ursprungs, das All-Eine, eröffnet eine neue Dimension und die Einsicht, dass nur der Widerstand, die Ablehnung von dem, was ist, das Geschehen so unerträglich machte, nicht das Geschehnis selbst.

‚Raum geben', die Dimension des Einen Bewusstseins, heißt in eure Sprache übersetzt, die Unendlichkeit der Einen Energie anzuzapfen, die in Abwesenheit von Gedanken, in der Stille des Seins, die Wirklichkeit hervorbringt, die der ‚moderne' Mensch in seiner

Unbewusstheit durch verrückte Wahnvorstellungen verloren hat. Wenn der verlorene Sohn, das Bewusstsein, ins Haus des Vaters, des All-Einen, zurückkehrt, werden die Angst zu leben, die Angst zu sterben begraben. Die Trauerfeierlichkeiten für den Verstorbenen ‚Angst' sind beendet. Daseinsfreude darf auferstehen!"

Auch wenn der Himmel bewölkt ist, ist die Sonne nicht verschwunden. Nicht lange nach der Enthauptung von Erics Freundin Ariane schoben seine Eltern die Wolken am Himmel gekonnt zur Seite, machten Platz für die leuchtenden Strahlen des wärmenden Gestirns und legten dem Filius ein wohlmeinendes Zückerchen auf die Zunge. Sie gestatteten ihrem Sohn, ein pompöses Fest im elterlichen Anwesen auszurichten. Wahrscheinlich hofften sie insgeheim, an diesem Anlass die ihnen genehme „Madame de" für den Junior zu finden. Entzückt von der Großzügigkeit der Eltern startete Eric seine Einladungsorgie und übergab Evina die lange Liste mit seinen Wunschkandidaten. Vergeblich suchte Evina ihren Namen unter den Adressaten – man konnte ja nie wissen –, doch weder sie noch Justus gehörten zum Kreis der Geladenen. Einzig Frédéric und seiner Angetrauten wurde die Ehre zuteil. Sie figurierten beide hoch oben auf der Namensliste.

In den nächsten Tagen war das bevorstehende Event Gesprächsthema Nummer eins. Man sah es Frédéric förmlich an, wie sein Brustkorb anschwoll, sein Rücken sich ob der ehrenvollen Aufnahme in die gehobenen Kreise regelrecht begradigte. Auch er war von Kindheit an geschult worden, zu erwerben, Anerkennung und Erfolg einzufordern und ein Ziel zu erreichen. Seine Präsenz auf der Gästeliste ließ ihn Morgenluft wittern. Seine Gedanken gaben ihm vor, ab jetzt dazuzugehören – was immer das auch heißen mochte.

Das Fest in der elterlichen Residenz hatte sich als rauschende Ballnacht entpuppt. Frédéric war voll des Lobes, verherrlichte geradezu die inszenierten Feierlichkeiten, und doch – Evina nahm es unvermittelt wahr – gab es da eine leise Dissonanz in seiner Stimme, die ein Gefühl von Missgunst nicht verhehlen konnte. Der Einblick in die private Sphäre, in die ganz persönliche Welt seines Kollegen Eric, hatte in Frédéric ein Gefühl von Mangel, ein Gefühl, nicht genug zu sein, nicht genug zu haben, hervorgerufen. Wie ein Dieb in der Nacht hatte der Vergleich mit Eric und dessen hochwohlgeborenem Umfeld Frédéric die Freude des Seins gestohlen. Was sind das für Menschen, die neidvoll auf die materiellen Güter ihres Bruders starren und einen Freund zum Feind erklären, nur weil er auf roteren Rosen gebettet ist. Evina war fassungslos, zumal auch Frédéric ja nicht vor leeren Tellern saß und ein schützendes Dach über dem Kopf hatte. Wen kümmert's, ob die Teller, von denen ich esse, mit einem Goldrand verziert sind? Das Wetteifern um Errungenschaften in der äußeren Welt konnte Evina nicht nachvollziehen. Personenkult und Tänze um das Goldene Kalb – derlei Veranstaltungen hatte sie in ihrem Zuhause nie kennengelernt.

Das als Fest der Freude unter Freunden arrangierte fröhliche Beisammensein hatte bei Frédéric, so sah es Evina, eindeutig das Ziel verfehlt. Die beiden Herren Kollegen gingen sich von nun an immer öfter aus dem Weg. Die gemeinsamen Arbeitszellen, die früher frohes Lachen und liebevolles Miteinander hergegeben hatten, wuchsen in einem nicht nachvollziehbaren Tempo unverhältnismäßig zu Gefängnissen heran, denen Evina am liebsten entflohen wäre. Die Sonne verzog sich wieder hinter die Wolken, Stürme kamen auf. Gewaltiges Donnergrollen folgte dem Blitz, der nun einschlug. Die Fronten zwischen Frédéric und Eric waren mittlerweile so verhärtet, dass man beschloss, getrennte Wege zu gehen. Was nun? Wieder hatte das Leben eine unverhoffte Wendung genommen, die Evina als aufmerksame Beobachterin ihres Mini-Universums so nicht erwartet hatte. Der Entscheid stand fest. Eric nahm die Herausforderung an, machte sich auf die Suche nach einem eigenen Bürositz – und wurde fündig.

Zum ersten Mal in ihrem inzwischen auf dreißig Lenze angewachsenen Leben wurde Evina von Unruhe und Kummer geplagt. In Schweiß gebadet erwachte sie jede Nacht und fand ihre Ruhe erst, nachdem sie den Inhalt einer Schachtel Pralinen oder eine Tafel Schokolade verputzt hatte. Was sollte sie tun?

Frédéric ging davon aus, dass sie bei ihm bleiben würde, Eric hingegen hatte sie bereits mehrmals gebeten, ihn in seine Selbstständigkeit zu begleiten. Eine Zitterpartie begann. Ruhelos war ihr Herz. Rastlos klapperten die Mühlräder ihres Verstandes, sangen ihr immer wieder dasselbe Lied und dröhnten sie voll mit ausweglosen, wirren Gedanken.

Da erschien eines Tages auf der Bildfläche der Kanzlei die imposante Gestalt des Klienten, der Eric vor längerer Zeit mit einem gewichtigen Mandat betraut hatte. Der Klient klopfte fest an die Tür des Sekretariats, begehrte Einlass in Evinas Klause und erbat – verschmitzt lächelnd – zehn Minuten ihrer kostbaren Zeit. Zehn Minuten, die Evinas Leben wieder auf den Kopf stellten. In einem vertrauten Gespräch wie zwischen Vater und Tochter setzte er all seine Überredungskünste ein, Evina von der Notwendigkeit einer Kündigung des Arbeitsverhältnisses mit Frédéric zu überzeugen. Der Klient, der Evina aufgrund ihrer Schaffenskraft und ihres erfrischenden Auftretens schon immer sehr geschätzt hatte, ließ nicht locker in seinem Bemühen, sie an Erics Seite zu stellen und gemeinsam mit ihm an den neuen Wirkungsort zu verbannen. Große Worte aus einem väterlichen Herzen. Evina war tief berührt. Noch am gleichen Tag verabredeten sich Eric und Evina auf Geheiß des Mandanten zu einem auswärtigen Essen am Wochenende. Und so wurde im Lebenshaus der beiden Hälften ein weiterer Stein auf die Grundmauern gesetzt und Evina geriet über die schicksalhafte Fügung, göttliche Führung und väterliche Kuppelei ins Schwärmen.

Das Wochenende kam schneller als erwartet. Die Zeit verging im Fluge. Fixfertig, gebügelt und gestriegelt stand Evina lange vor dem vereinbarten Termin parat. Statt sich der meditativen Stille hinzugeben, rannte sie alle naselang zum Spiegel, überprüfte den Sitz ihrer Lockenpracht, die Passform des sich eng an ihren Körper anschmiegenden Kostüms, spülte sich nach jeder sinnlos verpafften Zigarette per Mundwasser den Qualm und Geruch aus den Zähnen und befrachtete ihren Kussmund fieberhaft aufs Neue mit dem flammenden Tomatenrot ihres Lipsticks. Gerade als sie das Glas Wasser anhob, um ihre trockene Kehle zu benetzen, klingelte es an der Tür. Hektisch gurgelte sie den letzten Schluck zwischen ihren rougegefärbten Wangen hin und her – und öffnete. Eric kannte ihr schmuckes Heim bereits von einem Büroessen, das Evina mit Tiziana veranstaltet hatte, weshalb ihr die Führung durch die Gemächer erspart blieb. Eine zaghafte Begrüßung per Hand, ein entwaffnendes Lächeln. Sie schnappte sich Tasche und Mantel, die griffbereit auf der Kommode lagen, und stolzierte auf hohen Hacken dem Ausgang im Alleingang mit Eric entgegen.

Die weiß eingedeckte festliche Tafel in der sanft beleuchteten Nische des Restaurants spiegelte exakt die unschuldige Vertrautheit der beiden Gäste wider. Bei Evina stand der Verstand still, alles Geschehen lag jenseits ihrer Kontrolle – und auch Eric schien sich ganz absichtslos den eigenen Gefühlen hinzugeben. Zwei menschliche Wesen, die nahezu wortlos miteinander kommunizierten und dabei eins wurden. Ohne aktives Zutun der beiden Schützen flogen die Pfeile direkt ins Herz des Gegenübers – und erreichten ihr Ziel. Das Denken hatte aufgehört, und noch bevor der erste Gang aufgetragen wurde, wussten beide, Eric und Evina, dass der Weg von jetzt an ein gemeinsamer war.

Alle bösen Geister waren gebannt – dachte Evina. Aber das war nur wieder ein Gedanke. Noch in der gleichen Woche nach dem gemeinsamen Abendessen baute sich vor Evinas Schreibtisch – wie aus dem Nichts – die umwerfende, raumfüllende Gestalt einer eleganten älteren Dame auf, die Evina ihre von edlem Nappa verhüllte Hand mit einem knappen Gruß entgegenstreckte. Evina, aus unerfindlichen Gründen heute sportlich in knallenge Jeans und weißes Leinenblüschen verpackt, das Haar zu einem frechen Pferdeschwanz hochgebunden, erschrak und schaute die unbekannte Dame verdutzt aus ihren grünen Katzenaugen an. Sie erwiderte lächelnd den Gruß und entlarvte die Edle im Bruchteil einer Sekunde als Erics Mutter.

„Woher wissen Sie, wer ich bin?“, drängte sich eine herausfordernde Stimme an Evinas Ohr. Mit süßen Zungen schmeichelte Evina die Fragestellerin ein und säuselte in markantem Hochdeutsch, dass eine so gediegene feine Dame nur dem Hause Erics entstammen könne. Verblüfft von Evinas frivoler Art zu kontern und dennoch entzückt über das energetisch hoch geladene Kompliment, das wie Balsam auf ihr Haupt rieselte, spitzte sich der im gleichen Tomatenrot wie bei Evina aufleuchtende Muttermund zu und würgte ein vornehmes, eher künstliches Lachen hervor. Der Nappahandschuh übergab Evina ein kleines Geschenkpaket, fixierte sie noch einige Male mit einem strengen Blick, bevor er, unverhofft wie er gekommen war, wieder verschwand.

Niemand in der Kanzlei hatte vom Besuch der alten Dame etwas mitbekommen. Eric traute seinen Ohren nicht, als Evina ihm verriet, wer heute zwecks Brautschau erschienen war. Justus konnte sich eines satten Grinsens nicht erwehren und freute sich lauthals auf die nun wohl ins Haus stehende Teestunde, für die er Evina jetzt schon viel Glück wünschte. Und Frédéric, der seit ihrer Kündigung nicht mehr so gut auf Evina zu sprechen war, dieser Frédéric verzog seine Miene nur zu einem beileidsvollen Blick. Der herrschaftliche Auftritt bei Anwalt & Co. hatte Evina in ihrem kindlich-unschuldigen Gemüt keineswegs belastet. Im Gegenteil freute sie sich, dass der Berg endlich einmal zum Propheten gekommen war. Die leibhaftige Erscheinung der uneinnehmbaren Festung Mutter war Ansporn, diese Festung irgendwann einzunehmen und das verstockte Mutterherz zu erobern. Zeit spielte dabei keine Rolle. Auch wenn Evina in dieser ersten persönlichen Begegnung in den Augen der großen Dame zur Rivalin gekürt worden war, so würde der Tag kommen – das wusste sie –, der sie versöhnlich in Liebe einen würde.

Fest stand ein für alle Mal, dass der Entscheid, Eric in die Selbstständigkeit zu begleiten, unwiderruflich gefällt und der bevorstehende Auszug aus Ägypten nicht mehr zu leugnen war. Das Umzugsgut lag zum Abtransport bereit und wurde an einem sonnendurchfluteten Frühlingstag von stämmigen Kerlen ins Zentrum der Stadt zu einer prachtvollen Jugendstilbaute befördert. Evina fiel ob der Schönheit ihres neuen Arbeitsumfeldes von einem Begeisterungstaumel in den nächsten. Sie markierte ihr neues Revier mit dem würzigen Rauch indischer Kräuterstäbchen und den blauen Dunstwirbeln ihrer Zigaretten und half kräftig bei den Installationen mit. Sie konnte zupacken, das stellte sie jetzt wieder unter Beweis, und auch das geschickte Händchen für die Feinarbeit und der treffsichere gute Geschmack, Eigenschaften, die ihr bereits in die Wiege gelegt worden waren, kamen ihr beim heutigen Einrichtungsmarathon zu Hilfe.

Um die Mittagszeit überraschte ein Picknick-Korb, angefüllt mit lecker zubereiteten Häppchen, Wein, Kaffee und feinsten Backwaren aus der herrschaftlichen Großküche von Erics Elternhaus die ausgehungerte Zügeltruppe. Alle Sinne taten sich auf bei diesem Gaumenschmaus, dieser unverhofften Geste, die alle Mitstreiter zu würdigen und zu genießen wussten. Gestärkt durch das köstliche Mittagsmahl wurde montiert, gehämmert und eingerichtet. Die vollständige Bibliothek, sämtliche Klientenakten, Schreib- und sonstige Utensilien fanden den ihnen gebührenden Platz. Und erst als die Zeiger der Uhr die mitternächtliche Stunde einläuteten, fiel Evina todmüde, aber glücklich ins Bett. Sie ließ den Sonntag Sonntag sein und schlief tief und fest dem ersten Arbeitstag am neuen Ort entgegen.

Warum begeben sich die Menschen so oft und immer wieder in die Energie von Neid und Missgunst?

„Sorgenvoll vibrieren die Gedanken in den Köpfen der Menschen, die vor lauter Herumhirnen, Herumstudieren, sich immer wieder mit dem Nächsten vergleichen und dabei das lebendige Wissen um den wahren Grund ihrer Erdenreise vergessen haben. In Gedanken verloren eilen sie unbewusst durch die Wirren ihrer materiell-energetischen Existenz, stets auf der Jagd nach neuen Errungenschaften, stets im Widerstreit mit sich selbst und dem, was in der Realität da ist. Wie einst die machthungrigen kriegerischen Eroberer der vergangenen Epochen auf ihren blutrünstigen Feldzügen, so ist der Mensch in der so genannten ‚modernen Zivilisation' unterwegs, materiell Güter anzuhäufen, sich Bahn zu brechen für ein Da-Sein in seelisch-geistigem Notstand. Die Gier nach Eroberung, nach Habenwollen, nach Mehr hat sich inzwischen im Kopf jedes Einzelnen aufgebaut.

Seit die Lieblingsworte des den Menschen steuernden Ego, die Wörtchen ‚ich' und ‚mein', als wichtigste Attribute in die Hirne der Allerkleinsten eingetrichtert werden, die tiefe Sehnsucht nach Frieden und Freiheit nur noch durch äußere Dinge, durch wertlose, vergängliche Formen gestillt wird, hat sich die Trennung, die Abspaltung vom Bruder, vom ‚du' und ‚dein', in einem Ausmaß verstärkt, das Leid und Leiden begünstigt und die wahre Identität verhüllt. Neid und Missgunst sind nur Fragmente, bruchstückhafte Erscheinungen auf einer bunten Palette von Ego-Bedürfnissen, die den Menschen flussabwärts in immer weitere Strudel und gefahrvolle Gegenströmungen hineinreißen. So ist die Brutstätte von Neid und Missgunst, dem gierigen Ego-Spiel nach Besitz, nach Habenwollen, des ständig Sich-Vergleichens, tatsächlich in der frühesten Kindheit zu finden. Sagt mir, welches von euch Menschenkindern durfte die Präsenz einer Mutter erfahren, wo in Augenblicken zärtlicher, stiller Verbundenheit Selbstvertrauen, echte Daseinsfreude geschöpft und durch wortlose, innig-liebevolle Zuneigung das jedem Menschen innewohnende Licht entzündet werden konnte? Ein Kind will nichts anderes, als in seinem So-Sein angenommen werden, sich aufgehoben wissen in den Armen von Vater und Mutter – so wie es gerade ist, ohne Wenn und Aber. Wie einfach wäre es, erste auftauchende Gefühle von Angst, Wut und Trauer einfach zuzulassen, geschehen zu lassen, was geschieht – ohne dagegen zu kontern, ohne Vergleiche zu Geschwistern, anderen Altersgenossen oder gar zu Vater und Mutter anzustellen. Nein, Eltern und Erzieher der westlichen Welt lassen nicht zu, was ist, legen materielle Pflästerchen auf die Wunden der Herzen, überlassen dem Ego-Verstand die Führung und verschließen die wachen Sinne ihrer Nachkommenschaft für das Wesentliche. Der Mensch wird blind, taub, abgestumpft, abgerichtet auf oberflächliche Wahrnehmungen, lässt sich ab jetzt immer mehr vom Außen manipulieren, verfällt Verlockungen aller Art – und lebt konsequent an der Fülle und Schönheit des Da-Seins vorbei. Ein Kind, das sich akzeptiert fühlt, liebevoll angenommen wird, wie es ist, wird seine lichten Augen öffnen und sein mächtigstes Werkzeug, den göttlichen Kern in sich, entdecken. Ein solches Kind wird im vollen Bewusstsein seiner Schöpferkraft vertrauensvoll, mutig und kraftvoll seinen eigenen Weg gehen können, wo Neid und Missgunst keinen Platz mehr finden.“

Kapitel V

Bewährungsprobe am Arbeitsplatz

Außergewöhnlich war er – der erste Arbeitstag am neuen Ort. Außergewöhnlich früh die Stunde, die Evina aus einem tiefen Schlaf erweckte. Die Sonne war noch nicht sichtbar am Horizont, da war sie schon auf den Beinen. Aufmerksam lauschte sie in die Stille hinein. Das heitere Zirpen, Trällern und Jubilieren unnachahmlicher Vogelstimmen drang durch die offene Balkontür in ihr Herz. Leise trat Evina hinaus und ließ sich von dem mächtigen Konzert der gefiederten Freunde in die Tiefen ihrer Seele führen. Eine unsägliche Freude wie in Kindheitstagen machte sich in ihr breit, ein Frieden, den sie so subtil und berührend bislang nur im elterlichen Umfeld wahrgenommen hatte.

Ach ja, die Eltern. In Gedanken schweifte sie für einen kurzen Augenblick in die Ferne, wo Vater und Mutter geistig immer mit ihr verbunden waren. In all den Jahren ihrer Auslandsabwesenheit hatte sie jede freie Minute, all ihre Ferientage dazu benützt, die heimatlichen Gefilde aufzustöbern und sowohl aktive Hilfestellung in Haus und Garten als auch reine Daseinsfreude im geliebten und liebenden Elternhaus einfließen zu lassen. Seltsam, wie die Gedanken wandern. Die Realität holte sie wieder ein. Zu lange war sie barfüßig im dünnen Nachtgewand auf dem nackten Terrassenboden gestanden. Nun mahnte sie ein kalter Schauder, ein zittriges Frösteln, dass es Zeit war, die Morgentoilette in Angriff zu nehmen. Im Bad konzentrierte sie sich auf jeden Handgriff, war ganz auf ihr Tun ausgerichtet, vollkommen im Jetzt, im Augenblick – und ruckzuck erkannte sie sich im Spiegelbild kaum wieder. Sie wusste, dass die Aufmerksamkeit des einen Moments maßgebend war für ein reibungsloses gutes Gelingen aller Aktionen und Aktivitäten und folglich für einen guten Start in den Tag. In der Abwesenheit von Gedanken, die Aufmerksamkeit voll auf das jeweilige Tun ausgerichtet, erledigten sich die kleinsten Dinge auf wundersame Weise. So befand sich trotz etwas zittriger Hand die Wimperntusche dort, wo sie hingehörte, und die Konturen ihres Mundes hielten das Tomatenrot makellos auf ihren Lippen gefangen.

Gemächlich machte sich Evina auf den Weg. Seit sie ihr Automobil aus umweltschützerischen Erwägungen vor geraumer Zeit abgestoßen hatte, übernahmen Bahn und Zug den Transport ihrer vierundsiebzig Kilogramm. Mit ihren einhundertsiebzig Zentimetern über dem Meeresspiegel schritt sie über verwinkelte, von kräftig sprießenden Bäumen umrahmte Wege zur Tramstation. Sie glaubte einer Sinnestäuschung zu unterliegen, als sie feststellte, dass die Menschen, die sie umgaben, am heutigen Montag sich so fröhlich-ungezwungen zeigten, wie es sonst nur an Freitagen der Fall war. Es war, wie die Erfahrung sie gelehrt hatte: „Die Augen, mit denen man schaut, spiegeln alles zurück."

Wie damals, als sie bei Anwalt & Co. nach vorgängigem Läuten in die Kanzlei eingetreten war, besänftigte sie ihr klopfendes Herz durch Tiefatmung und öffnete mit dem Schlüssel die große Pforte zu ihrem neuen Reich. Sie war die Erste. Langsam und bedächtig schritt sie durch die Räume, riss Fenster und Türen weit auf und ließ die laue Frühlingsluft in das neue Refugium Einkehr halten. Sie setzte die kleine Kaffeemaschine in Gang und labte sich an den köstlichen Aromen des Türkentranks, dessen Genuss sie mit der ersten Zigarette des Tages verstärkte.

Ein ihrem Gehör noch nicht vertrauter Glockenschlag ließ sie aufhorchen. Wer konnte das sein? Sie lief zum Eingang, machte sachte die linke Seite des Portals auf und starrte gebannt auf eine gepflegte männliche Gestalt, die ihr einen feurigen Handgruß zukommen ließ und sich alsdann mit tastenden Schritten in die Halle hineinwagte. Er hieß Gustavo und war der Neue an Erics Seite. Evina war entzückt und nahm den Neuzugang herzlich in Empfang, da erschien Eric auf der Bildfläche. Sofort reihte er sich in den Begrüßungsreigen ein. Eric sprühte vor Lebensfreude und Tatendrang. Gemeinsam ging das Dreiergespann im Konferenzraum auf Tuchfühlung. Ein von Evina serviertes Tässchen Kaffee belebte die drei Körper und unter Mithilfe von Erics würzigem Pfeifentabak erfüllte eine freigesetzte kraftvolle Energie Seele und Geist. Wahrlich, die Chemie mit Gustavo schien zu stimmen.

Die intimen Einstandsfeierlichkeiten waren in vollem Gange, da wurde das frohe Miteinander jäh durch das Schrillen der Türglocke unterbrochen. Das Portal tat sich auf – und ohne jegliche Vorwarnung platzten Erics Eltern herein und sprengten die fröhliche Runde. Wer hätte gedacht, dass die traditionelle Einweihung der neuen Räumlichkeiten von Erics Vater und Mutter vorgenommen werden würde. Es muss wohl ein Bild für die Götter gewesen sein, als die drei Insassen wie vom Blitz getroffen gleichzeitig von ihren Sitzen hoch- zum Elternpaar hinsprangen und die Herrschaft gebührend begrüßten. So unerwartet und unverhofft wie der Besuch war die Lobeshymne, die bei der Besichtigung der heiligen Hallen die Luft schwängerte. Bemerkenswert auch die zahllosen Komplimente, die Evina einstecken musste. Und geradezu unfassbar das Ritual am Ende der Zeremonie, als die feierliche Übergabe eines attraktiv mit silbernen Bändern verzierten Geschenkpakets erfolgte, das Evina, herzliche Dankesworte stammelnd, unsicher entgegennahm. Unter den wachsamen Augen der Garde entblätterte sie die Schachtel, die einen kostbaren silbernen Kerzenleuchter zum Vorschein brachte. Evina zeigte ihr strahlendstes Lächeln und förderte nicht enden wollende Bewunderung für die Aufmerksamkeit zu Tage. Während das erste Mitbringsel damals bei Anwalt & Co. eine kleine Süßigkeit enthielt, ließ die heutige Wertsteigerung sie aufhorchen.

Monate vergingen. Gustavo arbeitete sich prima ein und wurde je länger, je mehr zu Evinas Vertrautem. Ein wahrhaftig integrer, geradliniger, humorvoller Kollege war von Eric gefunden und in eine Büropartnerschaft aufgenommen worden. Gustavo mit seinen väterlicherseits deutsch-aristokratischen und mütterlicherseits italienischen Wurzeln, dieser Doctor Iuris, war zuverlässig, pünktlich, manierlich und possierlich, nie grenzüberschreitend. Er bildete mit seiner italienischen Ehefrau sowie den beiden Töchtern eine standfeste Einheit, die durch nichts zu erschüttern war, was sich auf sein Arbeitsumfeld positiv auswirkte. Anders als Eric fand er immer wieder Zeit für ein Schwätzchen, war empfänglich für Vertraulichkeiten, der geeignete Ansprechpartner für die an Treuherzigkeit und Offenheit nicht zu überbietende, gefühlvoll-überschwängliche Evina.

Eric hingegen verlor sich in den Anfängen seiner Selbstständigkeit an die Außenwelt. Der Satz des Vaters, er sei die größte Enttäuschung seines Lebens, saß ihm teuflisch im Nacken. Ruhelos war er unterwegs, akquirierte Mandat um Mandat, trat gehetzt und getrieben in die Fußstapfen des Vaters und in die politische Laufbahn ein, hastete von Termin zu Termin, schottete sich im Büro von jeglicher persönlichen Annäherung ab – und entwickelte sich zu einem launischen Zeitgenossen und Workaholic. Wie der Löwe im Käfig rannte das Arbeitstier Eric zwischen seinen selbst aufgebauten Gitterstäben hin und her.

Die Wochen zogen weiter ins Land. Das Gestern war vorbei, das Morgen noch nicht da. Der schönste Tag kommt immer ohne Vorankündigung. Es war wieder Montag – und der Geburtstag von Eric. Der Gratulationsparcours war abgelaufen. Die Dunhill-Geburtstagspfeife im Mundwinkel hatte sich Eric zufrieden hinter einem Aktenberg verschanzt. Losgelöst von allem Weltlichen war er in seine Arbeit vertieft, während sich Gustavo mit Klientschaft hinter verschlossene Türen verzogen hatte. Evina saß konzentriert vor einer Zinsberechnung – da klingelte das Telefon. Nichts Ungewöhnliches. Doch dieses Mal meldete sich die markante Stimme von Erics Mutter, die Gustavo und Evina zum gemeinsamen Mittagessen im Hause der Regentschaft einlud. Evina erkannte sofort, dass hier jegliches Aufbegehren fehl am Platz sein würde, und bestätigte kurzerhand das Kommen mit einem lieben Dank. Der Hörer fiel auf die Gabel – und ihr Herz in die Hose. Schwupps waren sie wieder da, die Gedanken im Kopf, die ihr alle möglichen und unmöglichen Szenarien vorgaukelten. Sie beobachtete ihr Gedankenkino und wartete ruhig ab, bis Gustavo die Klienten verabschiedet hatte, um dann unverzüglich mit ihrer Hiobsbotschaft in sein Gemach zu stürmen.

Eric fiel aus allen Wolken, als Gustavo und Evina sich anschickten, ihn zum häuslichen Mittagsmahl zu begleiten. Nie wieder, so hatte er kürzlich noch versichert, würde er das Elternhaus als Kulisse für eine Einladung wählen – und nun doch. Ein Dilemma. Sein Unverstand für diese Situation zeigte sich in seinen großen, fragenden blauen Augen und hielt während der Fahrt aus der Stadt bergwärts „in höhere Gefilde" an. Pünktlich zur geladenen Stunde lenkte Eric den Wagen mit dem Trio vor ein mächtiges eisernes Tor, das sich automatisch zur Seite schob und den Weg zum Parking freimachte.

Die Begegnung mit der Verwandtschaft verlief undramatisch. Evina gab all ihre Aufmerksamkeit in das Jetzt, fühlte das Gute in sich und allen Anwesenden. Angst und Unsicherheit vor dem Zusammentreffen mit der Obrigkeit waren verflogen, alle Negativität von ihr abgefallen. Der vor wenigen Minuten noch ruhelos wirkende Verstand hatte keine Macht über ihre Befindlichkeit. Sie ließ ab jetzt nur noch ihr Herz sprechen im klaren Wissen, dass alle Menschen schließlich und endlich eins sind und in wechselseitiger Verbundenheit und Abhängigkeit zueinander stehen.

Am festlich eingedeckten Tisch fühlte sich Evina gleich heimisch. Sie war hungrig und freute sich, als das Hausmädchen auf ein Klingelzeichen der Gastgeberin den Essensreigen mit einer heiß dampfenden Bouillon eröffnete. Im Blickwinkel ihres rechten Auges schielte Evina zu Gustavo, der mit zittriger Hand darum kämpfte, den Inhalt seines Suppenlöffels zum Mund zu führen, was ihm nur teilweise gelang. Sie grinste still in sich hinein, hatte der Herr Anwalt doch vorhin im Auto auf ihre Anfrage, ob er auch so aufgeregt sei wie sie, ein heftiges Veto eingelegt. Schmunzelnd beobachtete sie die Tafelrunde, horchte hinein in das Klappern von Besteck und Geschirr und die spärlich fließenden Worte der Esser. Ihr Blick fiel auf Eric, der schweigend vor seinem Teller saß und Unheil erwartete. Evina schmerzte seine Anspannung. Sie war froh, als der vom Alter gezeichnete Vater sich beim Dessert mächtig ins Zeug legte und die vorher eher gemäßigte Konversation zünftig anheizte. Evina ließ die konformen Schranken fallen und ihr erfrischendes Lachen erschallen, das bis in die hintersten Winkel des Zimmers drang. Erics Vater schien sie zu mögen. Er beauftragte das Mädchen, den Kaffee in seinem Studio zu servieren, und lud Evina ein, ihn dorthin zu begleiten. Im Schnelldurchlauf breitete der rührige alte Herr ein paar hervorragende Meilensteine aus seiner Lebenschronik vor Evina aus – Worte, die jetzt von Güte und Milde geprägt waren, die aber den Drang nach Anerkennung von außen nicht verhehlen konnten. Achtsam und liebevoll thronte sie Seite an Seite mit dem Mann, der selbst am Ende seiner Erdenreise den göttlichen Kern in seinem Innern nicht entdeckt hatte und kontinuierlich Energie aus der Bestätigung durch andere Menschen einforderte. Evina war traurig berührt und dankte insgeheim dem Schöpfer aller Dinge, der ihr mit Väterchen und der Großen Mutter so bewusste Wegbegleiter gesandt hatte, die auf das mächtigste Werkzeug im Menschen, den Ursprung, das All-Eine, hinzuweisen wussten. Sie empfand tiefes Mitgefühl für Erics Vater, der die wahren Segnungen des Lebens, die in keiner Kirche, in keinem Tempel anzutreffen sind, auch im hohen Alter nicht erfahren durfte und sich durch Abhängigkeiten im Außen in Einsamkeit und Trennung gefangen hielt.

Ein dreimaliges Klopfen an der Tür holte Evina aus der Stille auf die menschliche Ebene zurück. Erics Mutter trat ins Zimmer, deutete auf die Uhr und mahnte zum Aufbruch. Verwundert bemerkte Evina, dass eine geschlagene Stunde wie im Fluge vergangen war. Einem inneren Impuls folgend umarmte sie den Vater, dankte ihm für die vertraulichen Momente, schenkte alsdann der Mutter einen herzhaften Händedruck, den sie mit Dankesworten für die freundliche Einladung und das feine Essen bekräftigte, und eilte flugs dem Ausgang entgegen, wo Eric und Gustavo bereits auf sie warteten.

Auf der Fahrt zurück zum geliebten Arbeitsplatz überschlugen sich die Emotionen. Der Stein, der Eric bang auf seiner Seele lastete, plumpste hörbar in den Sitz seines Wagens. Gustavo rauchte Kette und tempierte seine Nervosität auf Normalnull herunter, während sich Evina krummbog vor Lachen über ihre zwei männlichen Gesellschafter und den unspektakulär verlaufenen Ausflug in unbekannte Welten. Die ausgedehnte Mittagspause hatte aber auch ihre Tücken. Müde, mit prall gefüllten Bäuchen erreichten sie das Büro. Das opulente Mahl, der schwere Wein sowie die Begegnung mit den grauen Eminenzen hatten ihre Wirkung nicht verfehlt. Evinas Schaffenskraft lag darnieder. Sie bat um frühzeitige Entlassung, schmetterte ihren Arbeitgebern ein lachendes Adieu entgegen und rauschte kichernd auf wackligen Beinen Richtung „Bettanien“ davon.

Ich aber, Herr, hoffe auf dich und spreche:
Du bist mein Gott!
Meine Zeit steht in deinen Händen.

Psalm 31, 15/16

Dieser Vers stand oben in der Anzeige, die den Heimgang von Erics Vater verkündete. Nur wenige Monate nach der mittäglichen Zusammenkunft wurde Eric unmittelbar mit dem Thema

Tod konfrontiert, und er entdeckte auf bittere Art, dass in der Welt der Formen nichts von Dauer ist. Auch er hatte bislang das Leben vom Sterben getrennt und zwischen den Polen Geburt und Tod die Angst angesiedelt. Immerhin – als kleinen Lichtblick empfand der Sohn das wenige Tage zuvor mit dem Vater geführte versöhnende Gespräch, das den zeitlebens schwelenden Beziehungskonflikten den Stachel nahm und das Siegel der Vergebung unter den Friedensschluss setzte.

Die Begräbnisfeierlichkeiten für den verstorbenen Vater und großen Landesherrn gestalteten sich eindrücklich und imposant. Evina staunte ob all der gewaltigen Inszenierungen und wurde fast erdrückt von den hochrangig dekorierten Menschenmassen, die dem Toten das letzte Geleit gaben. Anders als bei der Beisetzung der Großen Mutter schien diese Ehre weniger dem Heimgegangenen als dessen Errungenschaften und seinem weltlichen Wirken erwiesen zu werden, ließ sich die Trauergesellschaft – wie in der westlichen Hemisphäre üblich – von einem falschen Glanz verführen. Evinas mitfühlendes Herz war erfüllt von reiner Liebe zu dieser väterlichen Seele, die in den Schoß des Ursprungs zurückgekehrt war und nun Neues erfahren durfte. Und sie blickte dankbar auf die kurzen trauten Momente des Friedens und der Freude zurück, die damals im Studio mit dem vom Leben stark gezeichneten Mann aufgetaucht waren und eine gewisse Vertrautheit zwischen ihnen aufflackern ließen.

Es war leise geworden im Hause Erics und in der Kanzlei. Das Telefon ließ die Seele baumeln, die Schreibmaschine hielt einen kurzen Winterschlaf. Evina bestieg den Zug Richtung Elternhaus, wo vierzehn strahlende Weihnachtswintertage auf sie warteten. Welch wunderbare Geschenke fallen vom Himmel – falls man sie denn auch sehen konnte. Die Verwirrung des Sommers, wenn man vor lauter Sommer nicht weiß, was man zuerst machen soll, war wie weggezaubert. Selbst die Jahreszeiten, so sinnierte Evina im durch herrliche Landschaften gleitenden Waggon, sind eine

Chance. Nehmen wir sie an, so wie sie sich uns präsentieren, dann entdecken wir ihre jeweilige Schönheit.

Die Weihnachtsbotschaft in der kleinen Kapelle, der Evina alle Jahre wieder mit Mama und Väterchen lauschte und die von der Geburt des Sohnes kündete, der als Helfer und Heilsbringer in die Welt der Formen kam, um in Erinnerung zu rufen, dass alles, was in ihm leuchtete, in allen Menschen verborgen liegt, diese frohe Kunde weckte sie heute richtig auf. Dem neuen Prediger, einem Schwarzen aus dem Morgenland, war es fühlbar gelungen, den zentralen Wahrheitsgehalt der weihnachtlichen Botschaft auf die Zuhörerinnen und Zuhörer zu übertragen. Dieser junge, einfache Gottesmann zog die Gemeinde voll in seinen Bann, und Evina spürte mit vielen anderen Gottesdienstbesuchern, dass hier jemand auf der Kanzel stand, der die Essenz des Göttlichen in sich entdeckt hatte und zu leben wusste. „Der Sohn kam als Licht in die Welt der Materie, um wachzurufen, was allen Seelen seit Urzeiten innewohnt, aber durch Ablenkung im Außen verschüttet und verloren gegangen war." Diesen magischen Satz verankerte Evina fest in ihrem Inneren.

Die Mama zur Rechten, den Vater zur Linken, Arm in Arm und von Herz zu Herz verbunden, stapften die drei glückselig heimwärts durch den frisch gefallenen Schnee. Auf der Suche nach dem Sinn des Lebens wollte Evina ab jetzt nicht mehr auf morgen warten, weil das Leben ja heute schon da ist. Anstatt zu warten und sich abzumühen, wollte sie ihr Licht entzünden und dem Leben einfach danke sagen für das, was da ist – direkt vor ihren Füßen. Am festen Armdruck ihrer Eltern, die Evina noch näher an sich herangezogen hatten, verspürte sie deren Wohlwollen und Zustimmung. Als die Tochter merkte, dass sie die ganze Wegstrecke lang ihre Worte nicht gedacht, sondern leise vor sich hin gesprochen hatte, mussten alle drei Kirchgänger herzhaft lachen.

Evina war der zweitausend Jahre alten Botschaft nähergekommen, gnädig geworden mit sich selber und damit unweigerlich auch mit dem Nächsten. In den nachfolgenden ruhigen Tagen wurde die Flamme des Lichts, das sie mit allen Menschen teilte, größer und größer. Am zweiten Weihnachtstag hatte Evina mit Eric telefoniert und versucht, den bahnbrechenden Impuls an ihn weiterzugeben und seine Flamme zu berühren. Sie hatte sein Unwohlsein und die abgrundtiefe Traurigkeit wahrgenommen, die ihn, verursacht durch seine Gedanken und Schuldgefühle, fest im Griff hielten. Die Kommunikation war spärlich – und genau das half den Energien, schrankenlos fließen zu können.

So war es nicht verwunderlich, als noch vor Jahresende ein Brief von Eric ins Haus flatterte. Die Hilferufe, die er schonungslos darin verpackt hatte, nagten an Evinas Seele. Sie konnte kaum glauben, was sie dort las – und vor ihren feuchten Augen verschwammen die Zeilen zu einem dunklen Fleck. Erics Offenheit war bemerkenswert und gipfelte in den Sätzen: „Seit deinem Anruf ist wieder Leben in mir. Es hat den Anschein, als verdorre ich ohne dich. Es muss doch möglich sein, aus dem Teufelskreis des ständigen Auf und Ab auszubrechen. Jahrelang habe ich Wolken geschoben – nun will ich endlich mit dir das Sonnenlicht sehen!" Das Mitgefühl der Eltern für den verzweifelten Eric war grenzenlos! Sie rieten der Tochter, ganz bei sich selbst zu bleiben und Wut und Zorn keinesfalls auf Erics Elternhaus zu projizieren. Evina verstand. Und es war wieder Väterchen, der es auf den Punkt brachte und alle Weisheit in einem knappen Satz zusammenfasste, indem er bestätigte, was Hermann Hesse in „Mein Glaube" schon erkannt hatte: „Liebe den Nächsten, denn er ist du selbst!"

Mit diesen heilsamen Worten im Gepäck erreichte Evina zu Beginn des neuen Jahres ihr Auslandsdomizil. Wie schon oft benötigte sie auch dieses Mal einige Tage, um die äußere Distanz zum heimatlichen Boden aufzufüllen. Die Arbeit in der

Kanzlei gelang mühelos. Gustavo hatte sich über die Feiertage in der häuslichen Umgebung energetisch aufgeladen. Eric wankte und schwankte zwischen Trauer, Scham, Schuld und Sühne hin und her. Anzeichen für seinen Kampf mit sich selbst waren die verschlossenen Türen zu seinen Gemächern und die abgewandte Seite, die er seinem Arbeitskollegium so unmissverständlich zeigte.

An einem Samstag kurz vor Evinas Geburtstag – sie stand vor einem Wäscheberg und bügelte – läutete es Sturm an ihrer Wohnungstür. Ein von Emotionen aufgewühlter Eric bat, eingelassen und gehört zu werden. Stunde um Stunde verging. Evina ließ Eric gewähren, der, völlig übermannt von seinem kleinen Ich, sich durch Schuld und Sühne, Wut und Entrüstung selbst massakrierte. Irgendwann war Schluss mit dieser Selbstverurteilung und Hinrichtung. Evina sprang auf, stellte sich in Position und hörte sich lauthals verkünden, dass die Ära Vater beendet sei. „Vergiss das leidige Thema und sei endlich du selbst!“, sagte sie und fügte hinzu: „Solange du in die Fußstapfen deines Vaters trittst, wirst du nie auf die Überholspur gelangen und auf deinen eigenen Weg kommen!“ Dieses angeführte Beispiel schien Eric zu gefallen. Er strahlte kurz auf, seine blauen Augen leuchteten. Er gelobte, die Vergangenheit Vergangenheit sein zu lassen, und schlürfte – befreit vom Unbill seiner durch Gedankenkonstruktionen selbst auferlegten Pein – den Whisky, den Evina zusammen mit dem Kaffee vor drei Stunden schon vor ihn hingestellt hatte. Er sprach einen Toast aus auf seine Neugeburt, stopfte ein weiteres Mal seine Tabakpfeife und prostete Evina zu.

Einer inneren Eingebung folgend hatte Evina inzwischen Erics Lieblingsschallplatte „Shaft“ aufgelegt. Von jetzt an übernahm Isaac Hayes die Regie und dirigierte über seine heißen Songs das Traumpaar Eric und Evina in Rausch und Verzückung. Es geschah, was geschehen musste. Jedes Bemühen, auch das Bemühen, sich nicht zu bemühen, war aufgegeben worden. Ohne Erwartung nahm das Wunderbare einfach seinen Lauf. Alle

Dinge dieser Welt waren vergessen, wertloser Gedankenmüll, deponiert auf den dafür zuständigen Halden. Das Leben hatte Eric und Evina soeben das schönste Märchen erzählt – und auch sie waren ekstatisch darauf reingefallen. Ein traumhafter Reinfall, der einen kurzen Einblick ins Einssein gewährte, der aber die tiefe Sehnsucht nach wahrer Einheit nicht zu stillen vermochte.

Dicht aneinandergeschmiegt und still lagen Eric und Evina beieinander, da überfiel Eric plötzlich aus heiterem Himmel jenes Virus, das man schlechtes Gewissen nennen könnte. In Windeseile löste er die Bande zu seiner Gespielin und zog sich eilends an. Er stand völlig neben sich und stieß gebetsmühlenartig unverhältnismäßige Satzbrocken aus, die aus dem extraterrestrischen Bewusstsein des Ego sich den Weg durch Zeit und Raum bahnten. „Was um Himmels willen haben wir da getrieben – der Papst hat das verboten." Evina glaubte, sich verhört zu haben. Unfassbar, was da an Angst durch den Äther brauste. Erschrocken stürzte sie sich in ihren Morgenrock, stellte sich in die Tür und beobachtete zitternd den aus allen Fugen geratenen Geliebten. Sie wusste, dass alles Zureden nichts nützen würde, und verhielt sich ruhig, als er panisch mit wirrem Blick in seine Kleider stieg. Als er sie mit einem Ellbogen zur Seite stieß, ging alles sehr schnell. Sie hatte in diesem Augenblick keine andere Wahl und holte kurzerhand zu einem Schlag aus, der Eric auf die linke Wange traf. Noch nie war sie handgreiflich geworden, hatte sie die Hand erhoben gegen Mensch oder Tier. Deshalb blickte sie voller Verwunderung auf, als sie nach diesem saftigen Hieb die Angst aus Erics schmerzverzerrtem Gesicht entweichen sah. Der Schock hatte ihn aus seinen Gedanken heraus in die Normalität geführt. Er entschuldigte sich überschwänglich für seinen ungewöhnlichen Auftritt, verabschiedete sich und zog gesenkten Hauptes von dannen.

Evina, starr vor Schreck, ließ sich in einen Sessel fallen. Wie viele Verletzungen, Wunden und Narben mussten auf der Seele eines Menschen lasten, der so gewalttätig, hart und frontal mit sich selbst zu Gericht ging. Regungslos stierte sie in die satte Baumkrone des Ahorns vor ihrem Fenster – und wurde still. Kein Aufbäumen, kein Aufschäumen, keine Kraft zu reagieren. Ihr Blick fiel auf den Wäschekorb im Esszimmer, der sehnsüchtig auf ihr Erscheinen wartete und noch am selben Abend geleert und blank geputzt wieder im Keller verschwand. Verschwunden war auch ihr Appetit. Erschöpft von den Ereignissen des Tages kehrte sie an den Tatort zurück, bettete sich sanft in die Kissen und schlief – ohne einen Gedanken zu spinnen – sofort ein.

Im Büro ging alles seinen gewohnten Gang. Eric war „Herr Doktor", das „Du" mutierte zum „Sie". Diskretion war für Evina Ehrensache. Sie hütete sich, irgendjemanden in Privates einzuweihen. Nicht einmal Donata, die Freundin aus alter Zeit, mit der sie sich heute Abend zu einem Essen verabredete, bezog sie in Einzelheiten von Beziehungsgeschichten mit ein.

Der Risotto blubberte auf der Herdplatte, entwickelte sich mit dem von Evinas Hand sanft im Kreise geschwungenen Kochlöffel unter stetiger Zugabe einer heißen Bouillon zu einem sämigen, nach Safran duftenden Brei, da klingelte das Telefon. Donata übernahm den Kochlöffel, Evina den Hörer. Es war Erics Mutter. Der Patriarchin war die lange Abwesenheit ihres Sohnes am Samstag nicht entgangen. Sie hatte von dessen Visite bei Evina Kenntnis erlangt. Sämtliche Alarmglocken schienen in Bewegung gesetzt. Eine höllische Tirade von Beschimpfungen flog aus der Hörmuschel um Evinas Ohren. Wie, so entrüstete sich die Frau am anderen Ende der Leitung, habe Evina es wagen können, den Sohn bei sich aufzunehmen, der in schweren Zeiten tiefster Trauer um den geliebten Vater nach Hause an die Seite seiner Familie gehöre. Evina verschlug es den Atem. Sprachlos setzte sie sich den Vorwürfen nicht zur Wehr. Sie wartete ab. Dann, als sie mit „durchtriebenes Saumädchen" betitelt wurde, ging alles wieder einmal sehr schnell. Hier waren soeben klar Grenzen überschritten worden. Mit ihrer kraftvoll starken Stimme setzte sie die Klägerin ins Unrecht und bat um respektvolle Behandlung und um den guten Ton, der gewissen Kreisen wohl abhandengekommen sei. Evina kündete an, dass sie dem Gesagten nichts weiter hinzuzufügen habe, und legte den Hörer auf die Gabel. Sie weinte.

Tränenüberströmt kam Donata ins Zimmer, umarmte sie und setzte sich still neben sie. Instinktiv hatte Donata den Herd abgestellt, sich an den Zweitapparat im Schlafzimmer herangewagt und das Gespräch mitgehört. Dem Augenwasser in ihrem Gesicht nach zu urteilen hatte die Abkanzelung der Rivalin die Freundin komplett umgehauen. Kreidebleich stocherte Donata in ihrem Hirn herum und entlockte ihm die bösesten Prädikate. Sie ließ erst davon ab, als Evina eingriff, sie wolle sich das Freundschaftstreffen nicht verderben lassen. Der Risotto, längst nicht mehr al dente, mundete in Wechselwirkung mit dem süffigen Rotwein dennoch ausgezeichnet. Die Tranksame hatte bereits ihre Zungen gelöst, da wendete ein gewaltiger Lachanfall das Blatt auf beiden Seiten und verpasste dem Abend noch eine stimmige Note.

Nichts anderes ist die Welt als eine bunte Bühne. Evina spielte weiterhin ihren Part und ließ sich von nichts und niemandem beirren. Das Trauerjahr lag mittlerweile weit hinter ihnen. Eric schickte sich hin und wieder an zu verreisen – allein. Es waren vorwiegend seine Briefe, die er als Sympathieträger benutzte und in denen er seine Gefühle für die Daheimgelassene ausdrückte, deren Zuneigung er so oft mit Füßen getreten hatte, weil – so stand es geschrieben – ihm die Dimension Herz abhandengekommen sei.

Eines schönen Tages geschah, womit niemand mehr gerechnet hätte. Eric wollte Evina mitnehmen auf die Insel seiner Träume – vielleicht um herauszufinden, ob die Begleitung sich für ein längeres Zusammenspiel eignete. Bis es so weit war, gab es allerdings noch ein paar Turbulenzen. Der Familienvorstand Mutter hatte vom Vorhaben des Juniors Wind bekommen und witterte erneut Gefahr. Eric dachte nach wie vor in Begriffen von Sünde und Verdienst. Das ichhafte Ego verdeckte das Licht, das Evina so oft durchscheinen sah, Eric indessen einfach nicht erkennen wollte oder konnte. Er spielte das Spiel nach den anerzogenen Verhaltensmustern und nahm nach wie vor die Freuden und Leiden des Augenblicks viel zu ernst.

Die Koffer für den ersehnten Ausflug standen fertig gepackt im Flur. Evina aalte sich in einem heißen Schaumbad, als die Türklingel sie verunsicherte. Es war kurz vor zweiundzwanzig Uhr. Wollte ein Nachbar sich wegen Ruhestörung empören? Sie entstieg wie Venus dem Bade, warf sich in den Frotteemantel, schlich zur Tür, lugte durch den Spion und sichtete die Gestalt von Eric. Sein Harmoniebedürfnis, die Suche nach echtem Frieden, war zum x-ten Mal in die falsche Richtung gelaufen und hatte in seinem Innern Feindschaft und Ablehnung erzeugt. Es war wie verhext. Seines wahren Selbst nicht bewusst, hatte er die ihm innewohnende Macht erneut an das Kontrollorgan Mutter abgegeben und sich wiederum zwanghaft unter ihre Befehlsgewalt gestellt. Es tue ihm leid, Evina zu vorgerückter Stunde mitteilen zu müssen, dass die geplante Reise nicht stattfinden dürfe.

Alles Leben ist Energie. Evina ließ diese Energie ohne jeden Widerstand, ohne Reibung dahinströmen, segnete das soeben Gehörte mit einem „in Ordnung“ ab und entließ den Geliebten in die Nacht. Das Gepäck blieb unberührt dort, wo es war. Das Badewasser ebenfalls. Erst morgen würde sie es ablassen, um jegliche Ruhestörung im Haus zu vermeiden. Sie reinigte Fuß- und Fingernägel, erneuerte den tomatenroten Lack an Füßen und Händen und verschwand, verpackt mit einer dicken Schicht Nivea-Creme, unter ihrer Bettdecke.

Sie schlief bis gegen Mittag, frühstückte auf Balkonien und war glücklich. Vor ihrem geistigen Auge tauchte die Große Mutter auf, deren Lektion, sich einfach auf das Leben einzulassen und alles Geschehen als den Willen Gottes anzunehmen, sich bis zum heutigen Tage bewährt hatte. Glück oder Unglück, Erfolg oder Misserfolg, Lust oder Schmerz, diese sich ständig wiederholenden Momentaufnahmen, „Lass dich gedanklich nicht darin verwickeln – und fühle dich frei!" Evina vernahm diese Worte so klar und deutlich, als wäre das Große Mütterchen leibhaftig zugegen. Nachmittags klingelte dreimal das Telefon. Wir reisen doch. Wir reisen nicht. Wir reisen doch. Es klingelte weiter. Sie nahm nicht mehr ab. Dann stand Verena, ihre Nachbarin, vor der Tür. Sie war telefonisch von Eric beauftragt worden, Evina die gute Nachricht zu überbringen, dass sie morgen am Sonntag pünktlich um sieben Uhr bereitstehen und den Reisepass bitte nicht vergessen solle. Na, das war doch endlich mal was Neues! Kein Widerstand, und Energie fließt grenzenlos, die tiefe Dimension des All-Einen wird wirksam.

Ohne weitere Zwischenfälle landeten Eric und Evina auf ihrem Eiland. Das Chaos in Erics Kopf, diese konfusen, ungeordneten Gedanken, waren gewichen. Tausend Kilometer Luftlinie reichten aus, die Mutter auf Abstand zu halten und Unbewusstheit in waches gegenwärtiges Bewusstsein umzuwandeln. Seit der allerersten Begegnung der beiden Hälften hatte Evina ihr Gegenüber als nicht getrennt von sich erkannt, das Licht durch Erics Augen scheinen sehen, das der Sonne Konkurrenz machte. Zwei Wochen lang widerspiegelte Eric das ihm innewohnende Leuchten auf sein nächstes Umfeld. Befreit vom zwanghaften Denken erwachten seine Sinne für das Wunderbare, die Stille der Natur, die Schönheit der Welt.

Stundenlang konnten Eric und Evina einfach nur sein – Hand in Hand verschlungen, den Blick aufs rauschende schäumende Nass gerichtet, wo weit draußen am Horizont Wolken und Meer zu einem verschwommenen Ganzen verschmolzen. Fasziniert von diesem Phänomen sprach Eric von „fliegenden Schiffen", weil man an diesem Punkt nicht erkannte, ob die Wasserfahrzeuge auf des Meeres oder des Himmels Wellen schipperten. Wahrlich, das Leben wurde ihnen beiden auf einem prachtvollen Tablett serviert. Erst als der Kalender auf die bevorstehende Abreise hinwies, flackerten die alten Muster und Prägungen bei Eric wieder auf, die er nach der Landung auf heimatlichem Boden vor Evinas Haustür bei der Verabschiedung mit dem Satz krönte: „Ab heute vertauschen wir wieder die Rollen. Ich bin der Chef und Sie meine Untergebene."

Am Montag erschien Evina nicht zur Arbeit. Eine massive Erkältung, begleitet von hohem Fieber, hielt sie ans Bett gefesselt. Das kleine Fischerboot, das sie im Morgengrauen zum Festland gelotst hatte, war wohl doch nicht das geeignete Transportmittel gewesen, sodass Fahrtwind und frische Morgenluft bei der dürftig gekleideten Evina leichtes Spiel gehabt hatten. Kalte Wadenwickel und heißer Lindenblütentee mit Honig halfen ihr rasch auf die Beine. Nach drei Tagen unter der dampfenden Bettdecke nahm sie ihre Arbeit wieder auf.

Gustavo hieß Evina aufs Herzlichste willkommen und überraschte sie mit einer Nachricht, die wie ein Blitz bei ihr einschlug. Eric war auswärts bei einem Gerichtstermin. Gustavo setzte sich auf den Stuhl vor Evinas Schreibtisch, rauchte gemeinsam mit ihr eine Zigarette, bevor er – anfangs noch etwas zögerlich – zu berichten begann. Unverblümt setzte der Nachrichtenüberbringer Gustavo die braungebrannte und noch etwas angeschlagene Nachrichtenempfängerin schachmatt. Während der Abwesenheit der beiden Ferienstrategen war Mutter Courage im Büro aufgekreuzt und hatte Gustavo mit einem Geldbetrag von zwanzigtausend Schweizerfranken zugewinkt, wenn er sich denn mit ihr verbündete, um die Gefahrenquelle Evina endgültig zu beseitigen. Frau Mutter aber hatte die Rechnung ohne den Wirt gemacht. Gustavo, für derartige Intrigenspiele nicht geeignet, hatte sich gewissenhaft und klar dem Vorhaben widersetzt und die Dame gebeten, das Feld zusammen mit ihrem eigenwilligen Ansinnen unverzüglich zu räumen. Evina schossen Tränen in die Augen. Berührt von der Standhaftigkeit und Neutralität des Vorgesetzten legte sie ihre Hand auf die seine und dankte Gustavo von Herzen, dass er ihr den Vorfall nicht verschwiegen hatte.

Einige Wochen später nahm Evina unbezahlten Urlaub. Sie hatte einen temporären Ersatz gefunden und stellte die beiden Arbeitgeber vor die vollendete Tatsache, dass sie kurzfristig jetzt mal weg sei. Zug und Postauto transportierten sie und ihr leichtes Gepäck in die abgelegene Bergwelt, in die sich Tiziana und ihr neuer Begleiter zurückgezogen hatten. Tiziana, Paolo und Caligula, der Hund, feierten mit Evina Wiedersehensfreude. In zwei kurzweiligen Wochen gelang es der Ausgestoßenen, ihr inneres Haus in Ordnung und gleichzeitig das manifeste Haus der Freunde auf Vordermann zu bringen, was Tiziana als Chaotin in Reinigungssachen zu schätzen wusste.

Paolo, wie Eric ein passionierter Pfeifenraucher, verpaffte genussvoll das Nikotin hinter seiner Zeitung versteckt, Tiziana und Evina, Caligula auf den Knien, meisterten eine Schachpartie, da durchbohrte das schrille Läuten des Telefons die friedliche Atmosphäre. Es waren Evinas Eltern, die sich für die Störung entschuldigten und der Tochter berichteten, dass ein fotografierendes männliches Ungeheuer heute sein Unwesen getrieben hätte, auffällig ums Grundstück geschlichen sei, um sich nach Sturmklingeln Einlass ins Haus zu verschaffen. Über die Gegensprechanlage plauderte der Wüterich Daten aus, die Vater und Mutter nach draußen ins Freie schreckten. Von Angesicht zu Angesicht, wohlweislich geschützt durch das fest verschlossene schmiedeiserne Tor, schleuderte der Unbekannte den Eltern vermeintliche Schandtaten ihrer Tochter ins Gesicht, die angeblich einer Untergrundbewegung angehören und hintergründig und schamlos in fremden Landen unterwegs sein solle. Väterchen erhob seine auf dem Kasernenhof erprobte Stimme, wie er erzählte, nur ein einziges Mal und fegte mit einer drohenden Handbewegung den Eindringling in die Flucht.

Es war Tiziana, die sofort eine Parallele zu ihrer Geschichte mit Toms Eltern erkannte und überzeugt war, dass Erics Mutter als Auftraggeberin einer Detektei hinter diesem Anschlag steckte. Es dauerte noch lange, bis die leidige Angelegenheit aufgeklärt wurde, aber es war genau so, wie Tiziana es vermutet hatte.

Der Ortswechsel unter die Obhut ihrer Freunde hatte Evina gutgetan und auf ihre Spur gebracht. Freudig nahm sie die Arbeit in der Kanzlei wieder auf. Der bittere Beigeschmack in ihrem Herzen blieb. Eric zeigte nach wie vor die kalte Schulter und beschränkte sich auf den Ausbau seiner anwaltlichen und politischen Karriere. Evina hatte es satt. Sie war müde geworden und wollte Eric sowie sich keinen weiteren Dramen aussetzen und die Signale ihres Körpers nicht länger missachten. In letzter Zeit war ihre Atmung durch Panikattacken immer öfter ins Stocken geraten. Sie hatte ihr Selbstgefühl von ihrem Kopfkino abhängig gemacht und sich an den Anfeindungen und Missfallensäußerungen der Übermutter gedanklich regelrecht festgebissen. Sie war abtrünnig geworden von sich selbst, wiederkehrend in die Egofallen getappt und hatte das, was der Affenverstand ihr vorgab, als bare Münze, als wahr angenommen. Wie viele Runden hatte sie auf Anraten von Gustavo mittlerweile um den Häuserblock gedreht und versucht, Aufmerksamkeit auf ihre Schritte zu lenken und die Atmung bewusst zu beobachten. Sie wollte nicht länger Sklave ihres Verstandes sein, über gedanklich selbst aufgestellte Hürden stolpern und wieder fühlen, wie wahres Leben schmeckt. Sie kündigte. Ein Befreiungsschlag für Evina. Ein Schock für Eric und Gustavo, die sämtliche Überredungskünste einsetzten, damit die gute Arbeitskraft nicht an jemand anderen verloren ging. Zu spät. Evinas Entscheid war unumstößlich. Ihre Eltern freuten sich schon auf ihr Kommen. Und der neue Arbeitgeber hatte ausweislich des unterzeichneten Vertrages seiner Freude Ausdruck gegeben, Evina in drei Monaten in seiner Arbeitswelt begrüßen zu dürfen.

Die dreimonatige Wiederaufbauphase unter dem elterlichen Schutz verging wie im Fluge. Sämtliche Messgeräte von Evinas gepeinigtem Körper – Puls, Temperatur und Gesichtsröte –, die aus den Fugen geraten waren, befanden sich wieder auf Normalwert, als sie mit einem weinenden und einem lachenden Auge die Rückreise antrat. Unzählige Male hatte Eric das Herz der Abtrünnigen per Brief und Telefon erweichen wollen, nach neuen Möglichkeiten einer Annäherung gesucht, zarte Töne, die jetzt einige Oktaven mehr umfassten, angestimmt – ohne Erfolg. Evina blieb auf ihrem Weg.

Verena, die Nachbarin, die ihre Wohnung während der Abwesenheit betreut hatte, war die Erste, die sich über Evinas Neuerscheinung freute. Freude herrschte auch bei Donata und Tiziana, die ihre Freundin nun wieder greifbar in ihrer Nähe wussten – und freudig begrüßten sie der neue Chef und seine vierzig Angestellten, die Evina der Reihe nach kennen- und lieben lernte. Ihr Arbeitszimmer lag in der obersten Etage – im vierten Stock. Eine gewaltige Baumgruppe vermochte den Blick aufs Häusermeer nahezu zu verbergen. Die Natur hatte für den Neubeginn das tollste Panorama mitgeliefert. Evina dankte für das Geschenk – und legte los.

Tagaus, tagein löste sie in ihrer neuen Großfamilie und in sich selbst durch aufmerksame Präsenz bei ihrem Tun und Wirken stille Freude aus. Hingebungsvoll engagierte sie sich in allen Bereichen und war dankbar für die wohlwollende Aufnahme in den Großverband. In der Verkleidung vom Weihnachtsmann lockte sie anlässlich des Firmenessens im Advent auch den letzten

Widersacher humorvoll mit originellen Versen und Geschenken, die sie durch Ziehung von Losnummern gesammelt hatte, aus der Reserve. Ein spürbares Miteinander hatte sich in die Reihen der Firmenkette sanft eingefügt, eine zarte Verbundenheit, die weit über die Jahresgrenze hinaus wirksam war.

Was die Liebesbeziehung zu Eric betraf, hatte Evina mit ihrem Sprung ins kalte Wasser jegliche Illusionen abgelegt. Auf alle Fälle brauchte sie ihn nicht als Lieferant für Glück und Zufriedenheit. Sie hatte den Sinn des Lebens wiedergefunden, indem sie „ja“ sagte zu dem, was ist, und die Verantwortung für sich selbst übernommen. Die Kontakte, die Eric vereinzelt gesucht hatte, waren spärlich und unerwidert geblieben – bis zu dem Tag, der die Gemüter erneut erhitzte.

Es war an einem lauen Maientag. Evina bediente soeben das Fotokopiergerät im zweiten Stock, als ihr Sucher piepste. Sie griff zum Telefon und erfuhr von der Rezeptionistin, dass ein Riesenbouquet roter Rosen und ein eleganter Bote nach ihr verlangten. Tiffany, die zierliche Empfangsdame, konnte nicht fassen, was sie von Evina zu hören bekam, gab aber das klare „Njet“ an den Rosenkavalier weiter. Der gab nicht auf und bat erneut darum, ins Visier genommen und erhört zu werden. Tiffany startete einen zweiten Versuch, der Evinas Entscheid nicht umstürzen konnte. In der Folge ließ der mutmaßliche Verehrer Brief und Blumen vor Ort zurück und suchte das Weite.

In Windeseile hatte sich der Auftritt des verschmähten Kavaliers im Hause herumgesprochen. Evinas Nerven lagen blank. Wie eine Sturmflut ergossen sich tausendundein Gedanke in ihre Hirnzellen. Stopp! Dieses Mal wurde sie sich der Gedankenflut unmittelbar bewusst, und es gelang ihr in einem Augenblick konsequenter aufmerksamer Beobachtung, den Kopf zum Schweigen zu bringen. Als die Luft rein war, stieg sie festen Schrittes geradewegs hinunter zur Rezeption. Tiffany grinste.

In Ermangelung einer geeigneten Vase hatte sie das importante Arrangement in eine firmeneigene Riesenamphore gepackt und neben der Sitzecke im Warteraum deponiert. Evina war begeistert. Das Geschenk hatte seinen Platz gefunden und würde die nächsten Tage zahlreiche Besucher erfreuen. Evina nahm den an sie gerichteten Brief entgegen, bedankte sich und verschwand.

Ihr Namenszug auf dem Kuvert trug tatsächlich Erics Handschrift. Zuhause angekommen, labte sie sich an einer dicken Scheibe Brot, Käse und drei Essiggurken, öffnete zur Feier des Tages eine Flasche Rotwein, dann den Umschlag – und begann zu lesen. Aus dem edlen, von Hand geschöpften Briefpapier tropften Erics Gefühlsduseleien nur so herunter auf ihre Seele und setzten bei ihr die Zapfsäulen ihrer Tränenflüssigkeit in Bewegung. Ein Schwall von Emotionen machte sich den Weg frei ins Unbewusste – und eh sie sich's versah, hatte das Ego wieder die Macht über sie gewonnen. Das Hier und Jetzt, der gegenwärtige Moment, schmolzen dahin wie Wachs vor der Sonne. Egal. Es war, wie es war. Ihr Ego liebte es, von Erics salbungsvollen Worten bepinselt zu werden. Und – ja, sie wollte die Einladung zum Nachtessen am Samstag annehmen und Paolo und Tiziana, die ihren Besuch bei ihr angekündigt hatten, einfach mitnehmen.

Eric freute sich, Tiziana und Paolo, die inzwischen vor den Traualtar getreten waren, wiederzusehen. Noch größer aber war die Freude, Evina nach langer Zeit an seiner Seite zu wissen. Fried- und freudvoll plätscherte der Abend dahin. Das altehrwürdige Restaurant, unbeschwerte Plaudereien, der köstliche Gaumenschmaus und die edle flüssige Beigabe rundeten genussvoll das Zusammensein ab. Erics blaue Augen ruhten ohne Unterlass auf Evina – und sprachen Bände. Das Dessert wurde serviert. Mousse au Chocolat war in dieser Halle ein „Must" und für Eric das Signal, in die Tasche seines Jacketts zu greifen und ein winziges, goldverziertes Kästchen hervorzuholen, das er mit seligem Blick vor Evina auf das weiße Tischtuch legte. Vier Augenpaare warteten gespannt auf die Enthüllung. Dann war es so weit. Der Sesam öffnete sich. Zum Vorschein kam ein Ring, dessen drei ineinander verschlungene Reifen in den Farben weiß-, gelb- und rotgold die Marke des Juweliers prägten, der diesem Fingerschmuck den Namen gab. Evina entnahm die „Dreieinigkeit", die Glaube, Hoffnung, Liebe symbolisierte, dem Kästchen, sah Eric dankend in seine blauen Augen – doch was war das? In weiße Watte gepackt schaute ihr ein weiterer Goldring entgegen. Ein irritierter Eric. Verblüffte Mienen bei Paolo und Tiziana. Evina, seit Langem schon auf Spitzfindigkeiten trainiert, hegte einen Verdacht. Sie stand auf, marschierte wortlos in die Telefonkabine des Restaurantbetriebs und wählte die Nummer von Erics Zuhause. Der Hausvorstand nahm höchstpersönlich ab. Evina begrüßte die Mutter höflich, schilderte kurz den Vorfall und fragte in perfekter Schweizer Mundart, deren Ausdrucksweise sie mittlerweile so unnachahmlich beherrschte, ob der Ehering von ihr stamme. Empört über Evinas dreiste Unterstellung wies die Verdächtigte den Verdacht mit aller Entschiedenheit zurück. Evina bedankte sich für die Auskunft. Sie setzte sich an den Tisch, wo sie in drei neugierige Gesichter starrte. Sie lüftete ihr Geheimnis und ließ sich nicht von ihrer Überzeugung abbringen, dass sie Hoheit soeben auf frischer Tat ertappt habe. Sie sah den Ablauf genau vor sich. Frau Mutter hatte das Schmuckkästchen mit dem Namensetikett des Juweliers in Erics Zimmer erspäht und in panischer Vorahnung, dort zwei Eheringe vorzufinden, geöffnet und den Witwenring ihres Mannes auf die Reise geschickt.

Die aufgeregte Stimmung am Tisch steigerte sich, als Evina sich plötzlich erinnerte, dass das alte Hutzelweibchen, bei dem sie letzthin zum ersten Mal in ihrer bisherigen Laufbahn aus dem Kaffeesatz hatte lesen lassen, unter anderem einen Satz in den Raum gestellt hatte, den Evina nicht einordnen konnte: „Ein Mann zieht seiner Frau den Ring ab und steckt ihn an Ihren Finger."

Bestürzung an allen Fronten. Evina legte den Witwenring in die Schatulle und beauftragte Eric, das Präsent mit besten Wünschen und Dank für den unterhaltsamen Abend zurückzugeben. Es dauerte wiederum lange Zeit, bis die Wahrheit ans Licht kam. Die Gesellschaft löste sich auf. Eric mit der Retoure in der Seitentasche seines Jacketts flüchtete bergwärts „in höhere Gefilde". Evina, Erics Morgengabe am Finger, Paolo und Tiziana am Arm, spazierte auf die andere Seite des Hügels, wo alle drei Geladenen müde, aber schmunzelnd ins Land der Träume eintauchten.

In den Folgemonaten belebte Evina enthusiastisch das Geschäft. Erics Siegesfeldzug überquerte sämtliche Hindernisse und mündete – allen Unkenrufen zum Trotz – in die Eroberung einer eigenen Wohnung. Es war der Anfang vom Aufstieg des Feldherrn in gemäßigte Bahnen. Mit großem militärischem Geschick setzte Eric seinen Unabhängigkeitskrieg fort, das heißt, er wurde mehr und mehr bewusst, währenddessen Evina kapitulierte und den Kampf gegen den Drachen „Technik" aufgab.

Seit der erste Computer in den Büros von Stiftung & Co. Einzug gehalten hatte, hatte Evina jede Gelegenheit beim Schopf ergriffen, auf die Gefährlichkeit dieser modernen technischen Errungenschaft hinzuweisen. Zwei Jahre lang konnte sie die Installation des „Teufelswerkzeugs", wie sie es nannte, auf ihrer Arbeitsplatte verhindern. In allen übrigen Büros war längst aufgerüstet worden, klebten die Unbewussten an den scheußlich klobigen Geräten, die Arbeitserleichterung suggerierten, unnötiges Wissen offerierten und vermeintlich Lebensqualität versprachen. Niemand merkte, auf was er sich da letztendlich einließ und wie er manipuliert wurde – bis auf eine. Evina. Wann immer ihr Arbeitgeber Fortschrittsgedanken äußerte und sie von der Gewichtigkeit dieses stupiden, leblosen Instruments überzeugen wollte, drohte sie mit dem Satz aus der 1797 von Johann Wolfgang von Goethe verfassten Ballade „Der Zauberlehrling": „Die ich rief, die Geister werd' ich nun nicht los."

Heute war es dann so weit. Die höchste Geschäftsleitung teilte Evina mit, dass auch sie sich nicht länger gegen eine Verkabelung mit den virtuellen Welten sperren könne. Evina gab ihr Einverständnis zur Errichtung des alle wachen Sinne abtötenden Folterinstruments in ihrem Büro – in drei Monaten. Sie ging hinauf in die vierte Etage, setzte ihre Schreibmaschine in Gang, legte ein neutrales Papier ein und schrieb darauf ihre Kündigung, die sie an höchster Stelle überreichte. Niemand wollte glauben, was da soeben passiert war. Evinas Entschluss aus heiterem Himmel war gefasst – unwiderruflich, definitiv.

Entspannt und froh, dem Hightech-Attentat auf ihr Seelenheil entkommen zu sein, legte sie sich drei Monate nochmals richtig ins Zeug. Dann war er da, der letzte Arbeitstag. Das Team, dem sie nun schon fast vier Jahre angehörte, bereitete ihr einen triumphalen Abgang. Ihr direkter Vorgesetzter hatte sein Talent als Denker und Dichter in eine bombastische Schnitzelbank eingebracht, die er bei einem feuchtfröhlichen Umtrunk vor versammelter Mannschaft lauthals rezitierte. Das Knallbonbon aber war und blieb – Evina haute es um – das Buch von Michael Ende „Die unendliche Geschichte“, das alle Mitstreiter ihr als Leitfaden mit auf den weiteren Lebensweg gaben. Die prickelnde Turtelei mit dem Rosenkavalier war bei allen noch in bester Erinnerung und die Lektüre die witzige Antwort auf die Serie von Abenteuern, die an den Insassen von Stiftung & Co. nicht spurlos vorbeigegangen waren.

Da stand sie nun, Evina, vom obersten Juniorchef als „schillernde Persönlichkeit“ bezeichnet, und wusste nicht, wie ihr geschah. Wässrige Augenpaare schauten ihr hinterher, Dutzende Hände winkten hektisch in der Luft, als sie traurig und doch selig sich in eine unbekannte Zukunft verabschiedete.

Was ist die Ursache dafür, dass die Menschen sich von den modernen technischen Errungenschaften haben verblenden lassen – und wo wird die Technik die Menschheit hin manövrieren?

„Ihr Lieben draußen in der Welt, vernehmt die Botschaft wohl und lasst sie in eure Herzen eindringen. Seit das Denken laufen lernte, hat es der Mensch geschafft, die Nabelschnur, die ihn seit Urzeiten mit dem kosmischen Organismus verband, zu durchtrennen. Abtrünnig geworden von seinem göttlichen Kern, hat ichbezogenes Denken ins Vergessen geführt, dass jede Form auf dem Planeten Erde mit jeder anderen verbunden ist. Mit dem Aufkeimen der Industrialisierung, durch zunehmende Annehmlichkeiten im Außen, wurden die irdischen Abkömmlinge des Universums vom falschen Glanz verführt und vergaßen mehr und mehr, wer sie sind: in Form gebrachte energetische Teilchen des Ursprungs, Sandkörnchen aus einem universellen Ganzen – unterwegs im Spiel der Formen, die Schönheit der Schöpfung, die Freuden des Seins zu erfahren.

Der Einzug der modernen technischen Errungenschaften verwandelte die Welt der Materie – und mit ihr wandelte sich der Mensch. Die ihn antreibende ungestillte Sehnsucht nach Anerkennung, Liebe und Einheit wurde auf oberflächliche Bahnen gelenkt, wo sie keinesfalls zu finden ist, und führte die dürstende Menschheit in die unentrinnbare Gefangenschaft des Materialismus. Von nun an betete sie leblose Stofflichkeit an und rutschte weiter ab in die Illusion vermeintlicher Freiheit.

Ohne spirituelles Bewusstsein irrt der moderne Mensch durch die Verlockungen der virtuellen Welten, hat die ihm innewohnende Macht an Maschinen und Apparate als menschliches Zweithirn abgegeben und seine Lebendigkeit, sein Fühlen, seine ganze Intuition erstickt, grassiert süchtig auf der Oberfläche seines Da-Seins und betäubt sich mit billigem aus dem Verstand geborenem Ersatz. Vom Frühstück bis zum Lichtabschalten vor dem Einschlafen liefert sich der

Hightech-Mensch lebloser Materie aus, um am Ende seiner Erdenreise festzustellen, dass die Angst zu leben, die Angst zu sterben – diese Trugbilder des Ego – ihn armselig zu Fall gebracht haben.

Television, Computer, iPhones, diese toten Spielgefährten der Neuzeit, werden so exzessiv genutzt, dass Energien aus der Quelle, aus der kosmischen Geborgenheit gestaut und abgeblockt werden.

Alles im unendlichen Multiversum ist Energie. Sie fließt nicht nur in Form von Elektrizität aus der Steckdose, sie zeigt sich in allem – in Mensch, Tier, Pflanze, in Mineralien ebenso wie in den Naturgewalten und am Himmelszelt mit Sonne, Mond und Sternen. Sie ist da – unsichtbar, unhörbar, unfassbar –, belebt und hält die Welt der Formen unbezweifelbar in ihrer feudalen Pracht zusammen.

Eine ganze Zivilisation hat ihre Wahrnehmung nur noch auf unterhaltsame technische Spielereien gerichtet, die tief in ihr verborgene Urkraft an Maschinenroboter abgegeben und rennt atemlos und erschöpft als eigener Totengräber sinnlos ihrer Vergänglichkeit entgegen. Eine ganze Zivilisation hängt mittlerweile unheilbar krank am Tropf ihrer technischen Hilfsmittel, betet ruhelos – ohne innezuhalten – die vom Ego erschaffenen Götzenbilder an und hat sich in ihrer grandiosen Unbewusstheit zum Diener fremder Herren gemacht. Die gesamte Schöpfung verbeugt sich vor dem Allerhöchsten. Keines der Geschöpfe widersetzt sich oder versucht, sich aufzulehnen oder gar Arroganz zu zeigen. Einzig der moderne Mensch in seinem durch Ego-Gedanken geprägten Wahn hat sich über die Schöpfung erhoben und nicht einmal bemerkt, dass er sich manipulieren und versklaven lässt. Er wird erst aufwachen aus seinem Traum, wenn das Pendel des Geschicks vom Wunder in die Krise schwingt. Wenn technische Stümpereien, Cyberangriffe und Kriminalität Großkatastrophen hervorrufen und eine Computer-Gestapo vom Staat gezielt eingesetzt wird, wo die Würde des Menschen in Frage gestellt und Menschenleben gezielt ausgelöscht wird.

Erst dann wird sich der Einzelne seiner wahren Herkunft besinnen, still werden und seine Schau nach innen richten. All seiner Illusionen beraubt wird er sich vertrauensvoll unter die Fittiche der All-Einen Energie stellen, sich auf des Adlers Höhenflug begeben und sich von sanftem Flügelschlag begleitet in die Tiefe seiner Seele einschwingen und damit ungeahnte, echte Daseinsfreude schöpfen. Die Verbindung mit der Quelle wird in ihm alle metaphysischen Kräfte aktivieren, die weit hinausgehen über jedwelche technischen Hilfsmittel und materiellen Tand.“

Kapitel VI

Auf dem Prüfstand der Ehetauglichkeit

Wasser ist Energie. Wasser schenkt Leben. Es löscht nicht nur den Durst und tränkt Wälder und Felder. Mit dem ersten Schluck strömt frische Lebenskraft in Mensch, Tier und Pflanze. Müdigkeit und Trägheit verschwinden, neuer Lebensmut erwacht.

Eric hatte die Symbolik verstanden, war dem großen Geheimnis auf die Schliche gekommen, durch sich selbst hindurchgegangen – und hatte den sprudelnden Quell des Lebens in sich entdeckt. Vielleicht hatten auch der Stellenwechsel, das Beziehungsaus und die dadurch geschaffene äußere Distanz den krisengeschüttelten Eric angefacht und dazu beigetragen, ihn in die Tiefen seiner Seele zu führen und das Lauschen nach innen zu richten. Durch die Wandlung im Innern begann sich im Außen bewusste Betriebsamkeit zu regen. Einwirbelungen von Seiten der Mutter flossen ins Leere. Sie hatten keinerlei Sogwirkung, Eric im Gegenteil gestählt in dem Versuch, sein Selbst zu verwirklichen. Über die revitalisierende Kraft der Quelle, die universelle Energie des All-Einen – das Lebenselixier schlechthin –, war er in einen regelrechten Jungbrunnen gefallen und versetzte sich und seine Umwelt in Staunen.

Plötzlich war er da, der Mut, auf die eigene Stimme zu hören und vertrauensvoll dem eigenen Weg zu folgen. In der Tat war Eric nicht mehr wiederzuerkennen. Die Nebelschleier hatten sich gelichtet. Der Friedenspionier Eric residierte in seinen vier Wänden hoch über den Dächern der Stadt und schaute nur noch aus weiter Ferne auf die Umrisse seines Elternhauses. Die Veränderungen in ihm, an ihm und um ihn herum waren selbst Gustavo nicht entgangen, der entzückt von einem friedlich gelösten und menschlicher gewordenen Kollegen und Partner berichtete.

Immer öfter bat Eric sein Kleinod Evina, ihn an öffentliche Veranstaltungen und auswärtige Essen zu begleiten, an denen er aus

Freude an der Zweisamkeit überschäumte. Evina, die auf Erics Bitte hin noch keinerlei Bewerbungen für eine neue Arbeitsstelle angestrebt hatte, kamen die intensiven Unternehmungen der folgenden Wochen nahezu einem Fulltimejob gleich. Auf dem spiegelglatten hochglanzpolierten Parkett fühlte sie sich alsbald zuhause. Sie rutschte nicht einmal aus, als sie dieses Neuland betrat.

So geschah es anlässlich eines Polit-Medienspektakels bei einem Nachtessen, dass Evina per Tischkärtchen der Platz an der Seite einer hochrangig politischen Größe zugefallen war und dieser Mann sie mit den Worten als seine Tischnachbarin begrüßte: „Aha, Sie also sind Erics Konkubine." „Ja, genau die bin ich", hatte Evina darauf geantwortet und ebenso lautstark wie der Polithai angefügt: „Und Sie der Herr, der bei Fernsehauftritten immer so ungeschliffen um sich schlägt." Ohne eine Reaktion abzuwarten, reichte sie ihm die Hand zum Gruß und gab ihrem Vergnügen Ausdruck, ihn persönlich kennenlernen zu dürfen. Sie tauchte das schmatzende und schlürfende Ungetüm neben sich in violettes Licht ein – und überlebte den Abend bestens.

Auf dem Nachhauseweg trug Evina ihr neues Aushängeschild „Konkubine von Eric", mit dem sie heute Abend dekoriert worden war, gewichtig vor sich her. Eric, der seine Antennen immer in alle Richtungen ausgefahren hatte, war die vorlaute Bemerkung an der Tafelrunde nicht entgangen. Er entschuldigte sich für den auf Boulevardpresse abgerutschten Kandidaten, und noch vor Erreichen der Tramstation unter einer mächtigen Kastanie machte er Halt, nahm beide Hände von Evina in die seinen, schaute ihr übermütig in ihre Katzenaugen und sagte: „Komm, lass uns heiraten." Hilfe! Mit allem hätte Evina gerechnet, nur nicht mit einem solchen Ansinnen. Seit Kindheitstagen hatte sie aller Welt verkündet, dass sie niemals vor einen Altar treten und ein solch unumstößliches Gelöbnis ablegen werde. Die Taufaktion von Enya und Rebecca, deren und vieler anderer Eheschließungen, denen sie beigewohnt hatte, wo um die Wette geschluchzt und geprotzt wurde, erschienen vor ihrem geistigen Auge und erfüllten sie mit Angst und Schrecken. Nein, all die vom Ego-Kollektiv gesteuerten Handlungen und Rituale, deren sich der hinterletzte Ungläubige unterwarf und von verknöcherten Systemen manipulieren ließ, nein, einer solchen massenhysterischen Veranstaltung wollte sie sich keinesfalls ausliefern. Niemals! Evina unterbrach ihr Schweigen und sagte leise: „Danke, Eric, für deine Liebe, lass uns später darüber reden."

Es wurde eine lange Nacht. Evina war Eric wie schon häufiger in seine Wohnung gefolgt. Sie breitete die vorhin unter dem Kastanienbaum in ihr abgelaufenen Bilder vor Eric aus, die bei ihm auf fruchtbaren Boden fielen. Auch der Geliebte mochte sich in kirchlich-öffentlichen Angelegenheiten nicht zu sehr aus dem Fenster lehnen und begrüßte den Vorschlag, sich auf eine standesamtliche Trauung im kleinsten Kreis zu beschränken. Evina bekräftigte den beidseits gefällten Entscheid mit einer Weisheit aus dem Repertoire der Großen Mutter, die da lautete: „Es ist genug, wenn zwei Menschen sich still vor Gott das Versprechen geben, zusammenzuhalten in Freud und Leid."

In den nächsten Tagen bestellte Eric das Aufgebot. In drei Monaten an seinem Geburtstag wollten sie sich trauen, getraut zu werden. Inzwischen beauftragte Evina – in Unkenntnis von Eric – Justus, den Gerechten, mit der Ausarbeitung eines Gütertrennungsvertrags. Auf keinen Fall wollte sie bei Erics Familie den Eindruck erwecken, die Gier nach Ruhm und Geld habe sie in den Hafen der Ehe gelockt. Vielmehr sollte der Ehevertrag dazu dienen, ein untrügliches Zeichen zu setzen, dass die Eheschließung eine reine Herzensangelegenheit war. Beide Eheanwärter, Eric und Evina, hatten über ihr Vorhaben größtes Stillschweigen bewahrt.

In aller Gemütlichkeit räumte Evina ihre Wohnung und staffierte Erics sonnendurchflutetes Heim, das noch vor Leere gähnte, mit ihrem im Laufe der Jahre den Archiven der Großen Mutter entnommenen Mobiliar aus. Der neue Rückzugsort nahm allmählich Form an und entwickelte sich unter Evinas fleißigen und geschickten Händen zu einer Wohlfühloase.

Eines schönen Tages erhielt Evina einen Anruf von Gustavo. Die sich vernachlässigt fühlende graue Eminenz, von einer Vorahnung geplagt, hatte das Sekretariat im Büro über das Fernmeldenetz angewiesen, dem Fräulein Evina davon Mitteilung zu machen, dass sie morgen, sechzehn Uhr, zu einer Teestunde geladen sei. Gustavos Stimme krächzte heiser durch die Leitung, als er am Ende seiner Durchsage orakelte: „Hört denn das Theater nie mehr auf? Viel Glück, Donna Evina, wirst es schon gut machen!"

Pünktlich um die genannte Zeit stand die Vorgeladene unten am Aufgang zur Villa. Sieben Minuten lang war sie im Gleichschritt zu Fuß bergab, konzentriert auf ihre Atmung, unterwegs gewesen und stärkte sich soeben mit dem altvertrauten Satz: „Wenn Gott für mich ist – wer könnte wider mich sein?" Chic verpackt in ihre Schwiegertochter-Uniform – knielanger Rock, weiße Bluse, blauer Blazer, blaue Strümpfe, farbenprächtiges Tuch – folgte Evina der Haushälterin in die Halle. Sie blieb stehen und wartete, bis das „Bitte treten Sie ein" grünes Licht gab, den Verhörsaal zu beschreiten. Ihre Majestät thronte auf einem mächtigen Stuhl mit hoher Rücken- und zwei Armlehnen, die Füße adrett nebeneinander auf ein besticktes Schemelchen gesetzt, das Tablett mit Tee und Gebäck vor sich auf einem kleinen Tischchen. Mit einer knappen Handbewegung wies sie Evina den Platz auf dem gegenüberliegenden Sofa zu, dort, wo sie schon einmal Seite an Seite mit dem Vater gesessen war, klingelte nach dem Mädchen, das Evina eine Tasse Tee einschenkte, die es auf das Seitenmöbel stellte. Die weiß geschürzte Dienstbotin offerierte Patisserien und Gebäck, verließ alsdann schweigend den Raum, zog die Tür leise hinter sich zu – und der Albtraum begann. Fräulein Evina konnte nicht fassen, was da an Anschuldigungen, Unterstellungen und bohrenden Fragenkatalogen auf sie einstürmte. Ihr kindliches Urvertrauen schwand dahin. Noch nie war Evina jemandem begegnet, der ihren Liebreiz nicht wollte, sie völlig ausgrenzte. Sie war geschockt. Eine Stunde lang prasselte der Gewitterregen auf sie nieder. Als der massive Druck, der hier auf sie ausgeübt wurde, explodierte, erhob sich der geprügelte Hund, entschuldigte sich bei der ehrwürdigen Mutter, dass er nun gehen müsse, und torkelte dem Ausgang entgegen an die frische Luft.

Der Heimweg bergwärts dauerte fast eine halbe Stunde. Immer wieder blieb Evina stehen, unermüdlich tropften die heißen Tränen auf den kalten Gehsteig. Das Märchen von der bösen Schwiegermutter war soeben für sie Wirklichkeit geworden. Im Hier und Jetzt zeigten sich Wut, Empörung und Trauer. Sie war unglücklich. Ja, das war sie – und sie genoss es in diesem Moment, unglücklich zu sein. Sie erklomm die achtundachtzig Stufen zu Erics Wohnung und entblätterte sich. Blazer, Tuch, Rock und Schuhe fielen zu Boden. Ihre vierundsiebzig Kilogramm plumpsten mit aller Gewalt in den Sessel beim Telefon. Sie wählte die Nummer ihrer Eltern und berichtete in allen Einzelheiten über das, was heute an Negativenergien zu ihr geflossen war. Beide Eltern waren fassungslos, beunruhigt über den Seelenzustand ihres Kindes, das sie noch nie so aufgelöst erlebt hatten. Dennoch mahnten sie die Tochter zur Ruhe und verabschiedeten sich mit dem Rat, sich trotz allem nicht gegen die Mutter aufzulehnen, die immer Erics Mutter sein würde.

Es war ein langer, intensiver Brief von Evinas Vater an die Adresse von Erics Mutter, der unverhofft in die biedere Idylle platzte, die Welt von Erics Familie aus den Angeln hob und die Herrscherin in ein Gefühlsbad tauchte, aus dem sie die nächste Zeit nicht mehr herausfand. Die Buchstabenkomposition in der Tasche startete sie den Feldzug gegen den Erzfeind Vater. Sie setzte alle Hebel in Bewegung – so wurden Eric und Evina später gewahr –, eilte von Anwalt zu Anwalt, von Notar zu Notar, griff zu den Sternen und konsultierte einen berühmt-berüchtigten Magier, um den vermeintlichen Halunken Vater den Geiern auszuliefern. Sie blieb erfolglos. Der Angriff auf das literarisch unpersönlich abgefasste Werk des Beschützers zerschellte an den wohlmeinenden Argumenten, die eine Klage wegen Ehrverletzung nicht rechtfertigen konnten.

Schonungslos ehrlich, ohne persönlich zu beleidigen, hatte Väterchen um den Anstand gebeten, der in guten Familien gehandhabt wird, und aus einer tiefen Liebe zu seiner einzigen Tochter versucht, sie vor weiteren Angriffen zu bewahren und Eric weitere Enttäuschungen zu ersparen. Der Vater schrieb:

„Sehr verehrte gnädige Frau,

unsere Tochter berichtete uns von ihrer denkwürdigen Teestunde bei Ihnen. Unbezweifelbar ist, dass Evina Ihren Sohn sehr lieben muss, denn nur so ist es erklärlich, dass sie nicht bereits nach wenigen Minuten Ihr gastliches Haus verlassen hat. Sie haben weidlich Ihre Vorrechte als alte Dame und Mutter ausgenützt, und ich finde, dass diese Art und Weise eigentlich in guten Kreisen nicht üblich ist.

Mag sein, dass es bei bajuwarischen oder schwäbischen Bauern vorkam, die Fruchtbarkeit der Braut vorher auszuprobieren, und dass man sie dann samt ihrer Aussteuer auf dem Leiterwagen hochschwanger heimführte. In guten Familien ist es nie Sitte gewesen, dass man ein Mädchen symbolisch und seelisch auf den gynäkologischen Stuhl zwischen Tee und Gebäck legt. Ich als Katholik lege die Frage der Nachkommenschaft in Gottes Hand.

Dann, verehrte gnädige Frau, möchte ich noch andere Einsprüche anbringen: Unsere Tochter hat es nicht nötig, einen Mann wegen Geld zu heiraten. Wir haben recht gut für unser Kind gesorgt. Außerdem hat sie keinen deutschen Fluchtsinn. Ihr ist es egal, welche Farbe ihr

Passeinband trägt, da sie zur Nachkriegsgeneration gehört und sehr genau weiß, dass ein 3. Weltkrieg auch Ihr Land nicht verschonen würde.

Sie werden bei etwas Objektivität zugeben müssen, dass Evina Ihnen gegenüber wehrlos ist. Warum diese Anwürfe und wozu diese Seelenmetzelei? Sie verscherzen sich doch die Zuneigung der Kinder, und ich finde es schade, weil unsere Tochter älteren Leuten sehr zugetan ist, und sie wäre sicherlich der Mutter ihres Partners eine rührend ergebene Tochter geworden. Wozu dieser Standes- und Nationenchauvinismus? Mir, dem Mann, der die Folgen des Rassismus am eigenen Leib ausleben musste, wird recht übel dabei. Wir sollten lernen, Menschen zu werden – und Hand in Hand in bedingungsloser Liebe, ungeachtet von Stand, Religion und Landeszugehörigkeit, durchs Leben gehen.

Geben Sie den Kindern eine Chance, eine eigenständige und beglückende Gemeinsamkeit aufzubauen. Sie werden dann sicherlich einbezogen werden. Wir alle benötigen echte Liebe – schließlich ist die einzige Wertbeständigkeit in guten Gefühlen zu finden. Geld und Gut kann man in einer Nacht verlieren, und man kann es verschmerzen, wenn man jung genug ist, neu aufzubauen, und man einen treuen Gefährten zur Seite hat. Eine treue Gefährtin ist unsere Tochter und eine tüchtige nachweisbar. Ich könnte nun noch sagen, dass sie keine schlechte Partie ist, aber ich finde es ekelhaft, Menschen wie auf dem Sklavenmarkt anzupreisen.

Im Alter sollte man weise werden und gütig, verehrte gnädige Frau, und in diesem Sinne küsse ich Ihre Hand und wünsche Ihnen, auch im Namen meiner Frau, das Beste.“

Das ketzerische Pamphlet, wie es vom Familienclan verworfen wurde, warf langfristig gespenstische Schatten auf die Reihen. „Auch dies geht vorbei!“ – sagten sich Eric und Evina. Still und starr fieberten sie dem Tag entgegen, der ihre Liebe staatlich besiegeln sollte. Noch immer bewahrten sie absolutes Stillschweigen über das Ereignis. Einzig die Trauzeugen, die Römerin Bruna und ihr Ehegefährte, der Anwalt und aristokratische Fürst von Letzki, und Freund Henri mit seiner Frau Tati sowie Evinas Eltern waren eingeweiht. In weiser Voraussicht hatte Frau Eric in spe sich von Bruna schon vor ein paar Wochen eine Chemiebombe zwecks Beruhigung mitgenommen, die sie nun erstmals in ihrer siebenunddreißig Jahre währenden Geschichte am Vorabend der Verheiratung einwarf. Die hitzig flirrende Irrfahrt durch ihre Gedanken wurde sofort gestoppt. Kaum hatte ihr bebender Körper die Matratze berührt, da war sie schon eingeschlafen.

Erst als Eric sich über ihr Gesicht beugte und seinen fröhlichen Weckruf erschallen ließ, kam die Erinnerung wieder. „Viel Glück und viel Segen auf all deinen Wegen ...", sang die soeben von den Toten Auferstandene aus vollster Kehle und gratulierte dem Geburtstagskind und Eheanwärter mit einem saftigen Schmatz auf dessen verführerisch grinsende Lippen. Sie frühstückten ausgiebig, schmierten sich gegenseitig Honig um den Mund und verschwanden jeder in seinem Bad. Evina putzte sich gewaltig heraus. Sie hatte ihr Haar zu einem Chignon gebunden, sich in rot-schwarz-weißen Chiffon geworfen und war mit dem roten Schiffchen auf dem Kopf gut behütet. Gespannt wartete sie auf den Bräutigam. Sein Erscheinen warf sie um. An Eleganz nicht zu übertreffen strahlte er aus allen Poren – und hüpfte vor Freude überquellend im Gleichschritt mit der Braut die achtundachtzig Stufen zum Auto hinunter in die rappelvolle Farbpalette eines traumhaften Herbsttages.

Vor dem Stadthaus ließ Eric den Motor nochmals zünftig aufheulen und startete ein Hupkonzert, als er die beiden Zeugenpaare sichtete. Gemeinsam gingen sie dahin, zwei leuchtende Sterne, umzingelt von vier Erdtrabanten, und erklommen über die groß angelegte Treppenflucht den siebten Himmel der zweiten Etage, wo das heilige Bündnis besiegelt werden sollte. Der ausgemergelte, vom ewigen Jasagen der Kandidaten erschöpfte Beamte entging um Haaresbreite einer Sensation. Noch wenige Sekunden vor der eidesstattlichen Erklärung hatte Evina – einem panischen Gedanken folgend – kurz überlegt, ob sie sich die Ehefesseln wirklich anlegen oder nicht doch lieber die letzte Chance zur Flucht ergreifen wolle. Es kam einem Zauber gleich, als sich ihr Mund von unsichtbarer Hand geführt öffnete und ihre Stimmbänder anstatt eines angsterfüllten „Nein" doch ein leises, aber klares „Ja" herausquetschten. Es war vollbracht. Der bittere Kelch war an ihr vorübergegangen, der Aufbruch ins Ungewisse vollzogen. Der früher so zögerlich und unsicher wirkende Eric hatte die ganze Kraft des gegenwärtigen Augenblicks, die tiefe Freude des Seins in sein Ehegelöbnis eingebunden und nahm die Wünsche der Umstehenden überschwänglich, vor Glück triefend entgegen. Bruna, seit mehr als dreißig Jahren unter Helvetiens Flagge und der Landessprache noch immer nicht mächtig, beendete den Gratulationsreigen unter frenetischem Applaus mit den Worten, die sie aus dem Effeff beherrschte: „Eine große Glückserei."

Draußen vor der Tür wartete eine Abordnung von Stiftung & Co. – welch eine Überraschung! Das Tagblatt hatte die Mär von der „unendlichen Geschichte" Lügen gestraft. So war die kleine Gruppe herbeigeeilt, um das Ende der Geschichte und den Start in die neue gebührend zu feiern. Eric, dem die soeben verhängte Auszeichnung „Ehemann" gut zu Gesicht stand, freute sich über die unerwarteten Gratulanten, stellte den Fahrplan kurzfristig um und ließ in einer Bar die Korken knallen.

Kein Wölkchen überzog das Firmament. Die milde Herbstsonne gab noch einmal ihr Bestes und warf ihre Strahlen wonniglich auf Mutter Erde. Wahrlich, der Himmel hing voller Geigen, als die Limousine die Hochzeiter vor dem Hotel entlud, das freie Sicht aufs gegenüberliegende Kloster und ein feines Hochzeitsmahl kredenzte. Erics Wiegenfest trat mehr und mehr in den

Hintergrund und gab dem heute geschlossenen Ehebund den Vortritt. Zwischen Vorspeise, Hauptgang und Dessert, wann immer die Hand untätig war, reckte Eric seine Linke zwecks Bewunderung des goldverzierten Ringfingers in die Höhe. Evina hingegen saß versonnen da und fragte sich insgeheim, mit welch spannenden und bunten Seiten das gemeinsame Lebensbuch von nun an gefüllt werden würde.

Was wäre der Alltag ohne die kleinen Katastrophen und ohne ein bisschen Chaos? Bereits am Tag nach der Verheiratung machten sich die außer Acht gelassenen Poltergeister ans Werk und forderten ihr Recht ein, wahrgenommen zu werden. Sie ließen es so richtig krachen. Die Eheleute saßen gemütlich bei einem bescheidenen Abendessen. Eric hatte gerade das erschütternde Geständnis abgelegt und Evina geflüstert, dass er sich zum ersten Mal in seinem Leben wohl fühle an Körper, Seele und Geist, da verneigte sich der alte Holzschrank im Wohnzimmer vor Erics Worten und fiel unter donnerndem Getöse und Klirren in sich zusammen und auf den Boden. Unter den massiven, mit Intarsien versetzten Hölzern glitzerten und funkelten Tonnen von Glassplittern, die dem Scheiterhaufen eine künstlerische Note gaben. Eric und Evina bogen sich vor Lachen. Die Aufräumungsarbeiten dauerten. Es stellte sich heraus, dass die Umzugsmänner, mit antikem Gehölz nicht vertraut, die Rückwand des Schranks verkehrt herum in die Fugen verankert hatten. Unter Zuhilfenahme zweier Sessel als Stützkorsett für die Seitenteile gelang es nach endlosen Versuchen, das Schmuckstück wieder aufzurichten, das bis zum Wegzug aus der Wohnung in zehn Jahren die Standfestigkeit eines Zinnsoldaten bewahrte. Alle Spuren am Unfallort waren beseitigt, die Wohnung erstrahlte in altem Glanz, nur die billigen Küchengläser auf dem gediegen eingedeckten Esstisch ließen vermuten, dass etwas Außergewöhnliches geschehen sein musste. Jedenfalls bemerkten die beiden Besucher, die am heutigen Sonntag um achtzehn Uhr auf der Gästeliste standen, nichts von alledem. Der Klient, der damals bei Anwalt & Co. die Verkuppelung seiner Lieblinge in die Wege geleitet hatte und mit seinem Eheweib hier und heute erschienen war, um den Sieg der Liebe über die Vernunft zu feiern, schmunzelte über das Geschehen, für das er eine ungewöhnliche Erklärung fand. Als Experte für Übernatürliches war er überzeugt, dass die dunkle, spannungsgeladene Energie von Eric gewichen und auf der materiellen Ebene zeitgleich mit dem Schrank zu Bruch gegangen war. Eric, so glaubte der Ehevermittler und Psi-Kenner, hatte die emotionalen Bande zu seiner Weltenfamilie endgültig gekappt, sich innerlich von ihr abgedreht und sich der lichtvollen Seite – Evina – zugewandt. Ebenso sicher behauptete er zu wissen, dass die Poltergeister, die kleinen lustigen Teufelchen, wie er sie nannte, noch zweimal zuschlagen würden.

Und tatsächlich. Eine Woche verging. Das junge Paar, Eric und Evina, saß wiederum gemütlich beim Abendbrot, da schreckte sie ein Knall aus stimmungsvoller Atmosphäre hoch. Die Fensterscheibe im Esszimmer hatte sich im Gleichklang mit ihnen entspannt und von oben links bis unten rechts mit einem Riss bemerkbar gemacht. Die Vorausschau des Klienten schien sich zu erfüllen. Die lustigen Teufelchen waren ekstatisch am Werk, trieben ihr Unwesen und begleiteten Evina bis in ein Porzellangeschäft, wo sie einige Tage später zu ihrem Entsetzen einen riesigen Stapel Teller mit ihrem zarten Hinterteil zu Boden schmetterte. Außer sich vor Schreck schickte sich die verstörte Kundin an, den Schaden zu begleichen, aber die Verkäuferin winkte netterweise ab und meinte, das Aktionsgeschirr habe zu exponiert im Weg gestanden. Aller guten Dinge sind drei – so lautet ein Sprichwort. Und das war's denn auch. Die Prognose war getilgt. Gespenstische Ruhe kehrte ein im Heim von Eric und Evina.

Die nächste Attacke stellte Erics Unverwundbarkeit endgültig unter Beweis, die durch Erstarkung seiner Seele und seines Immunsystems zu voller Blüte gereift war. Das Saatkorn der reinen Liebe war aufgegangen und hatte so manche geschlagene Wunde geheilt. Endlich durfte er sich in Liebe fallen lassen. Ohne Coaching, nur durch das Potenzial an neutraler Liebe, funktionierte der neue Lebensbereich von Eric und Evina außergewöhnlich und führte sie in ungeahnte Tiefen. Der Eignungstest für das Ehebündnis war bestanden, erhärtete sich sogar, als der Clan zum Duell herausforderte. In einem „blauen Brief" pochte die graue Eminenz auf ihr Recht und erwartete postwendend von Fräulein Evina und deren Vater eine schriftliche Entschuldigung für die Beleidigungen des Ketzers. Die Mutter sparte nicht mit Schuldzuweisungen und Bosheiten. Sie appellierte an die Vernunft des Sohnes und fragte penetrant – Eric und Evina konnten es nicht fassen –, ob er sich denn nicht schäme, ein solches Fräulein zu seiner Frau zu machen. Und sie verlangte auch von ihm eine schriftliche Entschuldigung für das ihr zugefügte Leid. Beide, Eric und Evina, waren platt. Doch Einigkeit macht stark. Sie hielten zusammen wie Pech und Schwefel.

Frust und Gewalt waren inzwischen auch auf Edda, die Älteste, rübergeschwappt, wie ein Dokument aus deren Feder zeigte, das am darauf folgenden Tag eintraf. Der Familienzirkus hatte eine weitere Artistin in die Manege geschickt. Auf zehn bekritzelten Seiten attackierte sie das Fräulein und den Bruder auf unterstem Niveau, warf ihnen Ungehörigkeit und mangelhaftes Benehmen vor, ja fühlte sich mitsamt der Restfamilie vor den Kopf gestoßen von so viel Impertinenz, die Hochzeit ohne die wichtigsten Personen in Erics Leben ausgerichtet zu haben. Frank und frei bezichtigte sie Evina als Hauptschuldige, als Verführerin, die geschickt ihre Fallen aufzustellen wusste, in die ihr unschuldiger Bruder so leichtfertig hineintappte. Sie beschimpfte Eric und Evina, auf einem hohen Ross zu sitzen, und fragte dreist, ob sie denn keine Angst vor dem Runterfallen hätten. Am Schluss ihrer Zeilen steigerte sie ihre Wut in dem Satz: „Vergesst nicht, die Zeit arbeitet gegen euch!"

Weitere schriftlich dargelegte Ungeheuerlichkeiten folgten auf dem Postweg. Evina ließ es nicht unversucht, das Herz der Familie zu erweichen und zu gewinnen. Eine neutrale, liebevolle Antwort, die Missverständnisse zur Seite räumen sollte, wurde von Edda als „Gequatsche" abgetan, Erics telefonisch anvisierter Besuch bei der Mutter mit einem Telegramm „ich-fühle-mich-nach-all-deinen-schandtaten-nicht-wohl-genug-dich-morgen-zu-empfangen" verhindert. Eric und Evina machten gemeinsame Sache und beschlossen, auf nichts mehr zu reagieren. Ihre Liebe zueinander hielt allen Anfechtungen und Herausforderungen stand. Sie fühlten sich ganz. Nichts und niemand konnte sie trennen.

Es dauerte eine Weile, da wurde die Funkstille zwischen den Parteien unterbrochen. Gustavo, zum wiederholten Male als Mittelsmann eingesetzt, überbrachte Evina eine weitere Botschaft der Mutter, mit der sie aufgefordert wurde, alle dem Sohn in sein Domizil überführten Gegenstände aus dem Hause Erics zu retournieren. Gustavo lachte, als er meinte, wenn das so weitergehe, bekäme er für Endlos-Dienste noch Kilometergeld und setzte hinzu, dass er mit Spannung auf die Fortsetzung des Romans warte.

Evina war froh, die Flohmarktware, die seit ihrem Einzug in Kisten verpackt im Keller lagerte, endlich entsorgen zu können. Vor allem das schwarze Lederbett des verstorbenen Vaters war ihr seit Langem ein Dorn im Auge. Der von Evina beauftragte Spediteur war pünktlich zum vereinbarten Zeitpunkt am Lieferanteneingang der elterlichen Villa erschienen. Auf sein Klingelzeichen hatte Frau Mutter persönlich geöffnet, woraufhin der Mann – wie er nachher Evina berichtete – sie begrüßt und angekündigt habe, er komme von Frau Evina und liefere die eingeforderte Ware. Völlig perplex sei er einen Schritt zurückgewichen, als die alte Dame enerviert rief: „Es gibt nur eine Frau, die meinen Namen trägt – und die bin ich!" Er habe sogar angefangen zu weinen, nachdem er angefeuert worden war, rasch-rasch Unmengen von Kartons mit Schriftsachen, Beerdigungshüten und tausenderlei Krempel im Gegenzug bergwärts zu Fräulein Evina zu transportieren.

Evina staunte nicht schlecht, als sie die Türme von Papier und Abfall sichtete, und ließ die Geschenkelieferung vorsorglich in der Garage deponieren. Sobald ihre Freizeit es zuließ, wollte sie die Kisten und Kartons einsehen und verwerten. Der Held des Tages war jedoch dieser einfache, unverdorbene Mann, den der Auftritt der alten Dame so betroffen gemacht hatte. Evina nahm ihn nach getaner Arbeit auf einen Kaffee und ein Glas Wasser in die Wohnung, wo er sich nochmals das Erlebte von der Seele wusch. Mit einer herzlichen Entschuldigung, Dank für seine Hilfe und einem schönen Trinkgeld entließ Evina den Gepeinigten in einen guten Abend.

Eric und Evina lebten einträchtig beieinander, absolvierten Erics zahllose Verpflichtungen, machten ihr gastliches Haus immer mehr Menschen zugänglich – und genossen die wenigen stillen Momente ihrer Zweisamkeit. Eine unerwartete Einladung zum 85. Geburtstag von Erics Mutter stellte die Weichen auf Versöhnung. Alle Mitglieder des Clans, dreizehn an der Zahl, hatten sich nach einem feinen Essen auf die ausladenden Sitzgruppen verteilt und nippten vorsichtig an einem Gläschen Verdauungssaft, beteiligten sich mehr oder weniger an gemäßigter Konversation, als Edda, die Älteste, einen heftigen Angriff auf Evina startete, weil diese soeben einer Nichte etwas zugeraunt hatte. Ein paar belanglose freundliche Worte hinter vorgehaltener Hand reichten aus, die geschlossene Akte Evina gewaltsam wieder zu öffnen. Einen Augenblick ließ die ins Fadenkreuz geratene Evina die streitsüchtige Edda gewähren. Wasser stieg in ihre Augen, die sie kontinuierlich und konsequent auf die wutschnaubende Schwägerin gerichtet hielt. Bedächtig erhob sich die vor versammelter Mannschaft abtitulierte Evina, stellte sich aufrecht vor die Gemeinde und hielt ihre erste Bergpredigt. Sintflutartig ergossen sich die über all die Jahre angestauten Energien auf die Zuhörer, die nicht glauben konnten, was da so unverblümt, wahrhaftig, gleichwohl respektvoll und bewusst sich aus den Tiefen von Evinas Seele Bahn zu brechen wusste. Einem unwiderstehlichen Impuls folgend, die Peitsche in der Hand von Mitgefühl und Liebe, hatten Ehrlichkeit und Direktheit die dem Hause anhaftende Contenance und Etikette weggewischt und die von Falschheit, Hass und Heuchelei vergiftete Atmosphäre gereinigt. Eric war perplex. Ein derartig kraftvolles Engagement hätte er seiner Ehegefährtin nie zugetraut. Er stellte sich schützend an ihre Seite und bekundete Solidarität und Dankbarkeit für die zügellose Dressur der Raubtiere.

Noch bevor er das Wort ergreifen konnte, hob ein nicht einzuordnendes Stimmengewirr an und tobte durch die Räume. Bis hin zum jüngsten Teilnehmer hatten sich alle von ihren Sitzen erhoben, sich in heiße Wortgefechte verkantet, war Jung gegen Alt und Alt gegen Jung angetreten, um sich endlich einmal zu öffnen und den Herzen Luft zu verschaffen.

Die alte Mutter, einer Ohnmacht nahe, ließ sich händeringend unter Anrufung der Mutter Gottes in die Arme des ältesten Enkels gleiten, der sie sachte zum Diwan führte, auf dem sie sich mit ihrem ganzen Elend ausbreitete und in Agonie verfiel.

Die Situationskomik war ohne Beispiel. Die aus einer tiefen Bewusstheit erfolgte Demaskierung durch das Fräulein Evina war der Auftakt für eine Generalreinigung und ein waches Aufrütteln der unbewussten Seelen. So wie es aussah, wurden die beiden Aufrührer, Eric und Evina, hier nicht mehr benötigt. Die Restmischpoke war laut vernehmbar, wild gestikulierend mit sich selbst beschäftigt. Eric nahm Evina bei der Hand und führte sie unbemerkt zur Garderobe. Er half ihr in den dicken Mantel, warf sich selber Schal und Jacke über und eng aneinandergeschmiegt traten sie hinaus in die kühle Nachtluft. Unter dem sternenklaren Dach des Universums angelangt, konnten sich beide nicht mehr beherrschen und prusteten vor Lachen, bis der Muskelkater in ihrem Bauch der Gemütsbewegung ein Ende setzte. Sie fielen in einen schweren Schlaf, während draußen die Nacht die Stadt zudeckte.

Viele heitere und melancholische Momente begleiteten die Jungvermählten auf ihrer Reise durch die Gezeiten des Lebens, sorgten nicht nur für Freude, sondern stärkten ebenso ihre Verbundenheit im Leid. Mit einer nach wie vor bunten Mischung aus kuriosen Alltagsgeschichten trachtete das „Reich der Drachen" weiterhin danach, die innigen Bande von Eric und Evina zu zerstören. Beide hatten sie die Abnabelung vom konventionellen Familienstadel geschafft. Eric hatte seine Empfindungs- und Gedankenkräfte in die Tiefen seiner Seele gelenkt und sich von den irritierenden Katastrophen nicht ins Wanken bringen lassen. Evina hingegen war auf der oberflächlichen Ebene von Ego-Gedanken kleben geblieben und hatte das auf sie gerichtete Feindbild stets wie ein Schutzschild vor sich hergetragen. Das Loslassen fiel ihr schwer. Zum ersten Mal in ihrem Leben musste sie die Fehlwirkung ihrer Geistigkeit und deren Auswirkungen am eigenen Leib erfahren. Sie wurde krank.

Wie ein verwundetes Tier kauerte sie zusammengekrümmt in einer Ecke, alle Lebensgeister schienen von ihr gewichen. So gut sie dazu in der Lage war, hielt sie die äußeren Formen aufrecht, sorgte nach wie vor fürs leibliche Wohl der zweiten Hälfte, aber begegnete sich selbst aussichtslos im Schmerz einer unentrinnbaren Befangenheit durch Gedanken. Leber und Galle spuckten unermüdlich vor sich hin. Tagaus, tagein flehte Eric sein geliebtes Eheweib verzweifelt an, wieder das alte, fröhlich unbeschwerte Enneli zu sein, das dem Leben bis jetzt bei Wind und Wetter durch vollkommene Akzeptanz so purlimunter und unverdrossen gefolgt war. Abend für Abend schaute er verstört auf ihren leeren Teller und versuchte, sie zu einem kleinen Bissen zu ermuntern. Mit der Zeit jedoch ließ er ab von seinem wohlmeinenden Zureden, denn kaum war Evina seinem Rat gefolgt, da kotzte sie sich im wahrsten Sinne des Wortes die Seele aus dem Leib.

An auswärtige Einladungen war nicht mehr zu denken und die Bewirtung von Gästen in ihrem Heim musste für lange Zeit aufgeschoben werden. Elisabetta, die Astrologin, die einsam und abgeschirmt von allem Weltlichen in südlich-sonnigen Regionen hauste und mit der Evina seit vielen Jahren in Freundschaft verbunden war, ebnete ihr den Weg zu einem Anthroposophenarzt in Grenznähe. Die Leberwerte waren hervorragend, glichen denen eines quietschfidelen Kindes, die Gallenblase hingegen war angefüllt mit formschönen, großen Steinen und stand – wie der Weißkittel behauptete – kurz vor dem Platzen. Der Heilkundige zückte seinen Terminkalender für einen Operationstermin, da war Evina schon fertig zum Abflug. Auf keinen Fall würde sie sich unters Messer in die Hände von Metzgern begeben – nein, da wollte sie lieber sterben.

Sechs Monate waren inzwischen vergangen, ihr Körpergewicht um fünfundzwanzig Kilogramm reduziert. Eine Kolik jagte weiterhin die andere. Die Schmerzen raubten ihr zeitweise das Bewusstsein. Wie viel Kraft und Energie hatte sie aufgewendet, um an eine Befreiung der unliebsamen Schwiegermutterzunge zu gelangen, wie gnadenlos sich in die Knie gezwungen, um tadellos und perfekt im Licht der Außenwelt zu stehen. Wie Eric in seinen Anfängen hatte sie versucht, Situationen zu verändern und damit Widerstand geleistet gegen das, was ist, war komplett abgerutscht in die Welt von Ego-Gedanken, die sie fest im Griff hielten. Das Maß des Erträglichen war nun ausgeschöpft und die Körperlichkeit, die Evina auf Leid und Leiden ausrichtete, hatte ein Stadium erreicht, in welchem sie die Lasten nicht mehr tragen und ertragen konnte. Wahrlich, sie war am Ende.

Sie ließ los. Und genau an diesem Punkt eilte ihr das Schicksal erneut zu Hilfe und bescherte ihr einen Anruf der ehrwürdigen Mutter. Die Welt veränderte sich.

Eric, der an den Wochenenden immer mal wieder in seinem Elternhaus vorbeigeschaut hatte und die Absenz seiner Angetrauten erklären musste, konnte den jämmerlichen Zustand seiner Gefährtin nicht länger verheimlichen und fühlte sich wohl oder übel gezwungen, Maman die Karten auf den Tisch zu legen. Einem Erdbeben gleich wurde Evina von wortgewaltigen Erschütterungen heimgesucht. Die alte Dame entrüstete sich, sie habe es ja immer gewusst, dass ihr Sohn eine unsolide, kranke Frau geheiratet habe, und gab den Befehl an Evina, sich unverzüglich bei Professor Tausendfreund zwecks Diagnose anzumelden. Die Erdstöße vom andern Ende der Leitung prasselten an Evina vorbei. Zu groß war ihre Erschöpfung, darauf zu reagieren. Unbeirrt hörte sie dem Leierkasten zu, der Strophe für Strophe die altvertrauten Melodien drehte – bis hin zu Nummer fünf. Diese Strophe war bei der Drehorgel besonders beliebt und wurde heute gezielt, mit rhythmisch langsamen Bewegungen durch den Äther ans Ohr von Evina geschickt. Sie kannte diesen Text in- und auswendig. Er handelte vom Berufsstand der Sekretärin, die analog dem indischen Kastenwesen einer Paria, einer Ausgestoßenen, gleichzusetzen war, womit der Sohn über das ehrenwerte Haus Schande verbreitet hatte. Das war die Gelegenheit, den Trumpf, den Evina seit einigen Wochen in der Hand hielt, auszuspielen.

Seit vielen Jahren schon betreute Evina in ihrer Freizeit ein lustiges Quartett von betagten alleinstehenden Frauen, die alle heiß und innig mit ihr verbandelt waren und rege Anteil nahmen an ihrem Geschick. In einem Gespräch über vergangene Zeiten hatte Bethli, die Älteste der Runde, die Erics Mutter von Jugend an kannte, im Eifer der Unterhaltung ausgeplaudert, dass die Edle vor der Verheiratung mit Erics Vater als Verkäuferin in einem Modehaus ihr Geld verdiente. Niemand wusste davon. Mit dieser Neuigkeit im Hinterkopf nahm die Paria Evina erneut die Peitsche in die Hand von Mitgefühl und Liebe – und ließ sie knallen. „Moment bitte, Frau Doktor“, hörte Evina ihre erstarkte Stimme erschallen, „was, denken Sie, hat Ihrer Meinung nach einen besseren Stand: die Sekretärin in einer Anwaltskanzlei oder die Verkäuferin bei Modema?“ Der Hieb hatte gesessen! Es war mucksmäuschenstill in der Leitung. Evina nutzte die Gunst der Stunde. Ihre tot geglaubten Lebensgeister beflügelten sie. Sie war hellwach. Klar und ungeschminkt setzte sie ihre Vorlesung fort und sagte: „So, liebe Frau Doktor, jetzt ist ein für alle Mal Schluss mit Kriegsgeschrei und Seelengemetzel. Ich habe Ihre ewigen Anwürfe satt und verbiete Ihnen, mich je wieder zu kontaktieren. Es sei denn, Sie begraben das Kriegsbeil und lassen sich respektvoll und achtsam auf eine friedlich-menschliche Beziehung ein. Wenn Sie bereit sind, diese neuen Regeln zu befolgen und Ihren Nächsten als gleichen Teil eines Ganzen anzuerkennen, dann – aber nur dann – dürfen Sie sich gerne wieder bei mir melden.“ Evina legte auf. Das Gespräch war beendet.

Erst jetzt realisierte sie das ganze Ausmaß ihrer Handlung. Die sich selbst aufgesetzten Hörner der Mutter waren soeben gegen die von Evina errichtete Wand geprallt, hatten sich darin verkeilt und waren abgefallen. Nie wieder, das war gewiss, würde der Stier das rote Tuch Schwiegertochter attackieren. Die Liebe, nach der die ganze Menschheit auf der Suche ist, diese Liebe hatte plötzlich keinen Gegenspieler mehr. Aus kindlicher Arglosigkeit heraus hatte Evina ein inneres Feuer entfacht und damit den Brandherd Mutter gelöscht. Beide hatten bekommen, wonach sie immer gestrebt hatten – jeder auf seine besondere Art. Heilung durfte geschehen.

Evina spürte eine Wiederbelebung all ihrer Sinne, und mit dem Weinkrampf, der ihren Körper durchschüttelte, machte sich eine seit Langem nicht gefühlte Leichtigkeit in ihr breit.

Selbstvergessen bewohnte sie ihren Küchenstuhl und sah aus verweinten roten Augen hinaus in die grünen Wipfel des Waldes. Sie erinnerte sich an Väterchen, wie er die Kraft der Gegenwart aus seinen meditativen Aussitzern schöpfte – und lächelte. Mit diesem kindlichen Lächeln im Gesicht fand der heimgekehrte Eric seine Liebste vor und wunderte sich. Seit Monaten hatte er Evina nicht mehr so liebreizend angetroffen – und da nahm er gern in Kauf, dass die Essenstöpfe noch leer waren. Die intensive Berichterstattung über die Liebesorgie seiner wichtigsten weiblichen Bezugspersonen haute ihn regelrecht vom Sockel. Zum zweiten Mal begeisterte er sich hautnah am pointierten Schlagabtausch seiner Ehegefährtin, die rasch ein paar feine Nüdelchen in Butter schwenkte, eine Omelette darüberlegte und – welch Wunder – sich mit ihm an den Tisch setzte und – wie seit Menschengedenken nicht mehr – eine kleine Portion davon verspeiste. Sogar die Galle zeigte am heutigen Freudentag keinerlei Einwände gegen die Nahrung. Sie verhielt sich außergewöhnlich ruhig, war wahrscheinlich ebenso geschockt über die unverhoffte Wende wie der Körper, den sie bewohnte. Eric und Evina atmeten auf und schliefen alsbald friedlich und selig ein.

Angefeuert durch Evinas Rückkehr ins Leben, schmiedete Eric Pläne für eine dreiwöchige Reise in die faszinierende Bergwelt des Engadins. Jubilierend vor Freude sah er sich schon vor der Abreise in Gedanken Hand in Hand mit seiner Liebsten über blumige Matten an Bächen entlang oder in der würzigen Luft der Arvenwälder spazieren gehen, staunend den Schönheiten der Natur zugewandt, die seine verlorene Jugend, wie er sagte, ausschnittsweise erahnen ließen. Das geliebte Eiland, die Insel ihrer Träume, musste warten. Ein skandalträchtiger Vorfall im südlichen Ausland, in den Eric unverschuldet hineingezogen worden und dessen Gefahrenmoment noch nicht abzuschätzen war, hatte vor geraumer Zeit den Anwalt vor den Kopf gestoßen und große Unruhe in die Kanzlei und das private Heim gebracht. Die Einvernahme des Beschuldigten, die von einer

Bande ehrgeiziger Menschen auf der Jagd nach Erfolgserlebnissen am Wohnort vorgenommen worden war, lief glimpflich zu Erics Gunsten ab. Aber in dieser nach Anerkennung hungernden Welt wusste man nie, was passieren würde. Evina, der das Sicherheitsrisiko als zu hoch erschien, hatte dafür plädiert, fremdes Staatsterritorium nicht zu betreten. Im Übrigen bevorzugte sie im jetzigen Augenblick sicheren Heimatboden, falls die Galle sich nochmals per Kolik melden würde. Abgesehen von ein paar schmerzhaften Reizungen verhielt sich das strapazierte Organ eher ruhig und forderte nächtens keinerlei Aufmerksamkeit durch Erbrechen. Der abgemagerte Körper durfte sich neue, passende Kleidungsstücke aussuchen, der Koffer den dunklen Estrich verlassen – die Reise beginnen.

Der Aufenthalt in lichten Höhen wurde zu einer Auszeit wie im Bilderbuch. Gletschergeformte Täler, saftige Alpwiesen, gastfreundliche Alphütten, Kühe, Geißen und Gämsen ließen die Herzen von Eric und Evina höherschlagen. Auch der Groll des Familienclans war auf Wanderschaft gegangen. Die Angriffslust der Raubtiere, die nur dazu gedient hatte, das eigene Ego aufzublähen, sich wichtig hervorzutun und sich über die Unschuld der beiden Liebenden zu erheben, war unvermittelt nach dem telefonischen Peitschenhieb in die Weiten des Universums verschwunden. Die Energien konnten auf beiden Seiten wieder ungehindert fließen – und schwemmten Frieden an Land.

Evina fiel die schwarze Tafel in der Hotelhalle sofort auf. Die kunstvoll geschwungenen Lettern in roter und weißer Kreide kündeten von einem „Internationalen Homöopathie Kongress", der am Montag eine Woche lang die Türen zu den Tagungsräumen des Kurhauses öffnete. Evina wurde hellhörig. Zweifellos war die Information auf der Tafel der Richtungspfeil auf ein neues, bislang unbekanntes Territorium. Sie verschaffte sich durch Eintrag in die Teilnehmerliste und Zahlung der Seminargebühr Zutritt in die fremde Welt der alternativen Heilkunst –

und wahrhaftig, der Drang nach einem Gesundbrunnen, ihr Wunsch nach Heilung, materialisierte sich. Begeistert ging Evina auf Entdeckungsreise. Die Tour führte sie zu neuen Horizonten und gewährte ihr Einblicke in die Alchemistenküche von Paracelsus und Samuel Hahnemann. Tief beeindruckt hing sie an den Lippen der Referenten und verfolgte gespannt die Fallbeispiele der Materia Medica. Beim Abendessen mit Eric gab es für sie nur ein Thema.

Die Schilderungen seines liebenden und geliebten Weibes klangen so hinreißend, dass der Geliebte gleich am nächsten Morgen – kostenfrei und unbemerkt – unter die hundertköpfige Zuhörerschaft schlüpfte. In der Mittagspause auf der sonnendurchfluteten Terrasse setzte der redegewandte Eric, dieses einzigartige Design aus Kraft und Freude, seinen persönlichen Entdeckungstrip fort und verwickelte die Heilkundigen und solche, die es werden wollten, seinerseits in herausfordernde Gespräche. Er hatte sein Temperament, sein Talent, alle ihm in die Wiege gelegten Eigenschaften mobil gemacht und beste Unterhaltung für die Leute von heute serviert. Fasziniert, geradezu verzaubert von der Gattung der alternativen Medizin, verzauberte er im Gegenzug die zur Ausübung der homöopathischen Heilkunst Befähigten durch einen begeisterten und begeisternden Auftritt. Selbst der Himmel über Eric tat sich auf und legte ihm in der Gestalt von Meister Gregorius ein wunderbares Geschenk vor die Füße: einen blutjungen, aufstrebenden Homöopathen, der von nun an dynamisch-homöopathisch Gesundheitsreformen an Eric und Evina erprobte. Wieder einmal war die Urenergie wirksam geworden und hatte den beiden Liebenden – ohne ausdrücklich darum gebeten zu haben – ein weiteres Puzzleteil auf ihr Lebensbild gelegt.

Evina hörte in ihrem Innern den Satz aufsteigen, mit dem sie früher in jungen Jahren, wenn sie wieder einmal zu spendabel mit der Energie des Geldes oder leichtfertig mit kniffeligen

Situationen umgesprungen war, ihre Mama genervt, aber zum Schweigen gebracht hatte:

„Sehet die Vögel unter dem Himmel an:
sie säen nicht, sie ernten nicht,
sie sammeln nicht in Scheunen,
und euer himmlischer Vater nährt sie doch.“

Matthäus 6, 26–28

Die Homöopathie hatte zwei Novizen auf die Bühne geholt und nach einer Woche als Eingeweihte entlassen. Eric zahlte die Teilnahmegebühr und besuchte das Seminar bis zum Schluss. Abends feierte er im Beisein von Evina inmitten der illustren Schar von Heilkundigen ausgelassene Feste und ließ die Gläser klingen. Er wunderte sich, dass die Happy Hour vom Vorabend keinerlei Auswirkungen auf die körperliche Verfassung der Arztgesellen zu haben schien. Frisch und munter bestiegen die Herren ihren Lehrstuhl, während Eric seinen schweren Kopf kaum aufrecht halten konnte und eine bleierne Müdigkeit ihn mehrmals einnicken ließ. Am dritten Abend lüftete Prof. von Eichendorff das Geheimnis, zog ein Fläschchen aus der Alchemisten-Schatulle und legte Eric zwei Globuli Nux vomica C200 unter die Zunge. Das Unglaubliche geschah. Taufrisch, wie neugeboren überlebte Eric weitere alkoholträchtige Attacken. Evina, die aus Rücksichtnahme auf ihre Galle nur dem Wasser frönte, hatte ihre erste Lektion in Sachen Medikation gelernt.

Was kann die homöopathische Medizin im Vergleich zu der allopathischen – und wie sieht die Medizin der Zukunft aus?

„‚Quod licet iovi – non licet bovi.‘
‚Was dem Gott Jupiter zusteht, steht dem Ochsen noch lange nicht zu!‘ So engstirnig dachten die alten Römer – und ähnliches Gedankengut trägt die zivilisierte Spezies Mensch immer noch in sich.

Bis heute werden Unterschiede in Bezug auf Herkunft, Status, Titel und Vermögen eisern hochgehalten, obwohl es auf den ersten Blick so aussieht, als ob die Würde des Menschen unantastbar und alle Menschen vor dem Gesetz gleich seien. Dem ist aber leider nicht so. Besonders im Wirkkreis der Allopathen, der Schulmediziner, die ihren Berufsstand weit oben auf der Wertigkeitsliste ansiedeln und sich selbst teilweise immer noch als ‚Götter in Weiß‘ verehren und anbeten lassen, hat sich eine einheitliche, liebevoll-menschliche Behandlung von Patienten nicht durchgesetzt. Der in seiner Lebensenergie beeinträchtigte Kranke erfährt spürbar die unwiderrufliche Trennung von seinem Nächsten, wenn er als Fleischpaket durch leblose Geräte geschickt, gepikst und gestriezt, mit unbarmherzigen Diagnosen konfrontiert – und dann alleingelassen wird, völlig verängstigt von den ‚barbarischen‘ Methoden der ‚Götterwelt‘. Er hat innerlich Abschied genommen von seinen Empfindungen und Gefühlen, die im Anwendungsbereich der Allopathie keinen Platz fanden und achtlos zur Seite geschoben wurden.

So wie sich der industrialisierte Abkömmling auf Erden in den Wirren seiner materialistischen Gedankenwelt verloren hat, so hat auch die Gattung der Schulmediziner nichts Wesentliches dazugelernt. Nach wie vor ist sie auf Materie ausgerichtet und bemüht, unter Zuhilfenahme chemischer Heilmittel vor der bombastischen Kulisse beeindruckender Apparaturen daraus Nutzen zu ziehen und – wie der Gott Jupiter – sich Bedeutung zu geben und einen Namen zu machen.

In ihren Untersuchungskammern und Forschungslabors ist sie eifrig und kostenintensiv naturwissenschaftlich unterwegs, den Geist, die dem Menschen innewohnende Schöpferkraft, die Energie des Ursprungs, über die Materie zu erklären. Die von Eitelkeit verblendeten Herren kennen das Unsichtbare, die alle irdischen Formen belebende Kraft, nicht, die das Wunderwerk Körper aufbaut und zum Leben erweckt, und lässt über die Lichtreklame immer wieder menschenbeglückende Neuerungen aus den Krankheitspalästen in die Welt posaunen. Die Öffentlichkeit applaudiert – und keiner merkt, dass die Forschungsergebnisse der Schulmedizin nur im Bereich der toten Materie gelten, Materie aber ein Epi-Phänomen des Geistes ist – und nicht umgekehrt. Und genauso wenig, wie der moderne Mensch mit seinem auf Gedankenformen basierenden Hirn den Ursprung, die Wirkkraft der kosmischen Energie, erklären kann, wird die der Stofflichkeit verhaftete Brigade von Wissenschaftlern Krankheitsursachen niemals erkennen können, geschweige denn sie zu ‚besiegen' wissen.

Und mit dem eindrucksvollen Wort ‚besiegen' aus dem Fachjargon der kriegerischen Heerscharen des Militärs habe ich die Überleitung zur niedrigen Kaste der Homöopathie geschaffen. Ein Krankheitsgeschehen auf Körper- oder Seelenebene des Menschen, mit dem sich die allopathische Schule am Leben erhält, wird von ihr als Feind betrachtet, den es zu besiegen gilt. Ist das nicht umwerfend? In kriegerischer Manier, den Feind zu vernichten, walzt sie mit schwerem Geschütz alles nieder, was schmerzt und nicht ins Bild eines normalen Körpers passt. Für die Rendite ihrer Paläste geht sie sogar über Leichen, die sie seziert, um zu finden, was in lebloser Materie nicht zu finden ist. Es wird operiert, geschnetzelt und verstümmelt, was das Zeug hält. Ganze Industriekonzerne profitieren mittlerweile von durch Siechtum und Leiden gezeichneten Kranken, Amputierten, Invaliden und Pflegebedürftigen, die sich ihrerseits nicht bewusst sind, dass sie als Müllschlucker für Medikamente – dem Gold der Neuzeit – auf Lebenszeit in die Verbannung geschickt wurden.

Für einen Heilkundigen der ‚Klassischen Homöopathie' ist die Medikation für das nach Geld haschende Unternehmertum klar. Zwei Globuli Aurum metallicum, hoch potenziert, würde die Garde der weiß getünchten Kaftane ins Lot bringen und damit zur Gesundung und zum Überleben dieser Abteilung beitragen. Der homöopathische Heilkundige hat sich längst zu eigen gemacht, was Johann Wolfgang von Goethe bereits erkannte, indem er schrieb:

‚Müsset im Naturbetrachten
Immer eins wie alles achten:
Nichts ist drinnen,
Nichts ist draußen;
Denn was innen, das ist außen.

So ergreifet ohne Säumnis
Heilig öffentlich Geheimnis.
Freuet euch des wahren Scheins,
Euch des ernsten Spieles:
Kein Lebendiges ist ein Eins,
Immer ist's ein Vieles.'

In einer Welt, in der das Märchen vom Machbarkeitswahn durch Technik die kosmischen Gesetzmäßigkeiten verdrängt hat,
lässt die grandiose Hinterlassenschaft eines genialen Arztes und wahren Heilers aufhorchen. Christian Friedrich Samuel Hahnemann (1755–1843) trat auf die Bühne, setzte sein in den Fächern Medizin und Pharmazie erworbenes Wissen in einer eigenen Praxis um – und resignierte. Angesichts der miserablen Resultate der medizinischen Anwendungen verabschiedete er sich von der Heilerzunft und verdiente, weil vieler Sprachen mächtig, seinen Lebensunterhalt mit Übersetzungen. Und wie immer, wenn der Kopf schweigt, öffnet sich die Seele und aus der Tiefendimension steigt wahre Kreativität empor. Zurückgezogen in die gedankenleere Stille hielt er Einkehr in seinen inneren Welten – und wurde fündig. Über systematische Prüfungen der Arzneien und von ihm hergestellten Potenzen sowie die Ent-

deckung des Ähnlichkeitsprinzips gebar er die Homöopathie, die durch die Anwendung dieser Gesetze, analog den kosmischen Regeln, eine sichere Therapie ermöglichte. Im Gegensatz zur wissenschaftlichen Schulmedizin, deren Entdeckungen nie über das materielle Erkennen hinausgingen – und es heute noch nicht tun – hatte Hahnemann über die Verbindung mit der Quelle die Unendlichkeit der Einen Energie angezapft und damit den Raum betreten, der alles Geschehen als etwas geistig Dynamisches – nicht etwas materiell Statisches – entlarvt.

Das Leben ist unsichtbar. Betrachtet einen Lebenden und einen Toten. Die Form, das Außen, ist immer noch gleich – was ist es, so frage ich dich, was da aus dem Körper gewichen ist? Was ist es, das ihn einst lebendig machte? Hast du dich das schon einmal gefragt? Ich sage dir, es ist die Lebenskraft, die Dynamis, die Energie des Einen, die alle menschliche Gestalt beseelt. Medizinische Forscher und ein Großteil der Menschen vor allem in der westlichen Hemisphäre erkennen dieses Unsichtbare nicht und verwechseln ihre wahre Identität mit ihrer physischen. Es fällt dem Materialisten auf der Weltenbühne unsagbar schwer, an etwas zu glauben, das er nicht sieht, weshalb er die Arzneien der Homöopathie auch als ‚Zuckerkügelchen' ohne jede Wirkung degradiert.

Schau her, welch abgrundtiefen Wahnsinn euer Denken erschaffen hat. Nimm zwei Visitenkärtchen, auf denen die Angaben von unterschiedlichen Personen, Name, Adresse, Telefonnummer, ausgewiesen sind und gib sie zur Untersuchung in ein Labor. Das Ergebnis wird auf den ersten Blick deinen Verdacht bestätigen: 100 % Papier, ein paar variable Moleküle Druckerschwärze und so weiter. Ich sehe dich schon die Hände reiben und höre dich jubeln: ‚Hab ich's doch gewusst.' Halt, Moment mal, und was ist mit den Informationen? Die Kärtchen waren doch nur Informationsträger. Merkst du etwas? Alles, was wirklich ist, kann auf der Verstandesebene und in Labors nicht erfasst werden. Du wirst zugeben müssen, dass mit dir ganze Nationen von Oberflächenerkundern im Westen auf einen grandiosen Irrweg geraten sind.

Höre bitte hinein in den nächsten kleinen Vers, der klar und deutlich auf die Wirklichkeit verweist:

Lass die Welt reden –
die Welt ist blind.
Sie fragt, was Menschen gelten,
nicht, was sie sind.

Von diesem wunderbaren Leitspruch getragen, begab sich ein weiterer Arzt der Neuzeit, Doktor Adolf Voegeli, auf Spurensuche, ließ sich von den Entdeckungen des Samuel Hahnemann inspirieren, wandelte sich vom Saulus zum Paulus und wurde ein treuer Anwender der Homöopathie. Wie sein Lehrer erkannte auch er den Ursprung von Krankheit im Feinstofflichen, im Spirituellen. Stört dich dieses Wort? Verbindest du damit esoterischen Hokuspokus? Mein Freund, Spiritualität hat nichts mit Religion zu tun, mit dem, was du glaubst. Du findest sie nicht in Kirchen und in Tempeln. Spiritualität ist eine Essenz, eine Wahrheit, eine Tiefendimension in dir, die sehnsüchtig darauf wartet, bewusst wahrgenommen zu werden. Ich sage dir, eines schönen Tages wirst auch du dich auf die Reise in dein Inneres begeben und die Schatztruhe in dir aufschließen – und die Trugbilder und Machenschaften des kleinen Ich in der Welt der Formen enttarnen.

Wie viele Anhänger der homöopathischen Lehre blieb der Medikus auf seinem Weg – und seiner ‚göttlichen Homöopathie' getreu bis in den Tod. Als Naturfreund und Bergsteiger fand er unzählige Male hinauf zum ‚sprechenden Fels in der Brandung', wie er mich nannte, und reflektierte in nächtelangen Gesprächen über die Heilungswunder, die seine Hingabe an den schönsten und heiligsten Beruf zu Tage förderte. Kranke heilen, Unheilbaren die Leiden vermindern, dem Sterbenden in seinem Prozess den Übergang in die wahre Heimat erleichtern – alles möglich gemacht durch die heilende Energie des Einen, die sich in den homöopathisch-dynamischen Arzneien verbirgt. Arzneien, die in den Verdünnungen nicht toxisch sind, keinerlei Nebenwirkungen zeigen, daher bei Säuglingen, Schwangeren und

Geschwächten ebenso anwendbar und erfolgreich sind wie bei Tier oder Pflanze.

Der in seinen Anfängen als Röntgenarzt praktizierende Heilkundige begeisterte sich in unserem Gedankenaustausch immer wieder aufs Neue für diese ganzheitliche Therapie, die keinerlei technische Hilfsmittel benötigt und wo niemand sich entkleidet bloßstellen muss. Würdevoll darf der Patient in vertraulichen Gesprächen seine Sorgen, körperlichen Beschwerden und seelischen Nöte vor sich ausbreiten und gehört werden, bevor er dann mit einer dynamischen Arznei aus der unerschöpflichen ‚Apotheke Gottes' selbstvertrauend und mutig auf seine Weiterreise geschickt wird.

Wer heilt, hat Recht! Ausweislich dieser Satz begleitete unseren Medikus, der sich von gnadenlosen Anfeindungen sowie von steten Angriffen auf seine Zunft nicht beirren ließ und hilfreich dazu beigetragen hat, aus dem Wirrwarr der gesundheitspolitischen Kalamität hinauszuführen. Wer heilt, hat Recht! Mit dem Anwachsen einer höheren Bewusstheit unter den Menschen wird der Tag kommen, an dem auch die allopathische Truppe der Wahrheit näher rücken, mit dem Feind Frieden schließen und aus vollster Kehle in den Lobgesang einstimmen wird: Wer heilt, hat Recht!

Nun, wie sieht aus der Sicht des Weisen in den Bergen die Medizin der Zukunft aus? Langsam, ganz sachte wird es lichter werden in der Welt der Dualität. Lautlos, ganz leise werden die aus dem Verstand geborenen Menschheitslügen ausgelöscht. Jeder Einzelne ist aufgerufen zu erwachen. Aufzuwachen aus dem Traum, dass Viren, Bakterien oder sonstige Erreger, Umweltgifte, Alkohol, Kaffee, Zigaretten, falsche Ernährung, also alles Stoffliche, als Ursachen für körperliche Dysfunktionen gelten. Aufzuwachen, endlich zu erkennen, dass hinter allem Leid und Leiden eine Gemütsverstimmung steckt. Unruhe, Verletzung, Wut, Trauer – sei es durch häuslichen Unfrieden, Scheidung, Wegzug eines Kindes, Verlust der Arbeitsstelle, Tod eines nahen Angehörigen oder gar durch triebhaften Erwerbssinn – können

Auslöser für Krankheitserscheinungen sein. Ja, aber der Weg geht weiter, der ewigen Wahrheit entgegen.

Sobald der Mensch beginnt, sich auf seine wahre Herkunft zu besinnen, die wahre Schöpferkraft in sich entdeckt, wird er sich auf alle in ihm aufsteigenden Gefühle bewusst einlassen, geschehen lassen, was geschieht. Er wird seine Kraft und Energie nicht länger dagegen richten, tief in das Gefühl von Verletzung, Wut, Trauer eindringen, widerstandslos, still darin verharren – ohne es gedanklich zu benennen. Es wird einige Übung erfordern, der Gedankenleere im Kopf zu begegnen, aber einmal das Tor zu einem neuen Bewusstsein gesichtet, wird der erwachte Mensch es aufstoßen und die dahinter verborgenen Wunder pflücken dürfen. Angsterregende Diagnosen, die auf seiner Stirn kleben, die Furcht einflößenden Täuschungen seines kleinen Ich, werden augenblicklich weggewischt und ein Frieden, der nicht von dieser Welt ist, sich ausbreiten.

Du hast die Wahl, dich jeden Augenblick für diesen Weg zu entscheiden. Selbstverständlich kannst du auch fernerhin Vergnügungsreisen durch oberflächliche Welten buchen, dich beflissen durch Lust und Leid manövrieren. Es besteht aber Grund zu der Annahme, dass das Maß des Erträglichen bald ausgeschöpft ist und die zivilisierte Menschheit ein Stadium erreicht, wo die Lasten, die Konflikte, die sie selber schuf, nicht mehr zu tragen und zu ertragen sind. Dann wird der Mensch begreifen lernen, dass die Wurzel allen Übels auf dem Verlust seiner wahren Heimat beruht. Und vielleicht wird er die nächste Katastrophe, den nächsten Absturz, dazu benutzen, still zu werden, in sein Herz hineinzulauschen und vertrauensvoll ins unsichtbare Unbekannte vordringen.

Daher meine Empfehlung:

Wann immer du Hilfe und Unterstützung benötigst – hole sie dir auch in Zukunft bei Ärzten, Homöopathen und sonstigen Heilern. Lasse dich dorthin geleiten, wo dein Herz dich hinführt. Aber bitte verachte die alternativen Ansätze nicht, bei denen Krankheit nicht als Feind behandelt wird und die deshalb keine neuen Krankheitserscheinungen hervorbringen, keinerlei Symptome unterdrücken und den Körper nicht dazu verleiten, ein anderes Ventil zu seiner Entlastung zu öffnen. Und sei nicht länger als Selbstmörder unterwegs, der sein Selbst, sein wahres Ich, die in ihm waltende Essenz des Einen, des Ursprungs, abgetötet hat und längst gestorben, nur noch nicht beerdigt ist. Befreit von deinem kleinen Ich setze deine Erdenreise vertrauensvoll fort. Du wirst heil – ganz werden. Heilung geschieht."

Die Medical Detectives waren abgereist. Solidere Neuzugänge bevölkerten das Hotel. Eric war auf Höchstform angewachsen, die er nun auf aussichtsreichen Trampelpfaden der mythischen Via Panoramica auszuleben gedachte. „Unbestritten einer der schönsten Wanderwege", stimmte Evina ihm zu, aber sollten sie nach fünftägiger Stubenhockerei sich nicht erst ein wenig einlaufen und ihren Lufthunger auf einem überschaubaren Spaziergang stillen? Nein, Eric drängte es auf die Piste in gewaltige Höhen. Das gemütliche Zimmerfrühstück wurde abrupt beendet. Ein kurzer Blick auf die Wetterkarte – und schon konnte es losgehen. Die Wanderausrüstung saß perfekt, der Rucksack auf Evinas Rücken ebenfalls. Mit nachlassender Begeisterung schnaufte sich Evina an Erics Fersen geheftet hinauf in luftige Höhen. Laufen war einfach nicht ihr Ding. Wie zwei Sklavinnen hatte Väterchen auf seinen Wochenendtouren Enya und Evina früher vor sich hergetrieben und kilometermäßig in all den Jahren mindestens eine Erdumwanderung geschafft. Evina stöhnte und schnaubte, folgte aber brav dem vorausgehenden Eric, dem es sicher gelingen würde, eine weitere Erdumkreisung mit ihr vorzunehmen. Endlich. Evinas Verfolgungsjagd war beendet. Ihre Argusaugen hatten ein einladendes Bergrestaurant entdeckt und es gelang ihren Überredungskünsten, das Rennpferd Eric in den Stall zu treiben und für eine Haferpause zu gewinnen. Welch eine Wohltat. Welch ergreifende Rundschau aufs Paradies. Mutter Erde hatte ihren Zauberschrank geöffnet und das Wander-Duo überwältigt Einblick nehmen lassen. Die Strapazen hatten sich gelohnt. Der Bündner Teller, deftiges Bauernbrot, das Einerli Veltliner, dazu genussvolle Züge aus Erics Tabakpfeife und ein schmackhaftes Zigarettchen aus Evinas Räuchersortiment stärkten Leib und Seele. Doch jetzt mahnte die Zeit zum Aufbruch. Eric, im Rausche der Verzückung ob all der Schönheit der Natur, an der er sich nicht sattsehen konnte, legte einen gewaltigen Schritt zu, als dunkle Wolken aufzogen und den Tag zur Nacht machten. Kraftvoll zeigte die Natur, was sie sonst noch alles drauf hatte. Dick vermummt in ihre Regenpelerinen hielten beide Ausschau nach einer Abkürzung. Die war aber leider nicht in Sicht. Überhaupt gab es mit der Sicht ein Problem. Die schwarzen Gewitterwolken hingen dicht über ihnen, sintflutartig stürzten die Wassermassen auf die Erde, Bäume verwandelten sich in Furcht einflößende Monster und die Wege bildeten sich rasch zu reißenden Bächen heran. Wie gut, dass Evina die Taschenlampe noch in den Rucksack gesteckt hatte, deren greller Schein sie wenigstens nicht vom Weg abkommen ließ. Eigentlich hatten sie ja nur den Puls der Natur fühlen wollen. Dass dieser auf lebensbedrohliche Werte ansteigen würde, damit hatten sie nicht gerechnet.

Dicht aneinandergedrängt, zitternd vor Kälte, bahnten sich die Abenteurer ihren Weg. Ihr Herz klopfte hörbar in ihrer Brust. „Ja, unbestritten einer der schönsten Wanderwege", murmelte Evina vor sich hin. Da schickten die Mächte des Himmels einen Boten in Form einer Blitzspirale auf die Erde nieder. Der kurze Augenblick der Erleuchtung reichte aus, um die Umrisse einer Hütte zu erkennen, durch deren Fenster ein Lichtschein nach draußen drang. Evina schrie auf. Wind und Wetter, Blitz und Donner konnten ihr nichts mehr anhaben. Ab jetzt übernahm sie die Führung. Mutig packte sie Eric am Arm und zog ihn im Laufschritt – soweit das möglich war – in die flimmernden Umrisse des ihr erschienenen Lichtstrahls.

Völlig außer Atem, durchnässt und verdreckt, standen sie wortlos wie Hänsel und Gretel vor einem massiven Hexenhäuschen, das sich an die schützenden Mauern des Felsgesteins kuschelte. Eric klopfte an die eisenbeschlagene Tür und machte gleichzeitig durch lautes Rufen auf sich aufmerksam. Am Fenster zum Hof schob sich ein Vorhang zur Seite und gab das bärtige Gesicht eines alten Berglers zu erkennen. Der Vorhang fiel – und die Tür ging auf.

Eric, sprachversiert wie er nun mal war, zog sämtliche Register aus Charme und Kinderstube und wurde, seine Frau im Gepäck, vorgelassen. Das Kaminfeuer vermittelte wohlige Wärme, die von der Aura des Alten noch angeheizt wurde. Die Augen der drei schauten sich an – und alle drei wussten, dass diese Begegnung kein Zufall war.

Der Retter in Not entnahm einer uralten Holzkommode zwei lange, aus derbem Leinen gefertigte, sackartige Hemden, stellte vier monströse Filzpantoffeln vor die Füße der Eindringlinge, die nackt bis auf die Unterhosen darauf warteten, in die Kostüme Marke Steinzeit einzusteigen. Evina kämpfte mit den Tränen, flötete im gleichen Takt zu Eric anrührende Dankesworte in den Raum, als der alte Kauz sie auf die hölzerne Eckbank zitierte und ihnen eine heiße Gerstensuppe in die Keramikschalen schöpfte.

Draußen tobten die Naturgewalten unverdrossen weiter und nötigten die Asylanten zum Bleiben. Eric, der sich und seine junge Frau inzwischen vorgestellt und einige Umrisse zu seiner Person skizziert hatte, kramte die Dose mit der Tabakpfeife aus Evinas Rucksack, stopfte sie selig und hingerissen, weil sie die Flut unbeschadet überlebt hatte. Das alte Herrlein kauerte entspannt in einem mit dicken Kissen angefüllten Lehnstuhl, saugte versonnen an seiner überdimensionierten Meerschaumpfeife und hieß Eric kichernd im Kreise seiner Zunft willkommen.

Lange Zeit schon hatte er die unerwarteten Gäste fixiert und aufmerksam studiert und begann nun, zögerlich zunächst, mit einem Wohlklang in der Stimme ein bisschen aus seinem Nähkästchen zu plaudern. Er trug den gewichtigen Namen von Petrus – der Fels –, in seiner rätoromanischen Heimat Peider genannt, und war als Peider Baselgia der Region und darüber hinaus ein Begriff. In jungen Jahren habe er sich in Mesta, in der Weite von Kastilien in Spanien, angesiedelt, wo er seinen Traum, als Schafhirte unterwegs zu sein, jahrzehntelang verwirklichte. Der Tod seiner einzigen, unverheirateten Schwester, die das Erbe der früh verstorbenen Eltern weitergeführt hatte, zwang ihn vor langer Zeit in sein Geburtsland zurück. Die Hinterlassenschaften seiner Familie ermöglichten ihm hier an diesem Ort, seine Liebe zur Natur und allem Metaphysischen auszuleben. Angewidert vom täglichen Tanz um das Goldene Kalb, von falschen Werten und menschlichem Hickhack, habe er durch den Erwerb dieses „Himmelsleiterli" sich in die Weiten der Bergwelt verkrümelt und in diesem stillen Refugium die gedankenfreie Stille in seinem Innern entdeckt, die ihm wahren Frieden schenkt. In dieser friedvollen Stille im Innen wie im Außen sei er eins geworden mit sich selbst und könne in gebührender Distanz das weltliche Treiben beobachten, ohne in den Strudel hineingerissen zu werden. Hier oben genieße er himmlische Freuden bereits auf Erden und freue sich über jeden Besucher, der an diesem mystischen Ort nicht vorbeizieht, ohne einzukehren, beziehungsweise ganz bewusst zu ihm hinauffindet, um von seiner Wahrheit zu erfahren.

Eric und Evina lauschten tief in die Erzählungen des Alten hinein, der seine Gedanken wie die eines Weisen vor sich hin sprach. Was für ein großartiges Geschenk! Der Heilige aus den Bergen nahm sie weiter mit auf seine Reise in die Gegenwart, wo Zeit und Raum nicht mehr vorhanden waren. In der Ruhe und Abgeschiedenheit, in Würdigung des gegenwärtigen Moments, war hier soeben eine Dimension wirksam geworden, die an Eric und Evina nicht spurlos vorbeiging. Während die Begegnung mit der Heilertruppe für lichte, geistige Höhenflüge gesorgt hatte, waren Eric und Evina im Zusammensein mit diesem Alten auf noch ganz andere Ebenen vorgedrungen. Ihr Leben hatte soeben eine Tiefe gewonnen, die durch keinen Bombenhagel, durch kein Gewitter erschüttert werden konnte.

Die Nacht war lang. Peider Baselgia, diese Verkörperung aus Bodenständigkeit und Heiligkeit, anerbot Eric und Evina, sein

Nachtlager aus Stroh und Rosshaar, das in blütensauberes Weiß aus dickem Leinen verpackt war, aufzusuchen und wenigstens noch ein paar Stunden zu schlafen.

Wie einst die Große Mutter setzte sich der Sandmann Peider kurz auf seine Schlafstatt und erzählte den beiden müden Häuptern noch eine Gutenachtgeschichte:

„Ein junger Mann hatte einen Traum. Er betrat einen Laden. Hinter der Ladentheke sah er einen Engel. Der junge Mann fragte ihn: ‚Was verkaufen Sie, mein Herr?' Der Engel antwortete: ‚Alles, was Ihnen zu einem glücklichen Leben verhelfen kann.' Nach kurzem Überlegen sagte der Mann: ‚Dann hätte ich gerne das Ende des Krieges in aller Welt, bessere Bedingungen für die Randgruppen der Gesellschaft, Beseitigung der Elendsviertel, Arbeit für alle, Frieden und Freude in aller Menschen Seele und …' Der Engel unterbrach den Kunden und sagte: ‚Entschuldigen Sie, wenn ich unterbreche. Aber bevor Sie weitere Wünsche anbringen, müssen Sie wissen, dass wir hier keine Früchte verkaufen, sondern nur die Samen.'"

Das Sandmännchen streute Eric und Evina ein Sandkorn in die Augen, bettete sich alsdann in seinen kissenträchtigen Lehnstuhl, wo es über dem gewölbten Bäuchlein eine Hand auf die andere legte und sanft die Augen schloss.

Der nächste Tag brach an, als ob nichts geschehen wäre. Kein Wölkchen am Himmel, die Luft frisch und rein. Strahlend präsentierte sich die Natur in ihrer Pracht und Fülle. Nur ein paar Pfützen auf den Waldwegen erinnerten an das gestrige Unwetter. Am Nachmittag erreichten Eric und Evina müde, aber glücklich und zufrieden das Hotel. Hier war man in heller Aufregung gewesen und erleichtert, die beiden Streuner unversehrt und munter wiederzusehen. Ein paar Schwimmzüge im Außenpool, ein heißes Vollbad, ein kurzes Nickerchen auf der Liegewiese – und schon standen sie bereit fürs Abendmahl.

Die letzte Woche verging rasch und verlief ohne nennenswerte Zwischenfälle. Peider Baselgia, ihr Lebensretter, erhielt per Flaschenzug, der sein „Himmelsleiterli“ mit der Talstation verband, ein Genusspaket mit fleischigen und flüssigen Erzeugnissen aus der Region, begleitet von einem Dankesbrief, in dem Eric und Evina versicherten, ihn bei passender Gelegenheit erneut aufzusuchen.

Kapitel VII

Das kontrastreiche Leben

Es war Eric, der das Gepäck die achtundachtzig Stufen in die Wohnung beförderte. Der im Fach Juristerei ausgebildete Spezialist schaffte zum ersten Mal, was sonst seinem angetrauten Eheweib oblag. Der Aufenthalt mit seinen inneren und äußeren Facetten hatte ihn schnell regeneriert, die verborgenen Schätze in seinem Innern an die Oberfläche gebracht und ausgewiesenermaßen seine Muskelkraft betont in Gang gesetzt. Die erfahrungsreiche Ferienreise – der unverhoffte Kontakt mit der alternativen Heilkunst, die Begegnung mit dem Weisen aus den Bergen – hatte die Weichen in ihrem Leben neu gestellt. Das Schicksal hatte sie Einblick nehmen lassen in unbekannte Bereiche, die dem Leben ab jetzt eine neue Richtung gaben.

Bereits einige Tage nach ihrer Rückkehr drang Evina in das ihr nahegelegte Wissensgebiet der Homöopathie weiter vor und steckte ihre neugierige Nase direkt in die Praxisräume von Meister Gregorius. Wie viel Zeit und Energie hatte Erics Liebling bislang aufgewendet, andern zu helfen, als Feuerwehr des Universums für Menschen da zu sein, ohne innezuhalten und sich selbst zu erkennen und zu verstehen. Zu lange war sie durch Höllen- und Fegefeuer gegangen, zu tief waren die Narben auf ihrer Seele – nun endlich wollte sie der Sache persönlich auf den Grund gehen und wissen, was diese alternative Heilmethode wirklich konnte. Ihre immer noch überschäumende Galle sehnte sich mit ihr nach Erlösung. Und tatsächlich kam Licht ins Dunkel. Homöopathie und Meister Gregorius halfen kräftig mit, ein neues Gebäude auf einem festen geistigen Fundament zu errichten und wieder zu lernen, dem gütigen Walten über ihr zu vertrauen.

Frische Lebenskraft durchströmte alsbald Körper, Seele und Geist. Mit offenem Herzen ging Evina auf die Menschen zu, ohne sich dabei selbst zu vergessen, und nur noch selten geschah, dass sie aus Versehen den Rucksack des Nächsten sich auch überstülpte.

Sie schaffte es, sich im Gefahrenmoment auszuklinken, die Dinge aus der Vogelperspektive zu betrachten und die Präsenz im gegenwärtigen Augenblick einzuüben.

Die Auferstehung war vollbracht. Das Streichholzheftchen Leben hatte sich um ein weiteres Hölzchen reduziert und Eric freute sich unbändig, gemeinsam mit Evina das nächste in Brand zu setzen und Funken zu versprühen. Politik und Wirtschaft, zahlreiche Mandate in der Kanzlei machten Reisen in alle Himmelsrichtungen erforderlich. Wo immer der Pioniergeist Eric auftauchte, was immer er in Angriff nahm, seine Tendenz zur Übertreibung brachte es auf ein riesiges Arbeitspensum mit legendären Höhepunkten und nur kleinen Stolpersteinen, die Evina tatkräftig aus dem Weg zu räumen half. Schließlich waren sie ja eine Art Blutsbrüderschaft eingegangen und die bessere Hälfte war mit Werdegang und Wirken des einfühlsamen Rechtsauslegers aufs Engste verbunden.

Mit dem Aufwärtstrend von Eric stieg auch Evinas Körpergewicht wieder nach oben. Der Wettlauf um Erics berufliche Anerkennung forderte seinen Tribut. Mindestens zweimal pro Woche hieß es für die unermüdliche Gefährtin „an die Töpfe – fertig – los“. Sie bewirtete sogenannte Politgrößen, Wirtschaftsbonzen und sonstige Klientel auf Teufel komm raus, obwohl sie die Kunst der Nahrungszubereitung nie erlernt hatte. Unter Zuhilfenahme eines altbewährten Kochbuches überraschte sie Gäste aus aller Herren Länder, Eric und sogar sich selber mit einfachen, aber schmackhaft zubereiteten Gerichten und zauberte selbst dann Köstlichkeiten aus dem Reich der Küche hervor, wenn Eric ohne Voranmeldung ein Bündel hungriger Esser im Schlepptau heimführte. Der liebe Eric wusste nur zu gut, dass sein Eheweib auch in Schieflagen und bei Überraschungsangriffen einen klaren Kopf behielt und dass die Vorratslager stets gut angefüllt waren. Er hielt ansonsten die Leine, an die er den freiheitsliebenden Wassermann Evina angebunden hatte, immer sehr lang, machte keinerlei Vorschriften, solange er wusste, dass sie für ihn da ist. Wie viele seiner Artgenossen baute er „goldene Käfige", eine subtile Art, Frauen anzubinden, aber Evina war längst flügge geworden und fand Mittel und Wege, aus dem Goldpalast auszubrechen und anderswo in die Arena einzusteigen.

Tagsüber war sie frei und ungebunden. Liebevoll betreute sie nach wie vor das Quartett der betagten Frauen, sorgte für Nachschub von Lebensmitteln, ließ prall gefüllte Weinfässer in den Keller rollen und vergnügte sich ab und an mit Bruna, ihrer Trauzeugin, die ihren Wortschatz um kein einziges Wort erweitert hatte. Doch neuerdings waren Evinas Tage angefüllt mit frischen, klaren Inhalten, die das eigene Wachstum förderten. Die Homöopathie lockte sie in zahlreiche Kurse und Seminare, wo sie in spannende, starke Themen eingebunden war. Vorschriftsmäßig absolvierte sie alle Termine, ließ sich per Bus und Bahn in abgelegene Ortschaften verfrachten, verlor nie ihre anfängliche Begeisterung und erstaunte sich selber immer wieder ob ihres Durchhaltevermögens. Ausgestattet mit einer guten Mischung aus männlicher Power und weiblicher Einfühlsamkeit bestand sie alle Tests und Anforderungen mit Bravour und begegnete dabei vielen neuen Menschen, die mit ihr auf gleicher Wellenlänge paddelten und sie über alle Art von Treppenhausgesprächen weit hinausführten.

Während Evina sich mit ihren Heilkundigen herumtrieb, an Exkursionen in Naturschutzgebiete und Erkundungsfahrten in dynamische Welten teilnahm, tanzte Eric zwischen Illusion und Realität hin und her und verwickelte sich immer mehr in seinem Streben nach Leistungsfähigkeit und Ordnung, stelzte weiter zwischen Askese und unangemessenem Überziehen dahin. Die privaten und öffentlichen Einladungslisten wurden länger und länger. Seine umsichtige Evina im Gefolge hastete er von einem Cocktail zum nächsten und lieferte seinerseits einen gehörigen Beitrag für eine sich nach „sauglatten Aktionen" sehnende dekadente Gesellschaft. Tief in ihrem Herzen spürte Evina, dass ihre Zeit als Außendienstmitarbeiterin dem Ende zuging, es nicht mehr lange dauerte, bis sie den Riegel schieben und all die nervenaufreibenden, wertlosen Achterbahnen auf den Tummelplätzen der egogesteuerten Wallfahrer nicht mehr besteigen würde.

Gemütliche Stunden allein oder mit Eric waren Mangelware geworden. Wie lange, fragte sich Evina, würde der Geliebte ein so rasantes Tempo vorgeben können? Es war ihr nicht entgangen, dass der gewiefte Herr Anwalt in letzter Zeit immer häufiger in seine zu eng angepassten Kinderschuhe gestiegen war, den in seiner Seele tief vergrabenen Satz des Vaters, „er sei ein Wurm und die größte Enttäuschung seines Lebens" in seinen Erinnerungen gewälzt und damit jeweils einen tiefen Seelenschmetter ausgelöst hatte. Kein weiteres Mal wollte sie das Gejammer und Geheule um die eigene Person, das Suhlen im Selbstmitleid mit ihrem geliebten Eric teilen und hatte für den Fall der Fälle heimlich vorgesorgt. An einer Gartenausstellung, die sie kürzlich besucht hatte, war ihr das perfekte Utensil ins Auge gesprungen, mit dem sie Erics „Wurmphase" triumphal beenden würde.

Tatsächlich dauerte es nur wenige Tage, bis die Hexe Evina ihren Zaubertrick vorführen konnte. Wie jeden Abend, so hatte Eric auch heute seine Heimkehr am Hauseingang per lang anhaltendes Klingelzeichen avisiert und kämpfte sich Stufe um Stufe im Takt zu seinen drastisch ausgestoßenen Selbstanklagen den Treppengang empor. Evina, im Umgang mit ihrem Liebsten an Erfahrung reich geworden, wusste sofort, was die Uhr geschlagen hatte, lief ihm entgegen, entlastete ihn von seinem Aktenkoffer und schleifte ihn mit festem Griff durch die Wohnungstür. Sie zog ihm seinen Mantel aus, drückte ihn auf den Stuhl beim Eingang, streichelte ihm über die Wangen und verschwand. Die Diagnose war eindeutig: „Psychologischer Wurmbefall"

im höchsten Grade. Sie war in ihr kleines Büro geeilt, hatte das unterste Schubfach der Kommode geöffnet und flugs den Zauberartikel entnommen, der dem Spuk ein Ende machen würde. Ruhigen Schrittes kehrte sie zurück. Sie richtete Erics erstaunten Blick auf ihre Hände, aus denen das fröhlich angemalte Gesicht eines überdimensionalen Regenwurms aus Ton mit keckem Hütchen auf dem Kopf in seine ungläubigen Augen schaute. Leise hob Evina zu sprechen an: „Schau her, Liebster, das hier ist ein aus irdenem Ton gefertigter Artgenosse von dir, die lustige Nachbildung eines Regenwurms, ein perfektes Design der Natur, das den Erdboden düngt und belebt. Ohne diese winzige Kreatur gäbe es keinen fruchtbaren Boden. Schau ihn an, schau ihn genau an – das bist du! Ein Wurm, ein Mikroorganismus in seiner Einzigartigkeit im großen Ganzen. Du siehst, auch ein Wurm hat eine Bedeutung und Daseinsberechtigung."

Der Coup war gelungen. Wieder einmal hatte die kluge Frau ins Zentrum getroffen – wie die Lachsalven aus des Geliebten Kehle bestätigten. Höchst amüsiert nahm das Würmchen Eric den symbolträchtigen Kollegen zu sich, streichelte ihn und hieß ihn herzlich als neuen Freund und Verbündeten willkommen.

Mit „Similia similibus curantur", „Ähnliches wird durch Ähnliches geheilt", dem Ähnlichkeitsprinzip und Heilgesetz der Homöopathie, war Eric schlagartig von seinem Minderwert geheilt, das Urteil des Vaters, das jeglicher Liebe entbehrte, und dessen verheerende Folgen ein für alle Mal getilgt worden.

Der letzte Vorhang im Drama „Der Wurm" war gefallen, die Wirkungen hielten an und zeigten sich beim Hauptdarsteller durch stetig wachsendes Vertrauen in sich selbst. Sein weiches Herz, sein stärkster wie sein schwächster Punkt, regenerierte. Es war wieder ein Montag, der Eric erneut emotional ins Schwanken brachte. Die politische Sitzung im Rat hatte längst begonnen, da saß der Gatte in seiner Paradeuniform immer noch unbewegt im Sessel am Fenster und sinnierte vor sich hin. Evina, die sich zu ihm auf den Beichtstuhl gesetzt hatte, hörte gelassen seinen Litaneien zu. Er habe es satt, seine Zeit damit zu vergeuden, alles durch ein subjektives Wertesystem zu überprüfen. Er werde ab jetzt aufräumen, die Spreu vom Weizen trennen und Unwichtiges aufgeben. Das Gerangel innerhalb der Politszene und die Schwierigkeiten in der Partei, wo er sich geduldet, aber nicht geborgen fühle, hätten seine innere Sichtweise verdunkelt, ihn in einen konfusen Irrgarten geführt, aus dem er sich herausführen und lernen wolle, seine eigenen Ideale in die Praxis umzusetzen. Um seinen Vater zu beeindrucken, habe er vor Jahren die politische Laufbahn eingeschlagen, obwohl seine Interessen und Vorlieben in völlig andere Bereiche tendierten. Er habe keine Lust mehr, Lorbeerkränzen auf seinem Haupt nachzujagen, und wolle sich nur noch Dingen widmen, die wahrhaftig seien und ihm Freude machten.

Evina hörte ein brüllendes „Vorwärts Eric“, reichte ihm Mantel und Aktenmappe und schaute von ihrem Aussichtsturm dem Geliebten hinterher, wie er schwungvoll mit seinen Armen rudernd die Straße abwärts marschierte, bis das Häusermeer ihn verschlang. Und was sie nie zu hoffen gewagt hatte – geschah. Beim Mittagessen mit den Ratskollegen entledigte er sich aller Ämter und gab bekannt, dass er sich am Ende der Legislaturperiode als Kandidat nicht mehr aufstellen lassen werde. Es war geschafft!

Die Familie beobachtete mit Argwohn Erics aufkeimendes Erwachen, hinter dem sich mutmaßlich das Gedankengut seiner Ehegefährtin zu verbergen schien, deren Existenz zwar nicht mehr aberkannt, die aber immer noch nicht liebend anerkannt wurde. Bei allem Trubel um äußere Angelegenheiten und trotz fortlaufenden Herumjettens in der Weltgeschichte hielt Evina die Türen zu sich und Eric und ihrem häuslichen Bereich weit offen. Sie ließ die Familien von Edda, Maya sowie die ehrwürdige Mutter eintreten, wann immer ein geeigneter Anlass zu finden war.

Weihnachten stand vor der Tür. Evina hatte sich nach Absprache mit Eric mutig an das Oberhaupt Mutter herangewagt, ihren Vorschlag, ob sie dieses Jahr die Großfamilie in ihr bescheidenes Heim einladen dürfe, unterbreitet und ein zustimmendes „Ja" kassiert. Der erste eigene Christbaum und kleine Aufmerksamkeiten für die Mitglieder des Clans waren schnell organisiert. Vier Tage vor dem Heiligen Abend hatte die Gastgeberin das Fleisch für den Sauerbraten nach einem Rezept vom Großen Mütterchen eingelegt und Vorsorge getroffen, damit ein reibungsloser Ablauf, zumindest im Außen, gewährleistet war. Dann war es so weit. Pünktlich um siebzehn Uhr erklommen dreizehn Personen die achtundachtzig Stufen zum Heim des jungen Paares, verteilten sich auf die zahlreichen Sitzgelegenheiten und harrten gespannt der Dinge, die am heutigen Weihnachtsabend auf sie zukommen würden. Die Gastgeberin, die beim Servieren von ihrer Perle Melinda unterstützt wurde, brach in Bezug auf Essen, Ambiente und Unterhaltung sämtliche Rekorde. Ausgelassene Stimmung bei der Jungmannschaft, fiebrig-neugierige bei den Alten. Evina wuchs über sich selbst hinaus. Im Geiste erhob sie die Familiendelegation in den Stand von engelsgleichen Wesenheiten und hütete wachsamen Auges und offenen Herzens über das Geschehen. Vor dem Dessert ging sie auf die ehrwürdige Mutter zu, die oben am Tischende präsidierte, übergab ihr ein extra gefertigtes Büchlein und bat sie liebevoll, als Ehrengast der Runde die Weihnachtsgeschichte vorzulesen. Hocherfreut waltete Frau Mutter ihres Amtes. Evina bedankte sich und nach einem Moment der Besinnung hob sie mit fulminanter Stimme zu singen an, worauf schon nach wenigen Takten die Abendgesellschaft mit in den Choral einschwang. Die Wachskerzen am Christbaum flackerten vor Freude, das Lametta glitzerte fröhlich durch den Raum, während das knisternde Kaminholz die Gemüter wohlig befeuerte. Unter den Trompetenklängen des jüngsten Engels Maurizio, einem Sohn von Maya, verteilte das Christkind Evina alsdann die roten Päckchen mit den grünen Schleifen und Segenswünsche für die Empfänger.

Eric strahlte aus allen Knopflöchern seines maßgeschneiderten Anzugs und um die Wette mit der Schar der Engel. Ein so ausgelassenes, fröhliches Fest innerhalb der eigenen Familie hatte er noch nie gefeiert, und so wusste er die Gunst der Stunde zu ergreifen und hielt im Überschwang seiner Gefühle aus dem Stegreif eine kurze Rede und sagte: „Geliebte Maman, liebe Schwestern, Schwager, Nichten und Neffen, geliebtes Enneli, von Herzen freue ich mich, euch alle hier zu Gast zu haben und diesen Weihnachtsabend so stimmungsvoll mit euch feiern zu dürfen. Ich danke meiner lieben Frau, die dieses Beisammensein ermöglicht hat und die ihr Lebenselixier – die innere Freude wie auch die äußere Strahlkraft – grenzenlos über uns auszuleeren wusste und Leib und Seele erfrischte, und ich danke ihren Eltern, die diesem zauberhaften Geschöpf das Leben schenkten. Herzlich danke ich auch meiner lieben Maman, die sich nicht scheute und die schwere Bürde des Alters auf sich nahm, den kräftezehrenden Treppenaufstieg erneut zu wagen. Schön, dass ihr alle gekommen seid – schön, dass es euch gibt. Leider hat der gesundheitliche Zustand von Evinas Vater eine persönliche Teilnahme an unserer Feier nicht zugelassen. Ich bin aber beauftragt, allen Anwesenden die besten Grüße und Segenswünsche der Eltern zu übermitteln, die in Gedanken mit uns verbunden sind. Ja, meine Lieben, wir erinnern uns heute an die Geburt des Sohnes, der als Licht in die Welt der Materie kam, um wachzurufen, was allen Seelen seit Urzeiten innewohnt, aber durch Ablenkung im Außen verschüttet und verloren gegangen ist." (Eric hatte den Satz eingeflochten, den der Schwarze aus dem Morgenland damals in der kleinen Kapelle in seine Botschaft zu Weihnachten verpackt hatte.) Eric räusperte sich, dann fuhr er fort. „Nun, ich weiß, dass einige unter uns weilen, die sich insgeheim fragen, wie es denn mit der Geburt eines kleinen Eric oder einer kleinen Evina aussieht. Der heutige Anlass scheint mir geeignet, klaren Wein einzuschenken und das Geheimnis zu lüften. Und so sage ich euch, dass Evina und der Sprechende nach reiflicher Überlegung zum Schluss gekommen sind, keine weiteren Abklärungen oder gar künstliche Maßnahmen in diese Richtung zu ergreifen. Es geschieht, was geschehen soll. Und wenn der Himmel uns das Geschenk verweigert, dann wollen wir das so annehmen. Evina und ich, wir haben uns, haben unsere Liebe – und das ist bereits das größte Geschenk auf Erden. Also: Freuet euch!"

Hörbare Stille. Nichts rührte sich. Plötzlich nahm der jüngste Engel seine Hände, klatschte sie kräftig aneinander und jubelte vor sich hin, bis der übrige Chor in den Applaus mit einstimmte. Widerstandslos hatten sich alle ergeben, war das letzte Restrisiko einer Einmischung in die intime Verbindung der Gastgeber auf ewig beseitigt worden. Die Botschaft von Weihnachten war hier und heute Wirklichkeit geworden. Die Liebe hatte gesiegt.

Nichts ist schwerer zu ertragen als eine Reihe von guten Tagen. Evina war selig, doch froh, dass die Lobgesänge zu Beginn des neuen Jahres verstummten. Kaum waren die Festtagssymbole abmontiert und in ihren dunklen Kisten verschwunden, da atmete sie ein paar Mal kräftig durch, besuchte erneut den Estrich unterm Dach und schleppte die Koffer und Taschen für die alljährliche Winterreise in die gute Stube. Wenn Koffer reden könnten, was würden sie dir jetzt zuflüstern, dachte Evina. All die Gepäckstücke, die wie sie einfach nicht zur Ruhe kamen, ständig bepackt und entleert, geschubst und traktiert wurden und trotz des regen Gebrauchs immer noch attraktiv und unversehrt ihren Dienst taten, was würden sie wohl mitteilen wollen? Ob sie sich auf den bevorstehenden Tapetenwechsel freuten? Warum treibt es die Menschen stets und ständig in die Ferne, wo doch das Gute so nah liegt? Wie würde der Mensch reagieren, wenn er verreisen, den ihm vertrauten Flecken Heimat, sein Domizil, aufgeben müsste? Vor ihrem geistigen Auge tauchte ihr Väterchen auf. Papa, der in den Kriegswirren sieben lange Jahre verpflichtet und auf Reisen geschickt worden war, die Welt bis in die Weiten von Russland zu Fuß, frierend und hungernd, mit schwerem Geschütz zu erkunden. Wehrlos dem Kollektiv ausgesetzt und verwundet an Leib und Seele marschierte er im Gleichschritt seinen Schicksalsweg ab, der für ihn ein mörderisches Spiel, für ein paar Machthungrige ein egozentrisches Spektakel bedeutete. Evina fand in all ihren aufkeimenden Gedanken keine Antwort. Sie freute sich, in den einundzwanzig Urlaubstagen den Alten in den Bergen zu diesem Thema befragen zu können.

In der Stille und Abgeschiedenheit der weißen Bergwelt in dünner Höhenluft brodelte es in ihren Adern. Genau der richtige Zeitpunkt, einen Totalangriff auf Eric zu wagen. Der Einladungsmarathon, den sie in den Jahren ihrer jungen Ehe vorgelegt hatten, war manchmal unerträglich gewesen und hatte kaum noch Gelegenheit geboten, das zarte Pflänzchen Zweisamkeit zu hegen und zu pflegen. Ständig waren sie umgeben von Leuten, die schamlos nur über sich und ihre Errungenschaften sprachen und an der Oberfläche ihres Da-Seins schwammen. Die meisten davon waren und blieben Fremde, die einmal auftauchten, sich breitmachten, verköstigen und energetisch aufladen ließen, bevor sie wieder in der Versenkung verschwanden. Bei aller Liebe zu Eric wollte Evina die Konventionen über den Haufen werfen und ihre Sozialdienste für Krethi und Plethi einstellen. Ein ausgedehnter, geruhsamer Spaziergang um den See in der Ebene bot den richtigen Hintergrund, Eric ihre Empfindungen darzulegen. Sie war gespannt auf die Reaktion. Und siehe da – Evina stieß nicht auf taube Ohren. Auch Eric war keinesfalls abgeneigt, vermehrt Zeit für sich, seine Ehefrau und den vernachlässigten Freundeskreis aufzubringen, und bereit, seinen Blick von prächtigen Außenfassaden abzuwenden und wieder auf das Wesentliche zu richten. Sie waren sich einig. Gott sei Dank. Und so sah es nach der Winterreise tatsächlich danach aus,

dass Eric und Evina in ihrem privaten kleinen Reich heimisch werden konnten.

Doch wie das Leben so spielt, kam erneut Unruhe ins Haus. Das so ausgelassen befeierte Jahr war zur Hälfte abgespult, da starb Evinas Vater. Der Schmerz war groß. Gerade eben noch hatte Evina die Abwesenheit von Eric aufgrund seines alljährlichen Militärdienstes dazu benützt, die Eltern aufzusuchen. Ihr Einsatz in den familiären Wänden hatte die wehmütig gestimmte Mama und den ziemlich geschwächten Papa aufgemuntert. Aber Evinas wache Intuition, ihr instinktives Wissen signalisierten, dass Wunsch und Realität in Widerspruch zueinander standen. Und als Väterchen seiner Tochter beim Abschied leise zuflüsterte: „Wenn du das nächste Mal kommst, wirst du dich wundern", da wusste sie, dass eine drastische Umwälzung ins Haus stehen würde.

Sie fühlte sich wie im Schleudergang einer Waschmaschine, als der Zug mit Evina als traurigem Passagier in den heimatlichen Bahnhof einlief, niemand ihr freudestrahlend zuwinkte und sie in Empfang nahm. Ja, sie wunderte sich, als sie vor dem elterlichen Anwesen dem Taxi entstieg und sie auch hier niemand mit offenen Armen begrüßte. Noch nie hatte sie klingeln und Tor und Türen selber aufschließen müssen. Tränenüberströmt kam ihr die Mutter entgegen, umarmte die Tochter und führte sie geradewegs ins Schlafzimmer, wo friedlich die Hülle des Körpers lag, den die väterliche Seele noch vor fünfzehn Stunden bewohnte. Wie damals bei der Großen Mutter erkannte Evina die verblichene Gestalt kaum wieder. Sie sah das Bildnis eines schönen, von aristokratischem Aussehen geprägten jungen Mannes, der schlief, von dem alle Last sichtbar abgefallen war. Väterchen, ihr geliebter Papa, das wusste Evina, hatte den Reifegrad der Liebe erreicht und war in die wahren heimatlichen Sphären zurückgekehrt. Wieder hatte sich eine Form aufgelöst, hatte sich manifestiertes Leben in energetisches Bewusstsein verwandelt. Der Gefährte Tod, der alle Menschen miteinander verbindet, sie gleich macht, diese Täuschung, das Missverständnis, mit dem die sterbliche Menschheit leben muss, hatte plötzlich seine Schrecken verloren.

Erst jetzt bemerkte Evina das hörbare Schluchzen neben sich. Sie drückte die Mama erneut fest an ihr Herz und führte sie sachte aus dem Zimmer. In der Essecke wartete Jana völlig übernächtigt, ungeschminkt, in einen warmen Trainer gehüllt auf ihre Begrüßung. Während der Nacht hatte Evina die gute Fee des Hauses aus dem Bett geklingelt und gebeten, die außer sich geratene Mutter aufzusuchen und zu unterstützen. Auf Jana war Verlass. In Windeseile war sie angezogen, hatte auf einem Zettel notiert, was passiert und wo sie zu finden sei und war stellvertretend für Evina losgestürmt, um vor Ort ihre Hilfe anzubieten.

Die Trauerfeierlichkeiten waren vorüber – die Trauer blieb. Eric war per Flugzeug vorausgeeilt, Mutter und Evina folgten mit der Bahn. In all den Jahren hatten die Eltern rücksichtsvoll die Vertraulichkeiten des jungen Paares höchst selten gestört. In dieser Ausnahmesituation jedoch war es für Evina fraglos eine Herzenssache, die Mutter fürs Erste zu sich zu holen, bis sich die Erschütterungen im Gemüt etwas beruhigt hatten. Die Welt von Mutter und Tochter war für einen Moment zusammengebrochen. Während Evina das Gefühl der Trauer in Liebe verwandelte, suchte die liebe Mama ihr Heil weiterhin im Leid. Die zahlreichen Gespräche in der Gemeinschaft mit Eric trugen alsbald Früchte. Besonders dem Schwiegersohn, der die Qualitäten der Mama als Mutter im wahrsten Sinne des Wortes und ihre Frohnatur zu schätzen wusste, gelang es wirksam, die Leidgeprüfte allmählich aufzurichten. Es dauerte nicht lange, da zog es das Mütterchen zurück in die eigenen vier Wände, wo Jana mit ihrer fürsorglichen Treue bereits auf sie wartete.

Das Weltenrad drehte sich weiter, stand still und entlud die Mama erneut in die trauliche Atmosphäre des Heims von Eric und Evina. Dieses Mal hatte das kontrastreiche Leben einen roten Teppich ausgelegt und rote Rosen regnen lassen, denn dieses Mal erwartete sie ein freudigeres Ereignis. Evina hatte sich bei ihrem Liebsten durchgesetzt und Erics großen runden Geburtstag zum Anlass genommen, zu einem „Erntedankfest" in einem klassischen Zunfthaus einzuladen. Sie hatte weder Mühe noch Arbeit gescheut, das Wiegenfest und Eric zu glanzvollen Ehren zu führen. Prall gefüllte Körbe, buntes, prachtvolles Geschenkmaterial, ein Altar, überladen mit Tranksamen, Ährenbündeln und Naturalien verwandelten die Wohnung schon Tage zuvor in einen landwirtschaftlichen Hofladen und Garten Eden. Es roch nach Rosen, Nelken und Narzissen. Delikatessen vom Feinsten kiebitzten aus ihren Verstecken und ließen das Wasser im Munde zusammenlaufen und selbst die Dokumentensammlung von Gratulationen und allerlei Lobhudelei war auf eine unüberschaubare Dimension angewachsen. Erics Liebe zu seinen Mitmenschen hatte sich auf vielfältige phantastische Art und Weise materialisiert.

Dann war es so weit. Der Festtagsreigen konnte eröffnet werden. Doch das Geburtstagskind war platt, überwältigt von allem Brimborium und fieberte. Mit zunehmender Aufregung stieg die Temperatur. Was tun? Evina griff zum Telefon, schilderte kurz die verzwickte Lage und bat die ehrwürdige Mutter, Doktor Ming, den Chinesen, der vor geraumer Zeit als Untermieter bei ihr eingezogen war, zu einer dringenden Heilbehandlung auf die Krankenstation zu schicken. Es dauerte keine zehn Minuten, da saß Eric fröstelnd auf einem Stuhl im Wohnzimmer, stand der Geistheiler Ming in unverständliche Gebärden vertieft hinter ihm. Evina und die Mutter beobachteten das Treiben aus der Ferne. Eine lustige Komödie, die da vor ihren zweifelnden Blicken abgewickelt wurde, aber sie zeigte Wirkung. Das Fieber fiel rapide. Eric gesundete, der Chinese zeigte Tendenz zur

Erschöpfung. Er beauftragte Evina, eine gute Flasche Wein aus dem Keller und Erics Tabakbeutel herbeizuschaffen, gab seine Heilenergie in beides hinein und befahl Eric, heute Abend ausschließlich von diesen „Heilsubstanzen" Gebrauch zu machen. Eric versprach's und stand kurz darauf elegant verkleidet, adrett wie eh und je, ausgehbereit – als ob nie etwas geschehen wäre.

Mit wehenden Fahnen erreichten Eric, Evina und die Mama knapp verspätet den majestätisch-prachtvollen Zunftbau, wo zweihundertfünfzig Wegbegleiter darauf warteten, das Jubelfest in Angriff zu nehmen und zu zelebrieren. Die Stimmung lief auf Hochtouren und drohte zeitweise unter den feurigen musikalischen Einlagen der mexikanischen Sombreros zu bersten. Das fleißige Säen der Gastgeber brachte eine beachtliche Ernte. Freudig ergriff der vor Kraft strotzende Eric das Mikrophon, bedankte sich in einer Lobrede auf seine Weggefährten, denen er unter donnerndem Applaus mit schallender Stimme zurief: „Möge Gott uns segnen – bis zur nächsten Ernte."

Noch lange war das hin- und mitreißende Fest in aller Munde. Begeisterung tobte auf allen Seiten. Selbst die graue Eminenz hatte ihre Kaiserkrone abgenommen und verneigte sich vor Evina und deren Mutter, die sie erst jetzt persönlich kennengelernt hatte, auf herzlich erfrischende Art. Die feindseligen gegnerischen Attacken, die Evina ständig in ihre Schranken verwiesen hatten, waren endgültig in die Vergangenheit verbannt worden. Die Peitschenhiebe aus Evinas Hand von Mitgefühl und Liebe hatten ihre Wirkung nicht verfehlt und das Fest der Feste dazu beigetragen, der vom Sohn erwählten Gefährtin mit klaren Augen und offenem Herzen zu begegnen.

Lieber Peider Baselgia, warum treibt es die Menschen stets und ständig in die Ferne, wo sie doch über alle Annehmlichkeiten verfügen und das Gute so nah liegt?

Mein liebes Kind des Universums, lang ist es her, seit der in der Dualität lebende Mensch seine Erfahrungen aus dem Wissen um sein geistiges Urfeuer, den ihm innewohnenden intuitiven Geist, schöpfte. Lang ist es her, wo alles Tun, jede Handlung ohne den zweckdenkenden Verstand ausgerichtet wurde. Der Mensch in seiner Urform ließ sich leiten von reinen, unverdorbenen Eingebungen, die damals den Tiefen seiner Seele entsprangen.

Über Jahrmillionen hat der Planet alles für die ihn bewohnenden Lebewesen verfügbar gemacht. Man lebte im Einklang mit der Natur, die alle Organismen trug und für sie sorgte, bis ichbezogenes Denken und Selbstherrlichkeit die Verbindung zum Göttlichen, zur wahren Natur, durchtrennten. Der Erdball schaut auf viele Zeitalter zurück, in denen der Mensch im Wissen um seine kosmischen Kräfte, diese sogar bei technischen Erfindungen schon anzuwenden verstand. Die heutige moderne Zivilisation ist nicht die erste auf diesem Planeten, die sich „goldene Ergebnisse" erschuf, nicht die erste, die durch Habgier, Rücksichtslosigkeit und Ignoranz ihre Macht und ihr Wissen missbraucht und dadurch unweigerlich ihrer eigenen Vernichtung entgegenläuft.

Immer dann, wenn der Mensch seine Grenzen verkannte, wenn er den Zugang zu seinem göttlichen Kern verlor, veränderte die Erde ihr Antlitz, um nach gewaltigen Verwandlungen in einem neuen Kleid zu auferstehen. Von Allmachtsgedanken vermüllt, hat sich der Mensch auch heute von seiner Verbundenheit mit dem göttlichen Zentrum, dem Ursprung, entfernt, sich vollkommen verloren an seine endliche Gestalt. Egoistische Wunschvorstellungen und Begierden nach Vergnügen und Macht dirigieren sein Denken. Nicht die Technik, die Flugzeuge, die Autos, die Klimaerwärmung sind die eigentliche Bedrohung, sondern die negative Ausbeutung der Errungenschaf-

ten und das Chaos in den Hirnen der Menschen, das sich auf allen Ebenen in der Umwelt spiegelt. Wie innen, so außen. Wie oben, so unten. Unbewusst lässt sich der moderne Artgenosse begierlich auf der Oberfläche treiben, unterwirft sich den Göttern der Massenmedien und Illusionsindustrien, die ihn mit ihren Verführungsprogrammen hörig zu machen wissen.

Wie der Kaufrausch, die Fress- und Magersuchtorgien, so gehören auch die fieberhaften Vergnügungsreisen zu den ‚Verlockungsangeboten' zweckdenkender Profiteure, die unbarmherzig die Massen manipulieren und sie zu Süchtigen vermarktet haben.

Verblendet vom Außen, ohne spirituelles Bewusstsein, abtrünnig geworden von ihrem wahren Selbst, lassen sich die suchenden Süchtigen oder süchtigen Suchenden immer weiter auf das Rad der Umsatzsteigerung binden und sich von den Märchenerzählungen der materiellen Welt in den Bann ziehen. Einmal Blut geleckt, einmal an den Fürzen der Reichen gerochen will der Mensch mehr davon. Er lässt den Rubel rollen für vergängliche Freuden, hastet von einer Shopping-Mall zur andern, von einer Feriendestination zur nächsten, erklärt ferne Länder zu Nachbarstaaten, will sich – wie die Eroberer vergangener Tage – die Erde untertan machen. Ohne es zu bemerken, ist die Menschheit zu einem Suchthaufen und einer klassischen Konsumgesellschaft verkommen. Sie wird gehörig aufpassen müssen, dass sie vom Konsum nicht selber verkonsumiert wird.

Wo immer der moderne Zeitgenosse auftaucht, wohin ihn sein falsches Ich auf die Reise schickt – überall bleibt er dem Ansturm seiner Gedanken ausgeliefert. Er hört, sieht und fühlt gar nichts mehr, lädt die Eindrücke seiner äußeren Wahrnehmungen auf technisches Gerät und schickt sie in die Welt hinaus. In der Schönheit der Bergwelt treibt er sich an zu waghalsigen Fitnessübungen, durchkämmt in wildem Tempo die Landschaft, trampelt auf ausgeleierten Pfaden seines Verstandes – ohne innezuhalten, ohne ein einziges Mal in sich hineinzufühlen, die Stille in sich zu spüren, ohne ein einziges Mal in das leise

Plätschern eines Wildbaches hineinzulauschen. Am Meeresstrand liefert er sich der Sonne aus, lässt sich wie ein Steak von allen Seiten gut anbraten, stellt die Schönheitsideale seines vergänglichen Körpers in den Vordergrund, liefert sich Stress und Qualen aus, nur um später sagen zu können: „Auch ich bin dabei gewesen." Wo dabei gewesen? Klar, dein Körper hat sich an einem unbekannten Ort umhergeschoben, aber sag mir bitte, wo warst DU? Dort, wo du dich ein Leben lang aufhältst: in deinem Hirn, gefangen in deinem Kopfkino.

Die Masse der Menschen stagniert in vorgegebenen Denkmustern und Begriffen, tappt kontinuierlich in die von cleveren Köpfen aufgestellten Sehnsuchtsfallen und bringt es je länger, je weniger fertig, sich von der Anbetung der Körperlichkeit zu befreien. Sie nimmt die außergewöhnlichsten Belastungen auf sich, um ein Urlaubsschnäppchen zu ergattern. Mein liebes Kind des Universums, hast du schon einmal überlegt: Was wäre, wenn dein Arbeitgeber deinen Lohn allmonatlich mit dir verhandeln würde, wenn die Dienerschaft, die deinen Ferienaufenthalt so hingebungsvoll begleitet, Forderungen nach **Mehr** *stellen würde? Unbewusst stürzt du dich und deine Umwelt in immer neue Konflikte, die dich mit allen eines schönen Tages werden kollabieren lassen, wenn die Sucht dich weiterhin in deinem kleinen Ich gefangen hält.*

Ruhelos ist dein Verstand, rastlos dein Herz. Niemand beachtet die Blume am Wegesrand, schaut demütig staunend ans Firmament, in die Weiten des Universums und damit ins Innere seiner Seele. Du fürchtest den Tod, du fürchtest das Leben. Die Angst zu leben und die Angst zu sterben halten dich auf Trab. Du machst Abstecher in fremde Kulturen, die du angeblich kennenlernen willst. Und wenn die fremde Kultur dir im eigenen Land begegnet, setzt du alle Hebel in Bewegung, sie dorthin zu verbannen, wo sie deines Erachtens hingehört. Einer macht's vor, die anderen machen es ihm nach. Und weil alle es so handhaben, bemerkt keiner, welch Wahnsinn da betrieben wird. Wie eine Herde blökender Schafe folgen die Menschen des modernen Zeitalters ihrem Verstand, der sie fest im Griff hält. Ihre

Gehirne sind verformt und werden angezogen von allem, was Geld, Erfolg und Anerkennung verspricht. Unersättlich ist ihr Hunger nach viel Zeugs und Mist, unstillbar die Sehnsucht, wertvoll, jemand Bedeutender zu sein.

Der Weise aus den Bergen fragt dich: Warum wie Schatten herumlaufen, bald dieser, bald jener äußeren Verführung folgend, wo doch die einzig wahre Führung zeit deines Lebens in dir schlummert und darauf wartet, entdeckt und gelebt zu werden? Warum all die Unsicherheiten, Mühen und Leiden erdulden, anstatt sich vertrauensvoll fallen zu lassen in die Hände des All-Einen, in die Liebe zu dir selbst. Willst du zu den Ewiggestrigen gehören? Ich glaube nicht. Warum flüchtest du dann immer wieder vor dir selbst, wagst es nicht, einfach mal eine Reise in dein Inneres zu machen? Wie das geht? Nun, halte inne, spüre tief in deinen Körper hinein, fühle das Kraftfeld, das dich trägt, fühle deine Stimmungen, gehe achtsam und aufmerksam in sie hinein, aber benenne sie nicht in deinem Kopf. Beobachte den Atem, wie er ohne dein Zutun kommt und geht, und lasse zu, was geschieht. Weigere dich nicht länger, die Energie des Ursprungs anzuzapfen, die sich hinter der gedankenleeren Stille verbirgt, lasse sie fließen, folge ihr. Gib nicht auf, wenn es dir auf Anhieb nicht gelingt, deine Gedanken in Schach zu halten, werde zu ihrem Beobachter, mache sie dir bewusst. So gibst du ihnen keine Macht über dich.

Ich sage dir, geliebtes Kind des Universums, spätestens im Angesicht des Todes wirst du begreifen, dass nicht der Körper und dessen Triebkräfte erhaltenswert sind. Du wirst erfassen, dass der Tod wie die Geburt Wandlung bedeutet, keinesfalls aber ein totales ‚Ausgelöschtsein'. Willst du so lange warten? Willst du weiterhin die Zeit mit Lust am Vergänglichen totschlagen, dich an oberflächlichem Geplodder, an deinen Selfies ergötzen, die du auf deinem Sterbebett vor dich hinstellst und mit wehmütigem Blick belächelst? Du hast mit allen deinen Brüdern und Schwestern die gleiche Luft geatmet, dich aber immer getrennt von ihnen gefühlt, den Nächsten nicht als deinesglei-

chen wahrgenommen. Du hast die wahren Segnungen der Erde und des Himmels nie geschmeckt. Du hast dir den Zugriff auf das kostengünstigste Pauschalangebot verwehrt und die Reise in deine innere Schatzkammer nicht angetreten. Auf deiner Fahrt durch die Gezeiten deiner materiell-energetischen Existenz hast du die Ehrfurcht vor dir selbst verloren und dich vom falschen Glanz der Außenwelt verführen lassen.

Schade! Wie Adam und Eva hast auch du deine lichten Augen vor dir selbst verschlossen und dich nicht als Teil eines großen Ganzen erkannt. Gefangen in den Ketten der lauten marktschreierischen Ablenkungen eurer hoch technisierten, frostigen Schauplätze blieben die Schreie deiner Seele ungehört und deine tiefen Sehnsüchte ungestillt.

Der Tod öffnet seine Pforten und gibt dir jetzt ein letztes Mal die Chance, bewusst einzutreten. Du erschrickst – und atmest aus …

Nun ist er ausgeträumt, dein Traum der Illusionen im Weltenkreislauf der materiellen Formen. Das Spiel ist aus. Die Reise ist beendet. Doch keine Angst: Fortsetzung folgt. Dein wahres Selbst hat überlebt und wird deine Reiselust erneut anfachen und dich zu einer weiteren Runde auf dem Spielfeld Erde auffordern. Das Weltenrad dreht sich unablässig und wird dich freudvoll aufnehmen. Vielleicht kehrst du dann zur Klarheit zurück und findest den wahren Frieden in dir.

Kapitel VIII

Achterbahnfahrt durch die Gezeiten

Alles im Universum ist mit allem verbunden, mit dem einen näher, mit dem andern ferner – alles hat seinen Platz, alles seine Zeit. So gehört es auch zur Welt der Polaritäten, dass Dinge einmal gut laufen, ein anderes Mal der Schuss nach hinten losgeht. Schon oft hatte Evina beobachten können, dass Eric sich auf Beziehungsebene rasch von Menschen begeistern und einnehmen ließ, sie auf den Sockel stellte und bewunderte. Sein Selbstgefühl stand dann auf wackligen Beinen, bis er erkannte, dass auch diese Menschen nur aus Fleisch und Blut erschaffen waren, es eine Illusion war zu glauben, dass es bessere und schlechtere, gute und böse gab. Immer wieder fiel er auf rührselige Geschichten herein, ließ sich durch sein immenses Mitgefühl täuschen und reagierte dann unangemessen, wenn die Überbewertung, sein übertriebener Hang zu guten Taten ihn aus seinen Tagträumereien herausrissen, weil sie ihm nicht das erhoffte Ergebnis bescherten.

An einem schönen blauen Sonntag nach einem guten Essen am frühen Abend – Eric und Evina schlürften genüsslich ihren Kaffee – wurde die durch so manche Tiefen gewanderte Gemahlin auf eine weitere Bewährungsprobe gestellt. Schon immer hatte sie ein instinktives Wissen, dass staatliche Besiegelung von Ehegelöbnissen keinen Freipass für einen besonders geschützten Platz an der Sonne und vor allem keinen Garantieschein für ewiges Honigschlecken bedeutete. Im Grunde genommen war die Ehe eine per Gesetz geregelte Gutheißung für den Besitzanspruch der Menschen, denn von nun an hieß es für die meisten Zeitgenossen „mein“ Mann und „meine“ Frau. Seit Anbeginn ihres ehelichen Verbundes war Eric immer Eric geblieben und von Evina nie zu „ihrem“ Eric oder „ihrem“ Mann abgetakelt worden. Und so geschah es an diesem schönen blauen Sonntag, dass Evina durch die Prüfung aller Prüfungen geschickt und zum Beweis herausgefordert wurde, dass zweckfreie Liebe, die an keine Bedingungen anknüpft, selbst durch äußere Ereignisse unumstößlich bleibt.

Eric war nervös. Unentwegt nuckelte er an seiner Tabakpfeife, nippte hin und wieder an seinem Tässchen Kaffee und druckste herum. „Sag, wo drückt dich der Schuh?“, fragte Evina, die eine unergründliche Angst in Erics unruhigem Blick entdeckte. Der Geliebte betrat den schmalen Grat der Wahrheit und konfrontierte Evina mit Ungeheuerlichkeiten, die sie zunächst sehr erschreckten. Er habe vor einiger Zeit eine Frau, die er früher schon gekannt habe, wiedergetroffen und sich ihr leidenschaftlich genähert. Er mache sich nun große Sorgen, weil Iris an einer schweren Krankheit leide, stark abgemagert und momentan noch mit einer fiebrigen Grippe ans Bett gefesselt sei. Wie ein unreifes kleines Kind sah Eric flehend in Evinas Augen, als wolle er sagen: „Hilf mir“, und verkannte in seiner Selbstbezogenheit, was er da gerade vom Eheweib verlangte. „Schick sie doch zu Meister Gregorius“, hörte sich Evina sagen, bevor sie sich stillschweigend erhob. Sie stieg in ihre ausgetretenen Ballerinas, warf sich den dicken Cashmereumhang über die Schultern und suchte die Kommunikation im nahegelegenen Wald. Schon oft hatte ein kurzer Waldspaziergang in der Abwesenheit von Gedanken eine Lösung hervorgezaubert, die jeweils aus dem Nichts den Weg zu ihr gefunden hatte. In vielen Beispielen hatten Eric und sie immer wieder die Erfahrung gemacht, dass das Gehirn an und für sich nicht kreativ, sondern nur ein Instrument ist, das empfängt, sich der Verstand nur schöpferisch nutzen lässt, wenn der Mensch in der inneren Stille sich selbst bewusst zuhört. Aus welchem Grund auch immer, der Schicksalsbote hatte ihr heute eine weitere Lektion erteilt, die für sie bestimmt, lehrreich und notwendig zu sein schien.

Diese Freundin, Iris, konnte sie das Paradies der beiden Liebenden bedrohen? Nein. Nur, wenn Evina die ihr innewohnende Macht und das Vertrauen in ihren göttlichen Kern aus ihren

Händen gab – nicht, wenn sie der Liebe ihren Lauf ließ. Kaum war dieser Gedanke aus der Tiefe ihres Herzens aufgetaucht, vernahm Evina hinter sich Schritte und hörte die verzweifelte Stimme von Eric. Er war ihr auf der sonntäglich ausgeübten Route gefolgt und bat sie durch lauter werdendes Rufen, stehen zu bleiben und auf ihn zu warten. Auf gleicher Höhe mit ihr angekommen, hakte sich Eric fest in ihren Arm und beteuerte ohne Unterlass, dass die außerehelichen Stippvisiten keinesfalls seine Liebe zu ihr schmälern oder gar eine Trennung von seinem herzallerliebsten Enneli heraufbeschwören würden. Evina zitterte. Was war die Lust doch für eine Bürde. Die Leidenschaften, die Freiheit versprachen und Gefangenschaft und Leiden schafften. Die kluge Frau wusste nur zu gut, dass Angst, die Angst zu leben und die Angst zu sterben, das treibende Agens für Liebesaffären war. Dass es bequem war, den Panzer der Äußerlichkeiten in benachbarten Gärten abzulegen, das alte Ego aufzupolieren, um dann an den heimischen Herd zurückzukehren. Und Mann schien auf diesem Gebiet besonders versiert zu sein. Zuhause vergötterte Mann seine Madonna – außer Haus huldigte Mann seiner Geliebten. Was Mann jedoch meistens dabei übersah, dass solche Liebesabenteuer schwächten. Statt Stärke und Ermutigung aus der gesuchten Anerkennung zu gewinnen, wird eine neue Abhängigkeit entwickelt, weil jedes Kompliment ein Bedürfnis nach einem weiteren erschafft. Es lässt auf Dauer hilflos werden, weil das Verhalten hoffnungslos oberflächlich und kindisch bleibt.

Ja, was sollte Evina dazu sagen? Am besten nichts! Sie erinnerte sich an die eindringlichen Worte ihres Vaters, der zur Verheiratung seiner Tochter mit einem persönlichen Brief überrascht hatte, in welchem es hieß: „Überlasse in jeder noch so ausweglosen Situation die Herrschaft deinem Herzen – so wird nichts geschehen, was nicht der Liebe entspringt." Das Geständnis von Eric war Fakt, darauf hatte sie keinen Einfluss. Das Gefühl hingegen, die Reaktion auf die Aktion, die lag in ihrer Macht, in ihrer Hand, und die beste Reaktion, die immer ein Wunder aus der Tiefe des Herzens an die Oberfläche beförderte, war – nicht zu reagieren.

Ungläubig schaute Eric der schweigsamen Evina fragend ins Gesicht, während er kontinuierlich Entschuldigungen vor sich hin stammelte. Frau Evina schwieg weiter. Soll er doch seine Erfahrungen machen und sich auf die Entscheidungsebene herablassen, ob es mit oder ohne Strapse, mit oder ohne BH sein durfte. Auf jeden Fall war die Explosion vorüber. Der Funkenflug hatte ein kurzes, heftiges Feuer entfacht, das jetzt vor ihnen Halt machte. Sie waren beide an ihren Ausgangsort zurückgekehrt, erklommen gemeinsam die achtundachtzig Stufen zu ihrem Heim. Zielstrebig ging Evina in die Küche, beseitigte die vernachlässigten Zeugen eines guten Essens und zog sich ins Gästezimmer zurück. Sie verriegelte die Tür, ließ aber den Eingangsbereich zu ihrem Herzen weit offen. Tränen liefen ihr über die Wangen. Heute Nacht wollte sie allein sein, allein mit ihrem Schmerz, und Erics Handlung zum Anlass nehmen, darüber zu reflektieren und ihr eigenes Unbewusstes zu erkennen.

In der Stille der Nacht waren auch die umherschweifenden Gedanken still geworden. Licht und Klarheit hatten den Sieg über die Dunkelheit davongetragen. Die Erinnerungen an das Gestern waren noch lebendig, aber sie hatten keine Macht über Evinas Befinden. Ihre Seele atmete auf. In der Morgendämmerung erwachte sie aus tiefem Schlaf, zog die Vorhänge zur Seite, öffnete das Fenster und schaute hinaus in die Natur, die unverändert sich vor ihr ausbreitete. Alles war wie am Tag zuvor und zeigte ihr die herrliche Einfachheit ihres Hierseins in der Welt der Formen. Intuitiv war Evina gestern ihrem Herzensweg gefolgt. Auch heute wollte sie wieder „ja" sagen zu dem, was ist, alles Geschehen in seiner Unvollkommenheit, die menschlichen Unzulänglichkeiten einfach annehmen, was nicht bedeutete, dass sie damit einverstanden war.

Mit diesem „Ja“ auf den Lippen ging sie hinüber in ihre Wohlfühlküche, bereitete ein kleines Frühstück vor und weckte den Frauenversteher Eric, der ungläubig aus seinen blauen Augen schaute, als sie das Halali, den verbalen Gruß aus der Jägersprache, blies und zur neuen Treibjagd aufforderte. Evina kannte Eric und hätte ihren Tausendsassa niemals unter Zwang zu irgendetwas bewegen können, denn sonst hätte er sich unverzüglich quergelegt. Auf geschickte Art wusste sie mit ihm umzugehen, ihn zu nehmen, und so ertappte sie ihn auch an diesem neuen Morgen, wie er erleichtert feststellte, dass keinerlei Rauchwolken mehr am Himmel standen.

Das gestern eröffnete Dossier „Iris“ war bereits wieder geschlossen worden und Evina hat nie erfahren, wann genau die Geheimakte angelegt und wann sie in den Archiven verstaut worden war. Sie überließ es Eric, die Bilderbuchgeschichte zu vollenden, in die kein Friedensrichter, kein Scheidungsanwalt und keinerlei Juroren je Einblick nahmen. Auf tiefster Ebene waren und blieben Eric und Evina verbunden. Kein Orkan würde das Boot, das sie bestiegen hatten, um gemeinsam über des Lebens Meere zu schippern, zum Kentern bringen. Einen kurzen Augenblick waren sie in Seenot geraten, aber das Vertrauen in das gütige Walten über und in ihr hatte Evina jeglichen Schutz zukommen lassen und die überschäumenden Wogen geglättet und befahrbar gemacht.

Evina, dieser vitale, weibliche Charakter, hielt ihre Wurzeln weiterhin im Boden des Hier und Jetzt verankert. Sie gehörte nicht zu der Gattung Mensch, die Erinnerungen wie Fallobst von den Wiesen sammelte, sie bewahrte und darin schwelgte. Die Vergangenheit war vergangen. Die Zukunft, dieses Bündel von Erwartungen und Wünschen, das Gespenst der Illusionen, noch nicht da. Tief im Herzen blieb sie angeschlossen an den göttlichen Plan, an ihr wahres Ich, und ließ sich führen.

Eric, der Mann der Extreme, hielt nach Niederlegung seiner politischen Ämter Ausschau nach einem Ersatz – und wurde fündig. Die Kanzlei unter der Führung von Eric und Gustavo, den beiden Zugpferden und Mandatslieferanten, wuchs und wuchs und garantierte inzwischen einem Dutzend Neuzugängen einen angemessenen Lebensunterhalt. Das Büro boomte, war zu einem Selbstläufer geworden. Erics Suche nach Erfolg und Anerkennung, die einzige Motivation der modernen Gesellschaft für Leistung, blieb. Seine Phantasie war nach wie vor grenzenlos. Ständig entwickelte er neue Ideen, die er in die Tat umsetzte, gelang es ihm, zerstrittene Parteien gemeinsam an einen Tisch zu holen und zusammenzuführen, riskierte er Kopf und Kragen, um Feinde zu versöhnen und Scheidungskandidaten wieder zu vereinen. Seine natürliche Autorität, das präzise Taktgefühl, sein Sinn für Gerechtigkeit bewahrten so manchen Klienten bei Explosionsgefahr vor dem Ruin.

Eines Tages, nach einem kurzen Alleingang durch den nahegelegenen Wald, war es so weit. Eric, der dem Wunsch seiner Eltern entsprechend das Studium der Kunstgeschichte an den Nagel gehängt und gegen das Fach Juristerei eingetauscht hatte, wurde beseelt von einem neuen Impuls, den er verwirklichen und schwung- und glanzvoll in sein Tagebuch eintragen wollte. Er erhöhte den Spaßfaktor seines unermüdlichen Schaffens durch Gründung einer eigenen Galerie und engagierte ein kunstbesessenes Pärchen, das die Szene nach außen hin vertrat, während er als aufmerksamer Beobachter im Hintergrund kunstvolle Pirouetten drehte. Eric war in seinem Element. Seine Leidenschaft für die neuzeitlichen Darstellungen in Bild und Form übermannte ihn völlig. Die quartalen Treffen auf der Varietébühne der Eitelkeiten ließen sein Herz höher schlagen und im Überschwang seiner zügellosen Freude floss die Geldenergie nur so dahin. Es dauerte nicht lange, da waren die geschäftlichen und privaten Räume mit bizarren Kunstgegenständen und Bildern zutapeziert, Werke, die oft an der Grenze zur Pornografie lagen und Evinas Vorstellung von gutem Geschmack verletzten. Eine Kitschschwarte in Rot und Schwarz nahm die sonst eher zurückhaltende Evina zum Anlass, den Küssen der Muse Einhalt zu gebieten. Sie weigerte sich vehement, ihre Wohnkultur verschandeln zu lassen, und dirigierte ab jetzt die blutrünstigen Schinken in den Keller. Eine Kultur, die sich um des Spaßes willen banalen Dingen an den Hals wirft, die den Fortschritt daran misst, wie viele Gegenstände, Kleider, Schuhe Mensch besitzt, die Wert von Unwert nicht mehr unterscheidet und als Raumausstatter für billigen Plunder und teuren Schund amtiert, einer solchen kulturellen Bankrotterklärung konnte und wollte sie sich bei aller Liebe zu Eric nicht anschließen.

Evinas ablehnendes Verhalten musste wohl oder übel von Eric akzeptiert werden. Unter keinen Umständen war sie bereit, ihre Wohlfühloase in ein Museum für moderne Kunst umzugestalten. Schließlich hatte der Gefährte seinerseits erst vor Kurzem zwei von Evina gekaufte Sesselchen in Altrosa als „Pipi-Stühle" abgekanzelt, sie dem Boudoir der Madame Pompadour zugeordnet und dann in einer Nacht- und Nebelaktion wütend vor die Wohnungstür gesetzt.

Eigenartig, wie die Leute von heute unterwegs sind. Sie können kaufen, was sie wollen, Sex haben, wann und mit wem sie wollen, reisen, wann und wohin sie wollen, sich mit tausend Dingen zumüllen, wann und wo sie wollen – doch kaum jemand beachtet die Blume am Wegesrand, erfreut sich an Gottes freier Natur. Wohin das Auge reicht, wird gekauft, gesammelt, gehortet, Wachstum und Gedeihen im Reich der Materie angekurbelt, gefördert und gepriesen – und doch grassieren Unfreiheit und Unfrieden im höchsten Maße. Warum? Weil niemand wagt zu sein, wer er wirklich ist. Niemand mehr sich seiner wahren Größe bewusst ist, sich abmüht und beweisen will, niemand mehr sich in Bescheidenheit und Genügsamkeit übt, sich von den einschränkenden Vorgaben der Außenwelt versklaven lässt und es versäumt, den Blick nach innen zu richten, wo die weise Intelligenz des Universums wirkt.

Die bunte Bühne, auf der Eric voll und ganz aufzugehen schien, trieb unaufhörlich Menschen aus allen Schichten in seine offenen Arme und an Evinas einladenden Tisch. Die Unikate, die sich in ihrem Heim versammelten, glichen vielfach denen an ihren Wänden und waren an Originalität kaum zu überbieten. Evina wurde gut fertig mit der künstlerischen Garde, deren raffinierte Kombinationen sie erheiterten. Mühe machten ihr nach wie vor nur langweilige, unbewusste Zeitgenossen, aber auch denen gestattete sie, ihren kulinarischen Verführungen zu erliegen und sich Sättigung bei ihr zu verschaffen.

Eines Abends, die künstliche Blütezeit feierte Hochkonjunktur, kehrte ein munterer, von allem Ballast befreiter Eric nach einem arbeitsintensiven Tag ins wohlige Heim zurück. Bereits unter dem Türrahmen schmetterte er seiner Liebsten ein feuriges „Heureka" entgegen, das sich vorwitzig in die von köstlichen Wohlgerüchen durchzogenen Räume seinen Weg bahnte. „Nimmt mich Wunder, was du jetzt schon wieder gefunden hast, das dich so freudig erregt?", fragte Evina und staunte nicht schlecht, als Eric ihr von seiner neusten Entdeckung berichtete. Er habe ein Haus gefunden, wo sie endlich frei schalten und walten könnten, wo sie nie wieder Rücksicht auf die übrige Mieterschaft nehmen müssten, wenn illustre Gesellschafter die hellhörigen Wände zum Wanken brächten. Schon morgen, fünfzehn Uhr, dürften sie einen Augenschein vornehmen.

Das riesengroße, graue Gemäuer ragte kalt und abweisend aus stählernen Barrikaden und Eisenverbauungen heraus. Ein winziger, steriler Rasenteppich, umfasst von einer kümmerlich schmachtenden Ligusterhecke, vermochte die Spitalatmosphäre dieses Anwesens, das von einem verwaisten Mammutbaum bewacht wurde, nur unverhältnismäßig aufzubessern. Nein, ein solches Gefängnis wollte Evina auf keinen Fall gegen ihre kuschelige Dachwohnung eintauschen. Fast zehn Jahre lang hatten die bescheidenen Räumlichkeiten, die weder mit Balkon noch mit Terrasse ausgestattet waren, in denen bei Sturm und Regen der Wind durch alle Ritzen blies und die sich bei Sommerhitze in einen Glutofen verwandelten, Obdach gewährt und Freud und Leid mit ihr geteilt. Nein, diese monströse, abweisende Festung wollte Evina keineswegs als neuen Wohnsitz erküren.

Der Makler bemerkte auf Anhieb, dass sich die Innenministerin im Gegensatz zum Außenminister für das vorliegende Objekt nicht begeisterte. Wie außen, so innen. Kaum hatte Evina ihren Fuß über die Schwelle gesetzt, bestätigte sich ihr erster Eindruck. Allein schon die bis auf Dachhöhe offene, weit ausladende Eingangshalle irritierte sie dermaßen, dass sie sich weigerte, die Besichtigung fortzusetzen. Schockiert wandte sie sich an Eric und bat, umkehren zu dürfen. Der jedoch richtete sein Augenmerk fasziniert auf den gewaltigen Empfangsbereich und machte keinerlei Anstalten, Evina auf den Weg heimwärts zu begleiten. Jetzt war es um das Eheweib geschehen. Evina konnte sich nicht länger im Zaume halten und verabschiedete sich mit den Worten: „Danke, ich habe genug gesehen, das hier ist kein Lebensraum, das hier ist eine Raketenabschussbasis." Sie ließ Eric stehen, reichte dem Makler die Hand, bedankte sich und während sie sich von ihm abwendete, empfahl er der verstörten Evina, sich das Haus Nummer 13 anzuschauen, welches ebenfalls käuflich zu erwerben sei. Evina staunte nicht schlecht, als sie die Liegenschaft mit der magischen Zahl 13 entdeckte, und begann vor Freude hemmungslos zu lachen. Wie oft hatten Eric und sie auf ihren sonntäglichen Spaziergängen exakt hier Halt gemacht, bewundernde Blicke auf genau dieses Hexenhäuschen geworfen und sich gefragt, wer wohl der glückliche Hüter dieses Objekts ihrer Begierde sein mochte.

Auch Eric hatte auf dem Nachhauseweg die Nummer 13 ins Visier genommen und war – wie er seiner Angetrauten versicherte –

ebenfalls in einen Freudentaumel gefallen. Augenblicklich waren sie sich einig: dieses Haus oder keines! Und siehe da. Das Schicksal meinte es erneut gut mit ihnen. Unter allen Interessenten erhielt das Traumpaar den Zuschlag für das Traumhaus.

Ein lange und still gehegter Wunsch war Wirklichkeit geworden. Evina dankte Gott auf Knien für dieses unverhoffte Geschenk, und Eric versäumte seinerseits bei keinem Tischgebet, den Dank für diese großzügige Gabe anzufügen.

Warum scheitern heute so viele Beziehungen und warum lässt sich der Mensch – dessen ungeachtet – immer wieder auf einen Eheverbund ein?

„Ihr Lieben draußen in der Welt. Der Einsiedler aus den Bergen heißt euch willkommen, nimmt euch gerne mit auf seine Reise durch die universellen Gesetzmäßigkeiten und möchte an Beispielen versuchen, euch die Wahrheit näherzubringen. Denn wisset, meine Wahrheit ist auch eure Wahrheit. Unbeachtet liegt der wahre Reichtum verschüttet in euch und wartet darauf, ans Licht zu kommen. Erkennet, die Zeit ist reif dazu, erkennet, dass alles, was ihr im Außen sucht – der Erfolg, die Anerkennung, die Süße des Seins –, in euch verborgen nach Erlösung schreit und wirksam wird, sobald der erste Schritt aus der Dunkelheit der Gedankenwelt stattgefunden hat. Die Hinweisschilder auf dem Weg dorthin sind verstaubt und verwittert, für jeden Oberflächenerkunder, der in der Materie verhaftet ist, kaum lesbar. Der Wanderer aber, müde und erschöpft von Leid und Leiden, aus dessen Rucksack die Angst zu leben, die Angst zu sterben gewichen und durch Vertrauen ersetzt worden ist, wird sein Ziel nicht verfehlen.

Geliebtes Kind, ich frage dich nun, was tust du, wenn du einen frischen Trieb, eine junge Pflanze in deine Obhut nimmst? Liebevoll wirst du dich dem kleinen Gewächs nähern, es wässern und nähren und mit aller Umsicht und Feinfühligkeit für die richtigen Bedingungen sorgen. Natürlich kannst du auch achtlos an deiner Pflanze vorübergehen, deine Aufmerksamkeit auf tausend andere Dinge lenken, die dein Verstand als wichtiger erachtet – und dich dann wundern, wenn dein Schützling verdorrt. Ich sage dir, es liegt in deiner Hand, das Gedankenkino zu verlassen und dich und alles um dich herum zum Blühen zu bringen – und ich erkläre dir auch, warum und wie.

Du bist ein Kind des Universums, nichts anderes als die Pflanze in deinem Zimmer oder Garten, der Baum vor deinem Fenster, das Tier an deiner Seite oder gar der Stern am Firmament. Du bist borniert genug, die Materie anzubeten, die ohne die Urkraft, die All-Eine Energie, gar nicht da wäre. Du hast vergessen, wer du wirklich bist, trägst das, was du fortwährend suchst, das Außergewöhnliche, seit Urzeiten in dir und weißt es nicht einmal mehr. Deine Seele dürstet nach Frieden, nach Einheit, und du suchst, suchst immer weiter in der falschen Richtung, auf der materiellen Oberfläche deines Daseins. Ständig bist du auf der Suche nach etwas. Deine Gedanken halten dich auf Trab. Du suchst im Gestern, du suchst im Morgen, suchst durch Anbetung, durch Aufopferung, durch Weiterbildung und mehr Verdienst, suchst im Vergnügen und in der Sexualität. Rastlos manövrierst du dich durch jede Art von Lust und Leid und machst am Ende Menschen und Situationen – wenn nicht gar Gott – für dein Unglücklichsein verantwortlich. Du vergisst dich, verlierst dich immer selbst, verhängst dich in Gedanken von Schuld und Sühne, bist stets im Widerstreit mit dem, was ist, zeigst deinem Herzen nicht den Weg, der zum wahren Frieden führt, dem Frieden in dir.

Die unsichere Welt draußen vor deiner Tür ängstigt dich. Du bemerkst nicht, dass dein Inneres sie nach außen spiegelt, dass du Mitschöpfer bist. Je unsicherer die Welt draußen, desto größer ist deine Sehnsucht nach einem stabilen Rückzugsort. Dein Herz signalisiert dir durch wachsende Unruhe, dich endlich vom Außen abzudrehen und ihm zu lauschen. Du hältst nicht inne, treibst wie ein vom Baum gefallenes Blatt auf dem Wasser deiner Wünsche und Begierden und von einer Beziehung zur nächsten. Ungeachtet aller Statistiken willst du der Einsamkeit entfliehen und das dich antreibende Agens ‚Sehnsucht' in einem ewigen Honigmond, in einer von himmlischer Orgelmusik umrahmten Zweisamkeit erlösen. Du mühst dich ab, spielst eine Rolle, damit du von deinem Gegenüber anerkannt und geliebt wirst. Warum, so frage ich dich, sollte dein Nächster dich lieben, wenn du es selbst nicht kannst? Du lebst die dir anerzogenen Muster in einer Gesellschaft, die das Gleiche tut. Du versuchst konsequent, deine äußere Hülle zu verändern und dem neusten Trend anzupassen, gibst alle Macht, die dir eigen ist, an fremde Herren ab, lässt dich unablässig von Illusionen verführen. Ich sage dir, mein Kind, jeder

Versuch, sich in Dingen, in Äußerlichkeiten zu verwirklichen, scheitert, muss scheitern, weil das Ego, das falsche Selbst, sich nur kurzfristig zufriedenstellen lässt.

Wer bist du, dass du und dein Partner und so viele Menschen wechselseitig das Spiel, das ihr Liebe nennt, am Tag und in der Nacht so lustlos weiterspielt, bis die Sichel des Mondes unter den Klängen einer verstimmten Orgel verschwunden ist? Unbemerkt hat sich deine sogenannte Liebe in Hass verwandelt. Du hast dein kleines Gewächs, dein Du, wie Ware benutzt, hast keinen Gefallen mehr an ihm – und wirfst es weg. Einfach so.

Die Scheidungsakte belegt dann kurz und bündig, man habe sich auseinandergelebt. Auseinandergelebt? Ich frage dich, wart ihr denn je zusammen? Ihr habt miteinander unter einem Dach gewohnt, habt euch gestritten und geliebt, gemeinsam Tisch und Bett geteilt – aber wart ihr in einem tiefen Sinne wirklich eins? Ehen, wie sie von den meisten Menschen geschlossen werden – mit oder ohne Liebe –, sind im Grunde genommen ein und dasselbe. ‚Wie bitte?', höre ich dich aufbegehren. ‚Ich habe aus Liebe geheiratet!' So, hast du das wirklich? Wahre Liebe ist immer neu, frisch und unschuldig. Sie ist immer da – in jedem Augenblick. Sie hört zu, beurteilt nicht, erwartet nicht, bemüht sich nicht, hat keine Meinung, übt keine Kritik, verfällt nicht in Wut oder Hass. All diese Emotionen sind ichbezogen gesteuerte Auseinandersetzungen, die euer Ego befeuern, das euch mit Freuden von einem Konflikt in den andern stürzt – und hat mit Liebe nichts zu tun. Denn wahre Liebe hat keinen Gegenpol. Sie ist zeitlos, immerwährend, kennt keine Bedingungen und ist nur in dir selbst, hinter der Fassade von Gedanken zu finden. Gedanken, die dich täuschen wollen und täuschen werden. Versuche einmal, während dein Partner sich in Wut, mit Empörung und Anschuldigungen an deine Adresse richtet, in gedankenfreier Stille zu verharren, halte deinen Blick fest auf ihn gelenkt – und warte, was passiert. Die Situation wird sich entschärfen, es wird lichter werden, das in Wallung geratene Blut wird augenblicklich zur Ruhe kommen. Daseinsfreude darf fließen.

Erinnerst du dich? Auch dich hörte ich einst sagen: ‚Mein Hochzeitstag soll der schönste Tag in meinem Leben werden!' So viel Bescheidenheit hätte ich von dir nicht erwartet. Ein einziger Tag soll der schönste deines Lebens werden? Mit diesem Satz hast du bereits weitere schönste Tage in deinem Leben ausgeschlossen! Operation Hochzeit gelungen – und dann? Hast du dir eingebildet, dass das Gold an deinem Finger der Kompass für ein gemeinsames Honigschlecken bis ans Ende deiner Tage, dein Partner der Garant für Sicherheit, Friede, Freude, Eierkuchen ist? Du hast es nicht geschafft, dich selbst kennenzulernen, hast dein Glücksgefühl von äußeren Umständen und anderen Personen abhängig gemacht und hast jede Gelegenheit versäumt, dich selbst als lichtes Wesen anzuerkennen, in dich hinein zu spüren, wer du wirklich bist. Du hast die Liebe gesucht – außerhalb von dir – dort, wo sie nicht gefunden werden kann. Denn Liebe ist in dir. Du bist Liebe.

Ja, ja – Hochzeiten. Die Hohe Zeit der falsch verstandenen Gelöbnisse und oberflächlichen Rituale. Sie hinterlässt in euren ‚zivilisierten Entwicklungsländern' durch Unbewusstheit bewusste Spuren in Form von gescheiterten Ehen, alleingelassenen Müttern, verunsicherten Vätern und traurigen Kindern. Nicht bei dir! Ich fordere dich auf, Frische, Kraft und Schönheit aus deinem unschuldigen Herzen fließen zu lassen durch aufmerksame, wache Gegenwärtigkeit. Löse dich von gedanklichen Vorstellungen und festgefahrenen Überlieferungen und lasse die Liebe, die du bist, jeden Augenblick neu erblühen. Halte Einkehr bei dir selbst, sei du dein liebster Gast und wenn du heiratest – heirate dich selbst, denn du bist die Liebe deines Lebens.

Bleibe nicht stecken zwischen Tüll und Tränen und mache dir jeden Tag, jeden Augenblick diese Erkenntnis zum Geschenk. Dein Partner, dein Nächster, wird es dir danken, denn sobald du dich im tiefen Sinn selbst verwirklichst, du DU selbst bist, du nichts mehr brauchst, um geliebt zu werden, wird sich das Wunder wahrer Liebe mittels prachtvoller Innen- und Außendekorationen auf alle und alles ergießen."

Kapitel IX

Im Heim von Eric und Evina

„Das neue Jahr ist frisch aus dem Ei geschlüpft. Möge es die kostbare Lebensenergie weiter fließen lassen und uns allen einen blühenden Garten bescheren." So lautete der Segenswunsch im Rundbrief, den Eric und Evina zusammen mit ihrer neuen Wohnadresse an die vielzähligen und vielschichtigen Mitglieder ihres Kreises verschickten. Seit Weihnachten stand das Umzugsgut zum Abtransport in die eigene Herberge bereit. Ähnlich einer militärischen Übung hatte Evina geräumt, entsorgt und sorgfältig verpackt, was sie in die nächste Etappe ihrer Erdenreise begleiten sollte.

Eric, der seinen Mitmenschen gegenüber meistens in Spendierhosen steckte, sich selbst und das angetraute Eheweib aber nie sonderlich verwöhnte, war auch bei der Renovierung des Eigenheims minimalistisch vorgegangen. Sparsam und bescheiden hatte er nur das Nötigste instand stellen, streichen und pinseln lassen und die Innenministerin Evina musste sich mit allerlei Installationen des Vorbesitzers anfreunden. Aber das machte ihr nichts aus. Ihre größte Freude war und blieb der Garten, das Reservat für Frieden und Freiheit, wo sie unmittelbar in die meditative Stille fand und den sie zehn lange Jahre so sehr vermisst hatte. Seit frühester Jugend hatte der Kontakt mit Mutter Erde sie ausnahmslos mit kindlicher Zufriedenheit erfüllt, sie die Verbundenheit mit allen Geschöpfen des Planeten gelehrt.

Nun endlich war es so weit. An einem frühlingshaften Tag im Januar hieß es Abschied nehmen von dem schmucken kleinen Zuhause und ins neue unbekannte Gartenparadies aufzubrechen. Bereits um die Mittagszeit war das gut organisierte Werk vollbracht und die geballte Ladung von Kisten, Kunst und Mobiliar an der Empfangsadresse Nummer 13 eingelagert. Überwältigt von den großzügigen Räumen hockte Evina auf einen Umzugskarton, paffte inbrünstig den blauen Dunst ihrer Zigarette durch unbekannte Lüfte, schaute versonnen in die Leere, krempelte alsdann die Ärmel hoch und startete den Angriff auf das Chaos. Wie ein Wirbelwind bearbeitete sie Kiste um Kiste, räumte alles frisch herausgeputzte Geschirr, Bücher und Nippes aus und am richtigen Bestimmungsort ein.

Sie erschrak heftig, als die Türglocke, deren singenden Ton sie noch nicht kannte, ihren fröhlichen Refrain erklingen ließ und sie Schwägerin Edda mit Ehegefährte Huldrich im efeuumschlungenen Eingangsportal entdeckte, wo beide neugierig Einlass begehrten. Nach alter Manier und Tradition überbrachte das verschwägerte Paar einen auf Rosen gebetteten Laib Brot und ein Fässchen Meersalz, die Symbole für segensreiche Fülle am neuen Domizil, begleitet von einem Kärtchen, auf dem geschrieben stand „Brot und Salz – Gott erhalt's!" Beide staunten nicht schlecht, als sie bei ihrem Rundgang das erst vor wenigen Stunden bezogene Quartier schon recht wohnlich ausgestattet vorfanden. Evina genehmigte sich eine kleine Verschnaufpause, beförderte Edda und Huldrich in die gemütliche Essecke der Küche, wo die Einweihung des Kraftfeldes auf neuem Boden begossen wurde. Der im Kühlschrank eingelagerte Champagner rann prickelnd durch die ausgetrockneten Kehlen und verblüffte die Gäste nicht nur, weil er vorhanden, sondern bereits auf den richtigen Kältegrad temperiert war.

„Typisch Evina", erstaunte sich auch Eric, als er nach einer Verwaltungsratssitzung mit anschließendem Nachtessen zur Geisterstunde erschien, ungläubig erste Kontakte zur fremden Bleibe knüpfte und dabei feststellte, dass die Liebste mit den ihr zur Verfügung stehenden Mitteln und dem ihr eigenen Flair in Kürze die Leere goldrichtig in Fülle umgewandelt hatte. Und der Nachtkurier meldete am nächsten Morgen: „Tauschhandel gelungen – Bewohner wohlauf!"

Es gab viel zu tun im Haus von Eric und Evina. Obwohl der äußere Komfort die Behaglichkeit in den eigenen vier Wänden von Tag zu Tag steigerte, fühlte sich Evina je länger, je weniger geborgen. Sie lief herum wie eine Katze, die ihren Platz noch nicht gefunden hat. Ungeachtet ihrer Hingabe zu allem Tun, die für sie eine Selbstverständlichkeit war, hafteten ihr Unbehagen und Ruhelosigkeit an, die sie beinahe in eine emotionale Krise stürzten. Was war nur los mit ihr? Bis heute waren sich Eric und Evina stets gegenseitige Entwicklungshelfer gewesen und so ergriff die Ministerin für das Innere die Gelegenheit beim Schopf, ihre Empfindungen nicht länger vor dem Minister fürs Äußere zu verbergen und ihm ihr Herz auszuschütten. Eric begriff sofort, wovon Evina sprach und was sie spürte. Wie seine Gefährtin, so sah auch der Hausherr Dinge, die mit den fünf Sinnen nicht zu erfassen waren, und bestätigte, dass irgendwie etwas mit der Energie an diesem Wohnort nicht stimmte. Spontan schoss der Gedanke aus ihm heraus, Evinas anstehenden Geburtstag vor verschneiter Kulisse zu feiern und bei dieser Gelegenheit den Weisen aus den Bergen zum Thema zu befragen. Die Koffer waren schnell gepackt – und schon transportierte der Nostalgiewaggon der Schmalspurbahn Eric und Evina gemütlich in die bizarre Welt der mächtigen Felsriesen.

Ambrosisch, göttlich-himmlisch gestaltete sich der Aufstieg zur alpinen Hütte des Alten. Auf Evinas Wunsch hin hatten sie das Datum ihres Geburtstags zum Anlass genommen, Peider Baselgia mit einem Besuch zu überraschen. Schwer drückte der mit köstlichen natürlichen Requisiten ausstaffierte Rucksack auf Evinas Schultern, doch die Freude auf ein Wiedersehen und einen feinen Gaumenschmaus überwog die Qual der Last.

Wie glitzernder Schnee in gleißender Wintersonne funkelten die drei Augenpaare, die sich nun gegenüberstanden. Die Umarmungen fielen noch heftiger aus als die liebestrunkenen Begrüßungsworte. Eric, so kam es Evina vor, wollte sich gar nicht mehr aus der Umklammerung lösen. Immer wieder klopfte er freudvoll auf des Weisen Rücken und schmachtete vor sich hin. Dann, als die weibliche Regie den Tisch mit ihren Mitbringseln eingedeckt, die Kerzen auf dem Kuchen entzündet und die Vesper durch lautes Rufen eingeläutet hatte, bemerkten die nicht verschwägerten, aber im Geiste verwandten „Gebrüder Herzblatt" ihre wässrigen Lefzen und erstürmten ohne weiteres Zögern die Tafel.

Stillschweigend labten sich die drei Freunde an der deftigen Brotzeit, griffen unentwegt in das Fässchen mit der vom Alten selbst geschlagenen Butter, bevor sie sich genüsslich an die kleine süße Verführung der Schokoladentorte heranmachten. Auf Geheiß von Peider hatte Evina einen arabischen Kaffee aufgebrüht, den sie nun hingebungsvoll tranken, wobei die zwei Tenöre laut und vernehmlich das „Happy Birthday to you" erklingen ließen. Körperlich wohl genährt lehnten sich Eric und Evina in die sonore Stimme des Weisen zurück, in dessen Aura die Gedanken ins Nichts flogen und eine untrügliche Verbundenheit und Tiefe sich ihnen offenbarte. Eine knisternde Stille breitete sich im Zimmer aus und obwohl das rührende Männlein leise vor sich hin sprach, vibrierte der Puls kräftig in den Adern von Eric und Evina.

„Meine herzallerliebsten Kinder, das geschichtsträchtige Haus, das ihr bezogen habt, schaut auf eine ganz spezielle Vergangenheit zurück, die bis heute nachwirkt. Eine arme Seele hat dort vor langer Zeit ihrem Leben ein abruptes Ende gesetzt, findet keine Ruhe und ist immer noch an den Tatort gebunden. Ich bitte euch, sucht das Gespräch mit diesem Verstorbenen, weist ihn darauf hin, dass er nicht mehr unter den Lebenden weilt, und schickt ihn ins Licht. Ihr werdet wahrnehmen, wenn er dem Weg in die Klarheit und Reinheit der Quelle gefolgt und auf die energetische Ebene eingetreten ist. Sobald das geschieht, beseelt euer Heim mit eurer eigenen lichten Energie.

Vergesst nie, das Leben bietet euch immer die Erfahrung, die für die Evolution des Bewusstseins am hilfreichsten ist. Deshalb benutzt auch das neue Haus nicht als Identitätsverstärker und sagt niemals: ‚Schaut her, dieses tolle Anwesen gehört uns', sondern wertet es dankbar als vorübergehende Leihgabe des Himmels. Betrachtet es als Zufluchtsort, als Schutzburg, als den Raum, wo ihr lernt, angstfrei die Wandlung in eine tiefe Bewusstheit anzustreben durch vollständige Annahme von dem, was das Leben euch beschert. Und brennt den folgenden Vers in eure Seele ein:

‚Wer unter dem Schirm des Höchsten sitzt
und unter dem Schatten des Allmächtigen bleibt,
der spricht zu dem Herrn:
Meine Zuversicht und meine Burg,
mein Gott, auf den ich hoffe.'

Psalm 91, Verse 1,2

Lasst diese Wahrheit in euer Leben einfließen. Vertraut in jeder noch so schwierigen Situation dem Gott über euch und dem Gott in euch, diesem Gott, der kein Wesen ist, keine Gestalt hat und nicht richtet. Der Gott, die All-Eine Schöpferkraft, die Energie des Multiversums, die Leben überhaupt erst möglich macht.

Und dich, mein liebes Evina-Kind, erinnere ich daran, dass die dich treibende Unruhe am neuen Wohnort nicht das Problem ist, sondern die gedankliche Vorstellung, dass sie nicht da sein sollte. Du hast, meine Liebe, wieder einmal vor lauter Aktivität im Außen vergessen, dass die innere Ruhe sich erst einstellt, wenn du dich mit der Unruhe versöhnst. Also lege deinen Kopf zur Seite und lasse dein Bauchgefühl, wie du so schön zu sagen pflegst, wirksam werden. Du trägst alles Wissen in dir, setzt dich aber gegen jegliche Veränderungen zur Wehr und verlierst dich dabei im Morast deiner Gedankenflut.

Das Gleiche gilt auch für dich, werter Freund, der du noch nicht davon befreit bist, Wert von Unwert, Vergängliches von ewig Währendem zu unterscheiden. Bleibe wachsam auf deinem Weg, scheue keine Arbeit, aber hüte dich vor dem Karrieremachen. Am Ende einer jeden Erdenreise zeigt sich, was wirklich wichtig ist. Treibe dich nicht selber an zu großen Taten, denn wisse, die Vollkommenheit des Lebens währt immerdar. Also, meine Lieben, tretet ein in den Raum der Annahme, überwindet die Furcht, falsch zu sein, und praktiziert unverdrossen, was ihr beide schon längst in euch entdeckt, aber noch nicht fest verankert habt. Ich sage euch, ihr seid auf gutem Weg."

Der Weise schwieg, hielt seine Augen zielgerade auf sie gerichtet. Seine Botschaft war nachhaltig in die Zuhörer eingeflossen. Nichts regte sich. Nur ein leiser Windhauch lugte durchs halb geöffnete Fenster und bewegte die strahlend weißen Gardinchen aus geklöppelter Spitze. Zum Greifen nah lag die vom Urgestein ausgehende Energie, schwelte in der guten Stube und ergriff die Herzen von Eric und Evina.

Wie sein Namensvetter aus dem Reich der Tiere konnte der Kauz Einsicht nehmen in die verwinkelten Tiefen seiner Seele und die dort verborgene Weisheit ans Licht befördern. Erstaunlich, dachte Evina. Wie war es möglich, dass diese Rarität in Menschengestalt fähig war, ihr mit prägnanten Worten klarzumachen, was richtig und wichtig war? Auch heute, an ihrem sechsundvierzigsten Wiegenfest, hatte Peider Baselgia sie in die Wirklichkeit, in tiefes Bewusstsein geschaukelt, war alles Wünschen und Wollen von ihr abgefallen. Oh, könnte sie die offenbarte Wahrheit nur leben – ohne stets aufs Neue abtrünnig zu werden und sich in alten Mustern zu verfangen.

Durch die Neugeburt im „Himmelsleiterli" traten Eric und Evina aus der Dunkelheit ins Licht. Sie mussten sich nicht lange an die frisch gewonnene Freiheit gewöhnen. Jetzt galt es, dauerhaft einzuüben, das Leben so zu akzeptieren, wie es ist.

Nichts zu beschönigen oder zu dramatisieren, sondern tun, was getan werden muss – ohne sich gedanklich daran festzubeißen. Zuhause angekommen setzte sich die Wandlung von der Raupe zum Schmetterling weiter fort. Sie hatten beide wieder ins eigene innere Daheim gefunden und so die Basis geschaffen, die Außenstation, das äußere Haus, liebevoll und achtsam in Besitz nehmen zu können.

Es dauerte eine kleine Weile, da beorderte der nächste Anlass Eric und Evina zu einer weiteren Grenzüberschreitung. Das Traumpaar verließ sein Traumhaus, bestieg den Love Express nach Germanien und feierte mit Evinas Mutter deren fünfundsiebzigsten Geburtstag. Aus Gründen, die der Tochter erst später klar wurden, hatte Frau Mama ihr weitreichendes Umfeld zu einer großen Festivität eingeladen.

Eric, wie Peider Baselgia kein oberflächlicher Motivationsredner, setzte die vom Meister angefachte Glut in wohltuende Worte um, mit denen er die Herzen der Gäste im Sturm eroberte. Der Lehrling hatte seine Lektion brav gelernt. Die Flamme seines Bewusstseins erfüllte den Festsaal und entzündete ohne große Anstrengung den inneren Kern der Abendgesellschaft. Mit Hilfe seines ureigenen Gewahrseins gelang es ihm, die verriegelten Türen zu den Tiefenräumen der Tischgenossen aufzustoßen. Danke, lieber Eric, für den in heiterer Gelöstheit und einfacher Daseinsfreude zelebrierten Jubeltag.

Ein Orkan der Liebe hatte Evinas Mama erfasst und war mit ihr auf die Reise gegangen ins neue Heim von Eric und Evina. Einen ganzen Monat lang breitete sich das Leben in seiner Pracht und Fülle vor ihnen aus. Vier lange Wochen berührten sich Mutter und Tochter auf einer tiefen Seinsebene, wodurch die Kraft des Ursprungs wirksam wurde. Ein unergründliches Gefühl von Frieden legte sich auch auf Eric, der ungewöhnlich pünktlich allabendlich an den heimischen Herd zurückkehrte und sich vom offenen Herzen seiner verschwiegerten Mama berühren ließ. Immer fand sie einen Weg, Dinge auszusprechen – ohne Anklage, sie mit Güte und Liebe zu würzen und damit spielerisch den Raum für unverkrampftes Leben zu schaffen.

So war es nicht verwunderlich, dass selbst die graue Eminenz bei einem sonntäglichen Mittagessen im Gespräch mit Mama Evina durch einen emotionalen Zustand des „Sich-angenommen-Fühlens" auf wundersame Art und Weise aufblühte. Eric und Evina konnten nicht fassen, was sie gerade erlebten, und kamen aus dem Staunen nicht heraus, als die Fünfundsiebzigjährige die Zweiundneunzigjährige an die Hand nahm, sie stützte und mit aufmunternden Worten und festem Griff den Treppengang hinauf geleitete, um weitere Winkel des Hauses zu erkunden. Gemeinsam und einvernehmlich waren beide Mütter über die Schwelle der Liebe getreten, gemeinsam und einvernehmlich hatten sie sich über die Schwelle der Trennung hinweggesetzt.

Eine intensive Vielschichtigkeit von zarten Empfindungen, ausgelöst durch die Präsenz der Mama, bereicherte den Aufenthalt und festigte die ohnehin engen Bande zwischen Mutter und den Kindern Eric und Evina um ein Mehrfaches. Mein Kind, dein Kind, diese in der Welt der Formen übliche Unterscheidung hatte Mamas Seelenqualität noch nie entsprochen. Wo immer sie auftauchte, ihre bedingungslose Liebe überstrahlte die Menschen.

So war es auch dieses Mal nicht leicht, als die Besuchszeit sich dem Ende zuneigte und die Stunde des Abschieds nahte. Der Zug war bereits in den Bahnhof eingelaufen und hielt seine Türen für den Einstieg der Reisenden weit geöffnet. Evina hatte das Gepäck am reservierten Fensterplatz eingelagert, sich soeben aus der innigen Umärmelung gelöst, da blickte ihr die Mama nochmals liebevoll in die Augen und verunsicherte Evina mit den Worten: „Den dicken Wintermantel habe ich im Gästezimmer zurückgelassen. Wenn ich nicht mehr wiederkomme, schenke ihn der Perle Melinda!" „Wie, nicht mehr wiederkomme? Was soll das heißen?", entgegnete die Tochter verwirrt und schaute die Mutter fragend an. Die jedoch lächelte nur, stand wortlos da und winkte, bis der Zug seine automatischen Türen schloss und sich langsam in Bewegung setzte. Winkend und Küsse verteilend begleitete Evina den Abteilwagen, lief mit ihm mit, schneller und schneller, bis der Bahnsteig ins Bodenlose verlief und sie zum Stillstand zwang. Sie hatte die Mutter und deren verklärten Blick nicht aus den Augen gelassen in der Hoffnung, eine Erklärung für den mysteriösen Satz in ihrem Gesichtsausdruck zu finden – vergeblich. Traurig zog sie von dannen, trug die Worte der Mama den lieben langen Tag mit sich herum, setzte das Rätselraten am Abend mit Eric fort, der seinerseits keine schlüssige Antwort fand. Einen Monat lang schaltete und waltete die Mutter in ihrem Zuhause und die täglich mit der Tochter geführten Telefonate ließen keinerlei Verdacht aufkommen, dass irgendetwas nicht in Ordnung wäre.

Es war Samstag in der Früh, als Evina durch das Schrillen des Telefons geweckt wurde und Walburga, die Freundin und Nachbarin, dem aufgeschreckten Kind mitteilte, dass die Mutter ohnmächtig im Sessel sitze. „Tun Sie doch etwas, holen Sie einen Krankenwagen!", schrie Evina in die Leitung, aus der Walburgas tonlose Stimme durchsickerte, die kaum hörbar sprach und sagte: „Evina, Ihre Mama ist tot." Wie ein Blitz durchfuhr die Nachricht Evinas Körper und ließ das Blut in ihren Adern erstarren. Tot, die Mama tot? Das konnte doch nicht sein. Evina stand unter Schock. Ohne eine Reaktion knallte sie den Hörer auf die Gabel, rannte wie von Sinnen im Haus umher, konnte keinen klaren Gedanken fassen. Ihr Herz schlug bis zum Halse, ihr Leib zitterte wie Espenlaub. Was tun? Sie musste Eric erreichen, der sich in aller Herrgottsfrühe zum Golf verabredet hatte, fand aber in der Aufregung keine Telefonnummer. Sie meldete sich bei Erics Mutter, die der erbärmlich weinenden Tochter Trost spendete und sofort die Suche nach Eric persönlich aufnahm. Evina indessen packte hastig ein paar Sachen zusammen, während der mittlerweile aufgetauchte Ehegefährte, der seine Trauer nicht verbergen konnte, den Nachmittagsflug an den Unglücksort buchte.

Im Gespräch mit Eric fiel es Evina wie Schuppen von den Augen. Die Geburtstagsfeier im großen Stil, die letzten Worte vor der Abreise im Zug – die Mama hatte gespürt, dass ein Wiedersehen mit Väterchen bevorstand, darüber jedoch Stillschweigen bewahrt, um die Tochter nicht unnötig zu belasten. War das Liebe?

Der Heimgang der Mutter hatte Evina bis ins Mark getroffen. Wie oft schon war sie auf ihrer Erdenreise mit dem Thema Tod konfrontiert worden, wie oft schon hatte sie sich Schmerz und Trauer hingegeben, war selbst tausend Tode gestorben und jedes Mal am Ende des Tunnels der Liebe neu begegnet. In dieser Liebe zeigten sich Dankbarkeit und Freude über die tiefe Verbundenheit zu den Vorausgegangenen, die Liebe wandelte Dunkelheit in Licht. Dann war er da, der Tag, an dem Evina der Mutter liebevoll begegnen und sagen konnte: „Schön, dass du ohne Krankheit und Siechtum in die andere Ebene eingetreten bist, dass du befreit von der Körperlichkeit die heftigen Erfahrungen, die wir alle hier auf diesem Planeten machen, nicht mehr brauchst und einfach sein darfst.“ Die geistige Freude überstieg die menschliche Trauer.

Es hatte Evina gutgetan, sich in den schmerzvollen Wochen nach dem Tod in die Arme von Mutter Erde zu begeben. Versunken in meditative Gartenarbeit erkannte sie einmal mehr, dass alles Geschehen nicht Schicksal, sondern Lernaufgabe war. Sie lernte wieder, geduldig und besonnen zu sein und das eigene Wachstum nicht zu drängen. Die Pflanzen machten es ihr vor. Evina begriff: „Ich darf so sein, darf mich so erfüllen, wie ich bin.“ Nur Unkraut und Ungeduld wachsen schnell und Widerstand gegen das, was ist, raubt Kräfte. Die Natur, Evinas großer Lehrmeister, hatte sie erneut mit kindlicher Zufriedenheit erfüllt, sie über das Schweigen, in der Stille von Gedanken, in tiefe Glückseligkeit geführt.

Im Gleichtakt zu seiner Gefährtin war auch Eric emotional nicht unbeteiligt geblieben. Bemerkenswert nachsichtig unterstützte er seine Liebste, wo er nur konnte. Anders als der zeitgenössische Durchschnittsbürger setzte er sich über die Verstandesebene hinweg und ließ Evina gewähren, die ihrem Gefühl folgend sich in dieser Lebensphase nur um sich selbst kümmerte. Ihm war klar bewusst, dass nur der Mensch selbstbezogen-egoistisch ist, der von anderen verlangt, für ihn da zu sein, anstatt sich seiner selbst anzunehmen. Es war wunderbar zu sehen, wie die im Geiste verbundenen Gefährten, Eric und Evina, sich in jeder Lebenslage wechselwirkend unterstützten. Eine solche Verbindung, wie die beiden sie aufgebaut hatten, wird ewig halten. Kein Sturm wird sie zerreißen können. Was immer auch geschehen mochte, sie würden unbekümmert von den Früchten des Geistes, die sie gesammelt hatten, zehren dürfen.

Bisher hatte Evina in allen Lebenskrisen Halt gefunden, indem sie den Blick auf das ihr innewohnende Geschenk des Himmels richtete und sich vertrauensvoll führen ließ. So auch dieses Mal. Ihr Herz lachte wieder. Eine anhaltend tropische Hitze, die den Trauerprozess über Wochen begleitete, hatte Eric und Evina die Langsamkeit gelehrt und sie dazu gebracht, still und ruhig hinter den schützenden Mauern des Hauses Zuflucht zu nehmen. Der helllichte Sommer verlor von Tag zu Tag seine Strahlkraft und mit dem Abfallen der Außentemperatur nahm die Kraft für körperliche und geistige Anstrengung wieder zu.

Der kleine, buxusumrandete Gemüsegarten war abgeerntet. Kartoffeln, Zwiebeln und Rüebli warteten eingelagert in Kisten auf den Verzehr. Zwetschgen und Weichselkirschen schlummerten süß und selig in ihren gläsernen Behausungen dem nächsten

Frühstück entgegen. Die lärmenden Horden der feriensüchtigen Spaßgesellschaft hatten längst ihre Arbeitsuniformen angezogen, die Schulkinder sich der täglichen Folter unterworfen. Der Herbst wappnete sich, sein buntes Füllhorn zu präsentieren, da regte sich in Eric die Sucht nach Meer. Es half nur eines: Kofferpacken und nix wie los ...

Von Weitem raubte die Schönste der drei Schönen mit ihren stolzen weißen Kalkfelsen Eric den Atem. Evina hatte alle Hände voll zu tun, den Geliebten davon abzuhalten, über Bord zu gehen. Weit über die Reling hinausgelehnt sog er sich wie die hungrige Raupe Nimmersatt überschwänglich voll mit den näher rückenden, grandiosen Bildern seines heiß geliebten Eilandes. Das Urlaubsziel der Superlative, so stellte Evina fest, ließ Eric alle Jahre wieder aus einem kleinen blinden Leben auferstehen und in stillschweigendes Staunen eintauchen. An keinem Ort der Welt herrschte zwischen den zwei Liebenden ein so wortloses, bewusstes Verstehen wie in der magischen Energie dieses meerumschlungenen Felsgesteins. „Hier bin ich Mensch, hier kann ich sein", hörte Evina den Gefährten oftmals in die prickelnde Brise hineinrufen. Wohlige Klänge, die eine befreite Seele, die sich nicht mehr beweisen, die nicht mehr wichtig sein musste, in den Äther hinausblies.

Auch dem Stubenhocker Evina fiel es an diesem Flecken Erde leicht, einfach nur zu sein. Nichts tun, nirgendwo hingehen, niemand sein zu müssen, ohne Vergangenheit oder Zukunft sich sorglos dem gegenwärtigen Moment hingeben – was für ein Seelenbalsam! In all den Jahren war auch ihr dieses Feriendomizil ans Herz gewachsen, war die kunstvoll in das Felsgestein gebaute Hotelanlage zum privaten Heim und die Brigade des Dienstpersonals zur Familie avanciert. Sogar Bruno und Emma, die beiden Möwen, die das morgendliche Ritual der Speisung von Eric und Evina auf der feudalen Zimmerterrasse aufmerksam aus schwindelnder Höhe verfolgten, gehörten mittlerweile zum

Team. Kaum hatte Evina den Tisch abgeräumt und das Tablett zum Abtransport bereitgestellt, da eilten die Riesenvögel im Sturzflug herbei und stahlen an Brot und Käse, was noch zu kriegen war. Das Frühstück von Eric und Evina war schließlich auch ihr Frühstück.

Vom Sonnenaufgang bis zum Sonnenuntergang hielt die Wundertüte Leben ein Müsterli parat. Selbst bei schwierigen Witterungsverhältnissen, was selten vorkam, faszinierte die mediterrane Flora mit den knorrigen Olivenbäumen, Pinien und Kakteen und der atemberaubenden Vielfalt an Wildblumen und stellte jedes epochale Monument, jede von Menschenhand geschaffene Oase in den Schatten. So unverfälscht und echt wie die einheimischen Bewohner oder das Personal zeigte sich auch die Küche. Im Sinne von Eric und Evina hatten die örtlichen Meister der Nahrungszubereitung eine Abneigung gegen alles gastronomische „Chichi", machten jedes noch so einfache Gericht zur Gaumenfreude. Gelungenermaßen bestätigten sie damit die Weisheit des Südens, dass Essen und Trinken Leib und Seele zusammenhalten.

Tage später hörte Evina ihren Liebsten zum x-ten Mal sagen: „Es ist schön, wieder zu Hause zu sein." Die sonnengebräunten Körper verschwanden unter den engen, maßgeschneiderten Gewändern der alltäglichen Herausforderungen. Das innere Leuchten, unabhängig von jedwelchen äußeren Ereignissen, blieb bestehen. Seine Strahlkraft fegte alle Hindernisse hinweg.

Der Vertreibung aus dem Inselparadies in die Welt der Arbeit und Pflichten folgte gleichzeitig die Rückkehr auf den Lernweg durch das Dickicht der Materie. Ab jetzt feierten Eric und Evina wieder die Feste, wie sie fielen, einmal heftig, manchmal milde, meist in Dur und von Lachsalven gekrönt. Nach dem Tod der Mama getraute sich Evina mehr und mehr, ihre klangvolle Stimme zu erheben und ihre Sangesfreude nicht nur bei ausgelassenen musikalischen Anlässen zu erproben. Ihre Seele jubilierte und riss die anderen mit. Wie früher gelang es ihr, ihre tief empfundene Daseinsfreude auf die Weggefährten zu projizieren und sie zu motivieren, wenn sie griesgrämig herumliefen. Das solide Heim gab den dafür geeigneten Rahmen und seine dicken Mauern garantierten Hochgenuss, ließen konzertierte Aktionen äußerst reizvoll werden für die Gäste und besonders reizarm für die Nachbarschaft. Rauschend zogen die Tage ins Land, berauscht schlugen die Herzen von Eric und Evina.

Ein weiteres Jahr tanzte vorbei. Es war Mitte Januar und das liebende Paar hatte sich für eine kleine Weile in die schneesicheren Hänge der winterlichen Bastion zurückgezogen. Nach einer ausgiebigen Wanderung und einer anregenden Tasse Tee in der Halle der Herberge waren Eric und Evina in ihrem Zimmer angekommen, müde und ausgelaugt aufs Bett gesunken, da läutete das Telefon. Eric regte sich nicht, murmelte etwas wie: „Nimm du ab, das ist bestimmt für dich“, da war Evina schon unterwegs zum Sekretär, von wo die Klingelzeichen ertönten. Sie nahm den Hörer in die Hand, hauchte ein zaghaftes Hallo in die Muschel und zuckte zusammen, als sich Frau Doktor Eric vorstellte. Noch bevor sie etwas sagen konnte, hob die verschwiegerte Mutter zu sprechen an.

„Evina, hören Sie mir bitte gut zu. Ich rufe Sie an, weil ich ihnen etwas Wichtiges mitzuteilen habe“, tönte es aus der Leitung. Evina stockte das Herz. Sie wartete geduldig. Die graue Eminenz fuhr fort: „Liebe Evina, seit Langem fühle und spüre ich, welch große Liebe Sie in sich tragen, wie bedingungslos Sie mir Ihre Liebe geschenkt und welch tiefen Respekt Sie mir in all den Jahren entgegengebracht haben. Meine eigenen Kinder haben mich eine so liebevolle Zuneigung nie erfahren lassen. Sie sind eine wunderbare Schwiegertochter und die beste Gefährtin für meinen Sohn. Ihnen das einmal zu sagen, lag mir sehr am Herzen.“

Evina war erschlagen. Ihre Augen füllten sich mit Wasser, dicke Tränen rollten über ihre heißen Wangen. Leise bedankte sie sich für diese Liebesbezeugung und gab ihrer Freude Ausdruck, sich bald wiederzusehen. Sachte legte sie den Hörer auf. Sie begann hemmungslos zu weinen.

Eric, völlig verwirrt über das, was sich soeben in seinem Beisein abspielte, kroch aus seiner horizontalen Lage in die sitzende Position, den Kopf an die weich gepolsterte Bettumrandung gelehnt, starrte seine Liebste unsicher an und erkundigte sich: „Was war denn das?“ Die Antwort ließ auf sich warten. Evina schien ihn nicht zu hören. Regungslos, mit hängenden Armen, kauerte sie in ihrem Sessel und stierte geistesabwesend in die Leere. Eine nochmalige liebevolle Ansprache von Eric löste alsdann ihre Zunge und wischte nach und nach die Fragezeichen weg, die Eric ohne Unterlass in den Raum gestellt hatte.

Tränen der Rührung bei Evina, Freudentränen bei Eric. Er wirbelte seine Angebetete durchs Zimmer, frohlockte wie ein kleines Kind am Weihnachtsabend und rief: „Komm, wir machen uns chic fürs Abendessen; das Wunder müssen wir feiern.“ Augenblicklich erfuhr Erics Überschwang einen Dämpfer, als er Evinas Antwort vernahm: „Nein, Eric, hier wird nichts gefeiert. Wir reisen ab.“

Die Falle schnappte zu, als Evina die untrügliche Ahnung, die in ihr aufgestiegen war, zur Sprache brachte und damit die Ferienidylle zerstörte. Der Satz, „Wir müssen sofort nach Hause, deine Maman stirbt“, schlug hohe Wellen. Einfühlsam erklärte Evina ihr Empfinden, dass intuitives Wissen um den nahenden Tod den bitteren Kern im Herzen der Mutter zum Schmelzen brachte und den kompakten Kraftakt und die honigsüße Hymne an die Ex-Paria auslöste. Zu spektakulär, um wahr zu sein? Nein! Und beten half in diesem Fall auch nicht. Gnadenlos setzte Evina ihr Bauchgefühl um und schnürte noch in derselben Nacht das

Gepäck. Ihre Alarmglocken hatten schrill das bevorstehende Ende des altehrwürdigen Körpers signalisiert und tatsächlich kam der Tod auf leisen Sohlen herbei. Nur zwei Tage später rief das Totenglöckchen zu einem aufwühlenden Finale.

Erschüttert ging Eric auf eine emotionale Reise. Etappenweise hielt er inne, wandte sich sentimental Evina zu, die von der verglühenden Aura seiner geliebten Maman absolut genial erfasst worden war. Unaufhörlich dankte er für ihr resolutes Vorgehen, ihr unnachgiebiges Verhalten und die erzwungene Abreise. Aber es war nicht ihr Verdienst. Was geschieht, ist immer das, was aus der Sicht des Lebens geschehen muss. Oder mit den Worten des Mystikers „Meister Eckhart" ausgedrückt:

„Du könntest vielleicht fragen: Wie kann ich wissen, ob etwas der Wille Gottes ist oder nicht? Wisse dies: Wenn es nicht der Wille Gottes wäre, dann wäre es nicht."

Die Trauerfeierlichkeiten und die Töne in D-Moll drückten mächtig auf Erics Tränendrüsen. Unentwegt schwankte er zwischen rauem Drama, Dankbarkeit und Liebe hin und her. Evina überließ ihn sich selbst. Keinen Rat braucht der Freund, nur ein offenes Herz. Ganz allmählich verwischte der Sand der Zeit die Spuren der Trauer und der Zauber der ewigen Verbundenheit nistete sich fest in Erics Seele ein.

Evina war und blieb tief bewegt von der beispiellosen „Tat" der Mutter, die erst am Ende ihrer Erdenwanderung die verschwiegerte Tochter so sah, wie sie wirklich war. Die Verbitterung der alten Dame, die sich völlig im Materiellen verfangen hielt, war im Angesicht des Todes in Liebe verwandelt und der Blick aufs Wesentliche gerichtet worden. Das massive Potential an neutraler Liebe, das Evina in dieses Leben mitgebracht und das die Liebe im Elternhaus ungehindert im Fluss gehalten hatte, war nicht spurlos an der Mutter vorbeigegangen. Das getäuschte Herz war aus irdischer Gefangenschaft befreit worden und das ihm innewohnende Bewusstsein des All-Einen ins Licht getreten.

Der unverhoffte Tod von Erics Maman verminderte die Aktivitäten im Außen und förderte das innere Leben. Selbstverständlich ließ Eric die weltlichen Pflichten nicht einfach fallen, aber immer häufiger ließ er *sich* fallen in die Abgeschiedenheit von Zeit und Raum. Monatelang trug er die Zeichen der Trauer, sichtbar gemacht durch schwarze Armbinde und rabenschwarze Krawatte, mit sich herum. Dann rüttelte der Wind des Schicksals an der festgefahrenen Tradition und die äußeren Symbole fielen in Staub und Asche. Ein enger Freund und Weggefährte tauchte in der Kanzlei auf, um den traumatisierten Eric zum Mittagessen abzuholen. Sein Blick verfinsterte sich, als er die dunklen Accessoires an Erics Anzugärmel und auf seinem weißen Hemd entdeckte. Er drehte sich auf dem Absatz um, eilte ins Sekretariat, besorgte sich dort eine Schere, kehrte zurück und schnitt in einem Überraschungsangriff den unteren Zipfel der Krawatte ab und die Armbinde entzwei. Völlig verdattert stand Eric wie ein begossener Pudel da. Tempo und Entschlossenheit hatten den Überfall stichhaltig gelingen lassen. Attila nahm seinen Freund an die Hand, legte das Folterinstrument im Schreibbüro ab und verließ mit einem überrumpelten, dumm dreinschauenden Eric die Advokatur.

Evina amüsierte sich köstlich, als sie das verstümmelte Utensil aus der Welt der Herrenoberbekleidung an Erics Hals baumeln sah, band es los und schickte es augenblicklich in die Verbannung. Der Abfallbehälter sperrte seinen Schlund weit auf, verschlang begierig das Requisit längst vergangener Epochen, schluckte und klappte den Deckel geräuschvoll zu. Halleluja! Nun lachte auch Eric und freute sich, ab morgen früh in die farbenfrohe Palette der maskulinen Zierstücke greifen und mit leuchtenden, prachtvollen Mustern in den Tag gehen zu können. Helllichtes Gedankengut durchflutete sein Herz. Die Sonne, die nie untergegangen, aber lange nicht spürbar war, hielt ihre wärmenden Strahlen wieder wahrnehmbar auf Eric und Evina gerichtet. Die tosenden Wasser des Lebens stürzten ruhelos mal auf die eine, mal auf die andere Seite, sprudelten über Höhen talwärts in die Tiefen. Das einzigartige Naturspektakel Leben versprach beste Aussichten.

Gibt es eine Botschaft zum Thema „Trennung und Tod", die den vielen angstvollen Menschen auf Erden Klarheit schenken kann?

„Macht die Türen zu euren Herzen weit auf und verriegelt die Fenster in euren Köpfen. Die mehr und mehr und immer lauter dröhnenden Verstandesmuster, das unentwegte Gefangensein in euren Gedanken, lassen euch weiter in Unbewusstheit und Leid versinken.

Geburt und Tod, der ewig währende Kreislauf der materiell-energetischen Formen, die beiden Pole eurer Existenz in der Dualität, werden nicht mehr als ein und dasselbe erkannt. Erinnert ihr euch, was vor eurer Geburt in diese Welt in euch vorgegangen ist? Habt ihr den Tod in der jenseitigen als Geburt in die diesseitige Ebene angstvoll erlebt? So, wie ihr das Wunder des Lebens nicht mehr begreifen wollt, könnt ihr auch das Wunder des Todes, der Geburt zurück in die wahre Heimat, nicht erfassen. Das eingebildete Ich als Abfallprodukt eurer Befangenheit durch Denken, die Identifikation mit Form, das Suchen nach Anerkennung – all diese Bruchstücke eurer Gedankenwelt haben zur Trennung, zur Abspaltung von der Wahrheit geführt und kreieren eure von Angst erfüllte Wirklichkeit, eine Schein-Wirklichkeit, die Angst zu leben und die Angst zu sterben, die eure wahre Identität verhüllt.

Woher kommt ihr? Wohin geht ihr? Was macht eure lebendigen Formen aus? Was ist es, das eure Körper in ihrer Vielfalt und Schönheit belebt? Sonne, Mond und Sterne, Planeten, Milchstraßen, der Raum, in dem alle Formen wahrgenommen werden können, Wasser, Wind und Wolken, der wirbelnde Tanz der Energien – ein ständiges Werden und Vergehen –, und alles unterliegt einer wie von unsichtbarer Hand gelenkten Ordnung, einem kosmischen Gesetz, dessen letztes Geheimnis niemand je gewahr werden wird.

In diesem Multiversum spielt ihr in euren verschiedensten Kostümen mit, seid ein Teil des Ganzen, aber befrachtet eure irdische Reise mit selbst gewähltem Leid und Leiden, jagt angstvoll und begierig den durch euer Gedankenkino kreierten Hirngespinsten nach und entfernt euch immer mehr von eurer wahren Identität: Gott, dem All-Einen, von der Essenz, die, wie der Strom in euren Apparaten, in euch, in allen Formen ruht – nicht sichtbar, nicht hörbar, aber aus einer tiefen Bewusstheit heraus spürbar.

Wisset ein für alle Mal, Leben kann man nie verlieren. Leben ist. Ihr seid das Leben, das sich durch eine vorübergehende Form manifestiert hat. Die Form vergeht. Das Leben währt ewig. Also freuet euch!“

Kapitel X

Unschuldsjahre

Das liebreizende Paar thronte am Panoramafenster, da gefiel es dem Himmel, es auf seine alten Tage in den Stand der Elternschaft zu erheben. Elisabetta, die Astrologin und Freundin aus dem südlichen Landesteil, outete sich als Mittlerin für eine unbefleckte Empfängnis. Ein dringender Termin führte sie in die Stadt des Nordens, wo Eric und Evina zuhause waren. Durch eine ihr seit Kindheitstagen schwer zusetzende Behinderung war Bertineken, wie Evina sie zärtlich nannte, genötigt, Hilfe anzunehmen und sich chauffieren zu lassen. So auch dieses Mal. Sie engagierte die dunkelhaarige, schöne Carmen, die sich bereit erklärte, den Liebesdienst an ihrer Bekannten zu verrichten. Einmal vor Ort, absolvierte die Sternenguckerin ihren Termin und schaute anschließend mit Chauffeuse Carmen in die Relax-Lounge von Evina, die zum Verweilen einlud. Das Treffen gestaltete sich zu einem eindrucksvollen Gesamterlebnis aus Wiedersehensfreude mit der alten und ersten Fühlungnahme mit der neuen Bekannten, aus vertrauten Gesprächen und einem gastronomischen Highlight in Evinas unverwechselbarer Küche.

Das Tor zu unbekannten Welten öffnete sich. Junges, unverdorbenes Leben trat ein in den intimen Kreis von Eric und Evina. Der ersten Begegnung mit Carmen waren hüben und drüben, im Süden wie im Norden, spannende Besuchsprogramme gefolgt, in denen Carmens Kinder Nele und Nico die Hauptrolle übernahmen. Es war Liebe auf den ersten Blick. Das Leben meinte es mal wieder gut mit unserem Traumpaar und bescherte ihm inmitten der Wechseljahre späte Vater- und Mutterfreuden. Und was das Schönste war: Eric und Evina durften den Kindersegen „pfannenfertig", ohne Wehen und Windelwechseln, ohne Aufwand und Frust unter ihre Fittiche nehmen.

Insbesondere Nico, dieser patente, quirlige Neuzugang, war ihnen herzlich zugetan, erwies sich als echtes Kind zum Knutschen und begleitete die frisch gebackenen Eltern ab sofort auf allen Reisen. Der Gemütszustand von Eric und Evina besserte sich erheblich, sobald die dreimonatige Sommerpause neunzig aneinandergereihte Ferientage mit Nico unter dem Dach ihrer Schutzburg ermöglichte. Evina lebte auf. Noch nie war sie bei Neuankömmlingen oder in der Öffentlichkeit auf Anhieb akzeptiert worden. Nur Menschen, die sie näher kannten, schätzten sie hoch. Immer hatte sie sich ihre Position im Außen erschaffen müssen. Und so war es verwunderlich, dass dieses elfjährige Geschöpf die neuen Elternteile vom allerersten Moment des Kennenlernens in sein reines Herz aufgenommen hatte. Auch Eric gab sich amüsiert den Vaterfreuden hin, wobei er Nele, wenn sie mit von der Partie war, manchmal etwas bevorzugte. Wonniglich stürzte er sich mit ihr auf Brettern die verschneiten Hänge hinab, während Nico und Evina das Treiben gemütlich aus der Ferne einer Skihütte beobachteten, sich an Kakao und Dampfnudeln labten oder gar eine komplett andere Richtung einschlugen und sich stundenlang in der örtlichen Buchhandlung vergnügten. Jeder kam in diesem Verbund auf seine Kosten. Die Kombination Eric-Nele und Evina-Nico war perfekt. Stolz wie Oskar flanierte der Gentleman Eric allabendlich an der Seite des knackigen Frischlings und geleitete ihn zu Tisch. In gebührendem Abstand schritt die Restfamilie Arm in Arm und hoch erhobenen Hauptes hinterher. Gemeinsam machten sie jedes Abendessen im feudalen Saal mit den hochkarätigen, sterilen Gästen zu einem unverwechselbaren Erlebnis, das seinesgleichen suchte. Nele und ihr jüngerer Bruder entspannten die eher künstlich-vornehme Atmosphäre des altehrwürdigen Grand-Hotels, eine Aufgabe, die früher allein Evina zu bewältigen hatte. Perfektes Familienkino, auf dessen Fortsetzung alle gespannt waren. Für viele, viele Jahre sorgte die Jungmannschaft für umtriebiges, pfiffiges Miteinander. Die Clownerien, die insbesondere Nico, dieses unverfälschte Bürschlein, vorführte, ließen die eigene Kindheit auferstehen. Sie erzeugten zum Teil Lachsalven, die an die Grenze zur Bewusstlosigkeit drangen.

Eines Abends – auf ihrer Insel – klingelte es an der Tür zum elterlichen Bereich. Obwohl der Eingang nie verschlossen war, trat trotz mehrfachen Rufens niemand ein. Im Gleichschritt liefen Eric und Evina durchs Zimmer zum kleinen Vorraum, schauten hinter die Tür, die gleichsam mit ihnen aus den Angeln zu fallen drohte. Ein spektakulärer Augenschmaus riss sie in eine Phase der Heiterkeit. Der smarte, schlanke, längenmäßig überragende Nico hatte seine Schuhe Marke „Elbkahn" vor der Tür platziert und posierte nun kerzengerade darauf kniend wie ein abgebrochener Riese. Mit ernster Unschuldsmiene hockte Nico da, hinter ihm die große Schwester, die vor lauter Gaudi bereits ganz grün war im Gesicht. Ein surreales Bild, das einen Lachflash zur Folge hatte, den Eric und Evina erst unter Kontrolle bekamen, nachdem sie dem Tatort entflohen, der eine im Bad, der andere im Zimmer verschwand. Das Leben mit all seinen Widrigkeiten erschien plötzlich in einem anderen Licht und erzählte unbekümmert seine Geschichten, die von in Szene gesetztem und wortspiellastigem Humor geprägt waren.

Noch am selben Abend setzte Nico sein Talent als Humorist und Entertainer ein weiteres Mal um. Der Hauptgang unter dem sternenklaren Nachthimmel ihres geliebten Eilands war soeben serviert worden. Die Familie genoss sprachlos die nächtens von den kleinen Fischerbooten eingefangenen Meeresfrüchte. Am Tisch war es ruhig. Nur ab und zu raunte jemand ein „Hmmm" oder „Oh" in die Stille, ließ Eric einen köstlichen Schmatzer vernehmen. Gekonnt virtuos drehten die Tischgenossen ihre Tagliatelle um die Gabel, während Evina ihre ganze Aufmerksamkeit ihrer Leibspeise, den kleinen in Olivenöl geschwenkten Schalenkartöffelchen, widmete. Da geschah's! Ihre Gabel verfehlte das Ziel. Schwupps flog die Kartoffelknolle mit erhöhter Geschwindigkeit durch die Luft in fremdes Hoheitsgebiet, drehte noch ein paar Pirouetten, bevor sie im Brotkorb der Gäste am Nachbartisch zum Erliegen kam. Blitzartig, noch ehe Schockwirkungen und Peinlichkeiten auftauchen konnten, hatte

Nico seine Hände zu einem Megaphon geformt und trötete in aller Lautstärke markige Schlagworte über die Tische hinweg: „Meine Damen und Herren, Signore e Signori, die Leichtathletiksaison ist eröffnet. Am Start war Frau Evina, die sich heute erstmalig im Kartoffelweitwurf übte. Eine Premiere. Der erste Versuch – gelungen, geradezu genial, rekordverdächtig. Bravo, Frau Evina, Applaus, Applaus!"

Nico, der Hallodri, hatte die Schrecksekunde in ein stimmiges Unterhaltungsspektakel verwandelt, die kulinarische Genusswelt um einen sportlich-kulturellen Höhepunkt bereichert. Das Restaurant stand Kopf. Selbst die ausländischen Feriengäste, die kein Wort verstanden, spendeten frenetisch Beifall. Der Oberkellner servierte Evina eine Extraportion ihrer heiß geliebten Knolle und Eric wurde mit Zurufen betreffend seines cleveren Söhnchens bombardiert.

Gewohnt gemächlich, unangepasst und locker schritten Eric und Evina durch die Wirren ihrer materiell-energetischen Existenz und absolvierten könnerhaft gleichmütig jedes Kabinettstückchen, das sich ihnen auf ihrem Weg präsentierte. Die kleinen Sahnestückchen aus dem Repertoire, Leben genannt, waren genussvoll auf der Zunge vergangen, da zerrte ein weiterer Zwischenfall an ihrem Nervenkostüm.

Der Herbst hatte soeben mit seinen ersten kühlen Tagen Einzug gehalten. Evina fröstelte. Sie richtete sich komfortabel im Salotto ein, umgab sich mit homöopathischer Literatur und entzündete das Feuer im Kamin. Urgemütlich war's! Der lufthungrige Eric hatte sich auf einen Spaziergang begeben. Ein unaufhörliches Knacken im Gebälk ließ Evina aufhorchen. Sie schreckte hoch, als dicke gelbe Rauchschwaden sich bedrohlich im Raum verteilten und auf ihr Geruchs- und Sehorgan legten. Kopflos riss sie Türen und Fenster auf und bemerkte zu ihrem Entsetzen Spaziergänger, die bereits kräftig husteten und mit dem Finger aufs Dach des Hauses wiesen. Eric, der am Waldrand den Panoramaweg entlangstolzierte, entdeckte eine gewaltige Rauchwolke, wunderte sich, folgte ihr und stand erschüttert vor der eigenen Haustür. Es brodelte und zischte zünftig im Mauerwerk und in seinen Adern. Trotz des Unheils konnte sich Evina eine kräftige Lachsalve nicht verkneifen, als sie ihren Liebsten auf der Straße mit beiden Armen heftig rudern sah, um den alarmierten Feuerwehrzügen den Weg zu weisen. Die enorme Hitzeentwicklung hatte mittlerweile eine Wand im ersten und eine im zweiten Stock zum Bersten gebracht. Zwanzig Feuerwehrleute überwachten das Geschehen im Haus und auf dem Dach, erstaunliche Menschenansammlungen begleiteten das Spektakel außer Haus, frei nach dem Motto: „Dabei sein ist alles. Die Gier zu sehen und gesehen zu werden." Dann war der Spuk vorbei. Die mutigen Männer hatten entschieden, den Glanzruß, die kohleartigen Gebilde, die den Kaminabzug umkränzten, unter ihrer Kontrolle abbrennen zu lassen, um weiteren Schaden zu vermeiden. Mit vollen Tanks dampften die Löschzüge wieder ab.

Völlig überrumpelt, sprachlos und zitternd, durchschritten die Unglücksraben Eric und Evina die verrauchte Wohnoase mit ihren schwarzen Wänden, stiegen über Schutt und Asche und inhalierten exotische Gerüche von faulen Eiern und verschmortem Gummi. Evina blieb die Luft zum Atmen weg und Eric schlotterte am ganzen Körper. Eine Art Todesangst hatte sich in ihnen breitgemacht, der die homöopathisch-dynamisch geschulte Evina mit zwei Globuli Aconitum C200 zu Leibe rückte. Innert weniger Minuten durchflutete eine spürbare Ruhe ihre unversehrten Körper, fielen Angst und Unbehagen von ihnen ab.

Noch am selben Abend entschlossen sich die dem Feuer glimpflich Entkommenen zu einer Totalrenovation. Jetzt war Schluss mit Sparerei und Kleinkrämertum. Eric wurde richtig zur Kasse gebeten, und in den Wochen danach war bei Evina unermüdlicher Einsatz geboten. Bauhandwerker, Maurer, Maler, Kaminfeger,

Feuerpolizei, Gebäudeversicherer gaben sich ein Stelldichein. Dann waren die Relikte der Vorbesitzer und des Feuersturms endgültig verschwunden. Unverhofft war das Traumpaar zu einem neuen Traumhaus gekommen, hatte der Himmel ihm die versäumte traditionelle Einweihung auf seine Art beschert. Das Resultat konnte sich sehen lassen und machte Freude.

Weihnachten rückte heran. Der klaustrophobische Nervenzerrer hatte keine weiteren Spuren bei Eric und Evina hinterlassen. Dankbarkeit und Freude, am stetigen, sich ständig erneuernden Strom des Lebens teilzuhaben, waren nicht aus ihren Herzen gewichen. Das Schicksal hatte sie vor dem Schlimmsten bewahrt und ihnen auf ungewöhnliche Weise ein frisch herausgeputztes Heim beschert, das zu den Jahresendfesten von einem bunt zusammengewürfelten Haufen illustrer Gäste wiederbelebt wurde. Seit Evina in aller Konsequenz den Einladungsbereich für Oberflächenerkunder verbarrikadiert hatte, traten an besonderen „Tagen der offenen Tür" nur noch ihnen nahestehende Bezugspersonen über die Schwelle. Da spielte es keine Rolle, ob jemand über Rang und Namen und materielle Güter verfügte oder gar ein armer Schlucker war. Nein. Einziges Kriterium für die Aufnahme in die intime Atmosphäre war die Verbindung von Herz zu Herz. Egal, unter welcher Flagge jemand geboren, wie prall oder mager sein Geldbeutel gefüllt, ob er klein, dick, groß oder dünn war oder welche Haut- und Haarfarbe er trug, alle wurden von den Gastgebern herzlich willkommen geheißen, alle fühlten sich bei Eric und Evina zuhause. Einmal mit den beiden Vorreitern in Kontakt gekommen, waltete die verschworene Gemeinde in guten wie in schlechten Tagen würde-, freud- und liebevoll ihres Amtes, machte das Leben rund und jedes Beisammensein außergewöhnlich, behaglich, natürlich.

Von Jahr zu Jahr wurden die Essenstöpfe, die Evina auf den Herd stellte, größer und reichhaltiger, verlängerte sich die Tafelrunde um einige Neuzugänge. In allen brannte der tiefe Wunsch, die

Geheimnisse der Wendeltreppe Leben zu erfassen und eine Antwort auf das „Woher kommen wir, wohin gehen wir, wozu sind wir da?“, zu bekommen. Von goldenen Tellerchen essen, auf goldenen Stühlchen sitzen, sich vom leiernden Singsang des Ego anfeuern und unnötiges Wissen eintrichtern lassen, darauf war in dieser Runde niemand erpicht und Eric der Beharrlichste auf diesem Gebiet. Der Wissbegier aus Kindheitstagen stellte auch in fortgeschrittenem Alter unentwegt seine Fragen. Sein Ringen und Streben nach Antworten rüttelte die Gesellschafter immer wieder auf. Seit der innigen Kontaktnahme zum Weisen in den Bergen hatten der Gedankenaustausch und die Gespräche um das Wesentliche, die eine absolute Wahrheit, an Intensität zugenommen. Von der geistigen Entwicklung her fand eine starke Expansion statt, die sicht- und spürbar als Ausdruck von unpersönlicher Liebe auf alle rüberschwappte. Dennoch blieb es nicht aus, dass manchmal ein Hitzkopf Eric zum Kampf aufforderte, den der Angegriffene aber gleichmütig in die Schranken wies, bevor es ausartete. Die lodernde Flamme in Erics Herzen, seine lebendige Verbundenheit mit dem geistigen Urfeuer und nicht zuletzt seine geschliffene Sprache machten jedes Duell, jede Herausforderung zu einem kindlichen Spiel, bei dem es keine Verletzten und keine Verlierer gab. Egal wie groß der Kreis auch war, in der Gruppe Gleichgesinnter ging es regelmäßig hoch her. Je nach Stimmung wurde gelacht, geweint, gesungen. Die teuflischen Gefährten des Ego, Genussübersättigung, Leistungszwänge, Schönheitswettbewerbe, sämtliche Bemühungen blieben draußen vor der Tür, waren am Tisch von Eric und Evina kein Thema. Beide wussten sie, was jeder Mensch durchlebt und erleidet, dass jeder Weggefährte unter seinem Dach ein „Ach“ beherbergte, jenen Untermieter und freien Kostgänger, diesen Seufzer, den man am besten besänftigt, indem man ihm Raum gewährt, ihn *sein* lässt.

Wie wunderbar es doch ist, einfach zu sein, großzügig zu sein und durch Bescheidenheit den unendlichen Reichtum zu erfahren.

Der Satz der Großen Mutter, „Gib viel, dann hast du immer!“, hatte sich bei Evina ins Herz eingepflanzt. Und oft, wenn sie die Teller in ihrer Küche für die ausgehungerten Mitesser füllte, kam ihr die kleine Episode aus Kindheitstagen in den Sinn, die ihre Mama so gerne erzählte.

Während eines Marktbesuchs, Evina war vier Jahre alt, entdeckte das Kind einen Kriegsversehrten, der inmitten des beschaulichen Treibens auf verlorenem Posten saß und Almosen erhoffte. Evina bat die Mutter, ihr ein Geldstück zu geben, worauf die Mama ihr das Portemonnaie reichte, dem sie etwas entnehmen sollte. Und was machte das Kind? Es nahm den Geldbeutel, stülpte ihn um und leerte die Münzen in den Hut des Bettlers. Doch nicht genug! Evina lief zum nächstgelegenen Marktstand, klaute eine Orange, rannte zurück, streichelte dem alten Mann über seine Hand und schenkte ihm mit dem strahlendsten Lächeln im Gesicht die gestohlene Frucht. Die Mutter konnte gar nicht so schnell schauen, wie ihr Kind da unterwegs war, geschweige denn es in seinem Eifer bremsen. Sie nahm ihre Tochter an die Hand, erklärte ihr, dass man sich an den Verkaufsbuden nicht frivol bedienen könne, forderte ihre Kleine auf, sich bei der Marktfrau zu entschuldigen, und bezahlte die Frucht. Das alte Weiblein hinter der Obsttheke, das das Geschehen verfolgt hatte, zeigte sich höchst amüsiert und schenkte Evina noch eine ihrer heiß geliebten Navellinas.

Die damals empfundene Freude ergriff die mittlerweile große Evina jedes Mal aufs Neue, wenn leere Teller ihr entgegenlachten, die sie mit den schmackhaftesten Gemüsen Marke Eigenbau anreicherte. Sogar der in Sachen Ackerbau nicht versierte Eric hatte längst den Unterschied zwischen der dynamisch-kraftvollen Nahrung aus Evinas Landwirtschaft und den energielosen, auf Hochglanz polierten, überdüngten „Todesmitteln“ der Supermärkte ertastet. Die vielfältigen Ernteerträge aus eigenem Anbau entzückten und verleiteten ihn oftmals zu der Bemerkung, dass der zivilisationsgeschädigte Mensch haargenau den formvollendeten, künstlich verschandelten Produkten entspricht: „Außen hui, innen pfui!"

Wie seine Landliebe Evina beackerte auch Eric weiterhin das Feld seiner Arbeit und war beruflich wie privat und in Gesellschaft als Friedensgärtner unterwegs. Eric und Evina, sie waren und blieben eine verschworene Gemeinschaft, waren füreinander da, ließen sich tragen von der reinen Liebe. Wen immer sie auf ihrer Erdenreise antrafen, ob disputierende Professoren, langfädige Lehrer, lumpende Künstler, penetrante Besserwisser oder einfältige Narren, sie alle bekamen etwas davon ab. Unentwegt transportierte der Strom der Gezeiten Charmantes und Skurriles in ihr Lebenshaus, ständig zeigte sich ihr Paradies im Umbruch.

... und dann kam Olga! Nele und Nico waren inzwischen flügge geworden. Sie hatten ihren Wohnsitz vom südlichen Landeszipfel in den Norden verlegt und Einsitz genommen in einem Internat am Schwäbischen Meer. Aber wie das Leben so spielt, gebaren die Schicksalsgöttinnen zwei weitere Kinder und legten sie zeitweilig in die offenen Arme von Eric und Evina. Eine russischstämmige Familie bezog das Nachbarhaus und machte durch musikalische Darbietungen auf sich aufmerksam. An sommerlichen Nachmittagen und in lauen Abendstunden hielt die Konzertpianistin Olga Fenster und Türen weit geöffnet und schickte über die Tastatur ihres Flügels durchdringende, harmonische Töne in den Äther. Im Takt zu den gewaltigen Rhythmen bewegte sich die quicklebendige Jungmannschaft im anliegenden Garten und belebte das eingefrorene Quartier. Die heiße Glut eines traumhaften Sommertages entfachte das schwelende Feuer der Liebe unter den Bewohnern der beiden Nachbarliegenschaften, und die Balz um die attraktive Olga und ihren Anhang begann. Warmherzige Begegnungen, vor allem mit den beiden Kleinsten, Rania und Raissa, ließen den Speicherofen von Eric und Evina nie ausgehen. Immer öfter begaben sich die zwei Küken in die Obhut von Glucke Evina, wenn die abenteuerlustige Olga samt Ehegefährten die Welt umrundete und die zurückgelassenen Kleinen das Kindermädchen überforderten und Zeter und Mordio schreiend den Platz an der Sonne bei Evina erkämpften. Allzu gerne nahm die Henne das fremde Gelege auf und bewährte sich prächtig als Hüterin der Jüngsten.

Wie Nico verblüffte die für ein Kind ihres Alters ungewöhnliche dreijährige Rania durch kabarettistische Einlagen und Verhaltensweisen. Bei Tisch harrte sie still und unbewegt aus, schaute schweigend und gebannt, wenn Evina das Essen schöpfte, wartete geduldig, bis auch die Köchin Platz genommen hatte. Mit leuchtenden Augen schielte sie alsdann zu Eric hinüber und fragte jedes Mal aufs Neue unverdrossen in gebrochenem Deutsch: „Äric, machen wir wieder Lieber Gott?" Dabei hielt sie ihre beiden Händchen fest aneinandergepresst, den Kopf gesenkt auf die betende Position gerichtet und wartete. Wartete so lange, bis der letzte Lacher der hungrigen Mäuler verstummt und Eric mit seinem obligaten Tischgebet startklar war. Ab jetzt war es totenstill in der Essecke, niemand wagte zu sprechen. Gekonnt jonglierte Rania mit Messer und Gabel. Kein einziges Tönchen entwich ihrem Mund, den sie mit achtsamer Ehrfurcht füllte, das Essen langsam, konzentriert und genießerisch kaute, bis der letzte Rest vertilgt war. Sie entnahm dem Körbchen ein Stück Brot, putzte damit ihren Teller blank, betupfte ihre Lippen mit der Serviette, legte das Besteck sorgfältig nebeneinander ab und verkündete: „Danke, Ävina, ich komme wieder!"

Ob im Restaurant, zu Hause oder als Gast von Eric und Evina, die Essenskultur dieses engelhaften Wesens war ebenso bemerkenswert wie seine Aufmerksamkeit für das, was um es herum geschah. Rania und ihre Geschwister, gleichwohl Nico und Nele straften den Satz von Wolfgang Borchert zur heutigen Generation, „sie hat keine Tiefe mehr, ihre Tiefe ist der Abgrund", eindeutig Lügen.

Das Jahrtausend wendete sich, stülpte sich ein zweites Gewand über und kaum hatte es die Jahreszeiten dreimal umrundet, brachen die süßen Wegbegleiter auf zu neuen Ufern. Das Gastspiel fand ein Ende. Die sinnesfreudigen musikalischen Auftritte verlagerten sich an den Ausgangsort zurück, wohin die Familie ins weiße Land der Seele heimkehrte. Freud und Leid, Willkommen und Adieu – wie nahe liegen sie beieinander. Nichts auf dem Planeten der Formen währt ewig. Immer wieder heißt es Abschied nehmen. Abschied von Menschen, von alten Denkmustern und Gewohnheiten, von überflüssigem Ballast. Der Sommer hauchte noch einmal kräftig seinen warmen Atem aus, Nico und Nele befanden sich auf einem Schüleraustausch in Übersee, Rania und Raissa versuchten einen Neuanfang in ihnen nicht vertrauter Umgebung, da lud die Schönste der drei Schönen Eric und Evina zu einer Hochzeit ein.

Zwei strapaziöse, wilde, ausgelassene Tage hatten die Brautleute hochleben und hunderte Zeugen in einem Freudentaumel schwelgen lassen. Dann war das Fest der Feste, die „Hohe Zeit", vorüber. Erschöpft, aber glücklich tauchten Eric und seine Liebste ab und lebten sich auf dem meerumspülten Fleckchen aus Felsgestein und dürren Pinienhainen bestens aus. In ihrem Gepäck hatte sich dieses Mal nebst dem kostbaren Hochzeitsgeschenk ein weiteres Juwel befunden, das den Leseratten Eric und Evina vor der Abreise ins Auge gesprungen war und das sie nun komplett gefangen nahm. Seit sie die Schatztruhe geöffnet und die ersten Seiten eingesogen hatten, hatten die Schwimmzüge im Meer, jegliche Form von Unterhaltung im Außen, ja selbst die Streifzüge durch unberührte Natur an Attraktivität eingebüßt. Wie damals Evinas knalliges Outfit beim Vorstellungsgespräch von Anwalt & Co., löste das orangefarbene Buch mit dem anfeuernden Titel „Jetzt!" einen Knalleffekt aus. Wie damals berührten sich die Seelen, blieben die durch Eckhart Tolle komponierten Erklärungspartikel, die den Kern der Wahrheit entblätterten und ans Licht brachten, nicht im Außen hängen. Jahrelang waren der

Bücherwurm Eric und seine Gefährtin unterwegs gewesen, das Buch der Bücher zu finden. Endlose Bände von Schriftmaterial füllten die Regale, erfüllten aber nicht ihre Herzen. Und oft geschah, dass Eric und Evina von der Außenwelt prämierte und von Verlegern gepriesene Werke kurzerhand weglegten und in einer Ecke vergilben ließen, wenn nicht gar direttissima ins Papierrecycling verbannten, sich enttäuscht von deren banalen, langweiligen Ausführungen abwandten. „Jetzt" aber hatte die Wahrheit den Markt erobert, war ihnen die Klarheit ohne Umschweife in den Schoß gefallen – welch eine Wonne.

Wonniglich war auch die Lektion, die sie unmittelbar in die Knie zwang, ein weiteres Lehrstück zu erproben und die soeben erwirkten Erkenntnisse in der Realität anzuwenden. Die Alarmzentrale ihres heimatlichen Domizils weckte sie früh aus dem Land der Träume und holte sie mit der Durchsage eines Einbruchs in die „13" schlagartig aus den Federn. Schlaftrunken hatte Evina die Nachricht entgegengenommen, noch gar nicht recht einsortiert, was genau geschehen war, da klingelte erneut das Telefon. René, der Hauswart, der während ihrer Ferienabwesenheit jeweils nach dem Rechten schaute, klärte Evina über das ganze Ausmaß des Diebstahls und der Sachbeschädigung auf. Evinas Lachkrampf irritierte den Überbringer der Hiobsbotschaft, und Eric, der die Reaktion seines Eheweibes nicht nachvollziehen konnte, zeigte sich einen kurzen Moment richtig aufbrausend. Er verkrampfte sich dermaßen in die Situation, dass er vorschlug abzureisen. Doch Evina winkte ab. „Eric, hallo, aufwachen!", schmetterte sie in die von Emotionen verseuchte Morgenluft. „Was, Liebster, willst du mit der Flucht an den Tatort bewirken? Willst du dich persönlich auf Tätersuche begeben?" Erics Seelenruhe schwand dahin. Zeit für ein ausgiebiges Frühstück. Dame und Bube ließen sich „la colazione" auf der Terrasse servieren, wo die aufgehende Sonne am Horizont gemeinschaftlich mit den Wohlgerüchen von Kaffee und knusperfrischen Croissants den Gleichmut des Buben erweckte. Die Luft war wieder rein und klar. Bruno und

Emma, die beiden Riesenmöwen, kreisten erwartungsfroh über ihren Häuptern, wo die zerzausten Gedanken augenblicklich stillstanden. Der Tatort war weit entrückt. Evina erhob ihr zartestes Stimmchen. Klar und deutlich gab sie ihrem Herzallerliebsten zu verstehen, dass eigentlich nichts geschehen war. Sie waren um ein paar Wohlstandsrequisiten ärmer geworden, hatten die silbernen Erbstücke der Großen Mutter nicht mehr in ihrem Besitz, aber was heißt das schon? Eines schönen Tages würden sie so oder so alles zurücklassen müssen! Vielleicht hatte es das Leben gerade besonders gut mit ihnen gemeint, indem es sie lehrte, Verlangen aufzugeben, Abstand zu den unwichtigen weltlichen Dingen zu bekommen und Losgelöstheit, Loslassen einzuüben. Wieder einmal war ihnen gezeigt worden, dass der Eigenwille letztendlich keinerlei Macht besitzt, dass die einzige Macht in anderen Händen liegt. Alle Sicherheitsvorkehrungen in der Welt der Formen können Ungewissheit und Unheil nicht verhüten, das Gespenst Angst, die Angst zu leben und die Angst zu sterben, kann durch präventive Maßnahmen nicht vertrieben werden. Auch die nächtlichen Eindringlinge werden ein Liedchen davon singen können und irgendwann erfahren, dass Gold und Silber, sämtlicher auf ihren Raubzügen erhaschter Glimmer und Glitzer, sie von der Ur-Angst des Ego nie und nimmer werden befreien können. „Tu, was du tun musst – und dann lasse den Dingen ihren Lauf!“ Der altbewährte Satz der Großen Mutter aus Evinas Kindheitstagen stand plötzlich wieder im Raum und beendete den Abgesang auf die Materie.

Entspannt entnahm Eric das Lesezeichen seiner Lektüre und setzte frohgemut, fast heiter, seine Reise durch das „Jetzt“ fort. Evina tat es ihm gleich. Beide waren sie sich einig, schwelgten weiter genießerisch in den weltlichen Freuden, ohne sich vor Verlust zu ängstigen. Sie waren dem Himmel auf Erden ein Stückchen näher gekommen. Näher rückte auch der Tag des Abschiednehmens. Zurufe von Segenswünschen und winkende Hände eskortierten die zwei leuchtenden Sterne auf ihrem langen Fußweg bis zum Hafen, wo das Tragflügelboot sie an Deck nahm und ein letztes Mal freie Sicht aufs Meer und einen sehnsuchtsvollen Seufzer auf das Bildnis der Schönsten der drei Schönen gewährte.

Auf der Schiene erreichten sie die Ewige Stadt, die sie lärmend und lautstark pulsierend willkommen hieß. Ein Rendezvous mit Freunden, eine kurze Nachtruhe auf fremdem Lager und die Weiterreise im eigenen Transporter begann. Evina hielt das Steuer der Rennkarosse fest in ihren Händen, während Eric auf dem Beifahrersitz gwundrig in die vorbeirauschende Landschaft hinausblickte. Fasziniert ob all der stimmungsvollen Bilder im Außen nuckelte er an seiner Tabakpfeife und ließ sich hinreißen von der Natur und vom Himmel über ihm und um ihn herum. Evina lächelte still vor sich hin. Erics unschuldige Seele versetzte sie auf allen Fahrten durch die Gezeiten des Lebens in Entzückung. Unverdorben, wie ein Neugeborenes im Babykörbchen, schaute er gedankenfrei in die Welt und verströmte das ihm innewohnende Leuchten.

Am Nachmittag passierten sie die Grenze. Eric weidete sich an der Bilderbuchkulisse der sich vor ihnen auftürmenden Felsgiganten, die sein Hungergefühl zu aktivieren verstanden. Unaufgefordert drückte Evina aufs Gaspedal. Wenn der Magen des Fahrgastes neben ihr knurrte, gab es kein Halten mehr. Dann war es geschafft. Der Heilige Bernardino lud sie zum Essen ein. Sie labten sich am Trog des heimeligen Bergrestaurants abseits der Schnellstraße und sprudelten wie der Wasserfall unter ihnen vor Freude, als der Tessinerteller, der leichte Landwein und das frische Quellwasser ihre Sinne belebten. Gestärkt an Leib und Seele bestiegen sie ihr Gefährt und gondelten gemütlich vorwärts. In zwei Stunden würden sie sicher in den Heimathafen einlaufen. Voller Elan bahnte sich das Auto seinen Weg talwärts. Das Transportmittel und sein Steuermann waren eins. Eric lobte sein rasantes Wägelchen, das von Evina souverän über die Serpentinen geführt wurde, da ... ja, was war denn das? Urplötzlich war der Gang aus der Schaltung gesprungen, ließ sich nicht mehr in Stellung bringen, und das Gaspedal zeigte keinerlei Reaktion auf Evinas Fußtritt. Evina schrie auf. Sie befanden sich gerade in der Mitte eines Tunnels. Das Autorennen schien abrupt beendet. Evina ließ den Wagen auslaufen, setzte sofort die Warnblinkanlage in Bewegung und fuhr ganz nahe an die Bordsteinkante heran. Kopfschüttelnd wälzte sich Eric aus dem Fahrzeug und betrachtete fassungslos vom Randstreifen sein heiß geliebtes Vehikel, das sich aus unerfindlichen Gründen weigerte, Fahrt aufzunehmen. Evina indessen beobachtete in Rück- und Seitenspiegel den Verkehr und gesellte sich im gefahrlosen Moment zu Eric. Just als sie sich anschickte, die Notrufsäule aufzusuchen, überholte ein schwarzer Lieferwagen mit der goldenen Aufschrift „Die spirituelle Werkstatt“ das Unglücksauto, hielt, setzte ein wenig zurück und kam direkt davor zum Stehen. Gebannt schaute das Traumpaar auf den Traummann, der nun auf sie zukam, sich informierte, was geschehen war, seiner „spirituellen Werkstatt“ ein dickes Seil entnahm und sie kurzerhand aus dem Inferno herauszog. Eric und Evina atmeten auf. Schlimmer als beim ärgsten Ehekrach hatten sie sich im lärmig dröhnenden Tunnel anbrüllen müssen, um sich zu verständigen. Nun war die Luft im wahrsten Sinne des Wortes wieder rein. Der Lotse hatte sie auf ein sicheres Parkfeld geführt, wo er den Geretteten nun die unfassbare Geschichte seiner „spirituellen Werkstatt“ eindrücklich glaubhaft zu machen wusste. Der vom Himmel gefallene Bote entlarvte sich als ehemaliger Pfarrer, der vor einigen Jahren seine Liebe auf benachteiligte junge Menschen und defekte Automobile ausgeweitet und eine Reparaturwerkstätte ins Leben gerufen hatte, wo er Gestrandeten Gelegenheit bot, sich über die Arbeit in der Gemeinschaft ähnlich Leidender zu finden. Ausgerechnet heute hatte er sein Refugium früher verlassen, um an einer auswärtigen Sitzung teilzunehmen. Eric und Evina waren platt. Diese Begebenheit war filmreif und eine weitere Bestätigung für die Macht des Schicksals, die Kräfte des Ursprungs.

Die herbeigefunkten Straßensanitäter diagnostizierten einen Getriebeschaden und schleppten das ramponierte Blech gen Norden in die Fachklinik. Eric und Evina mitsamt ihrem Gepäck installierten sich in einem Taxi und verließen schmunzelnd die Unglückszone. Mit einem übergebührlichen Rettungsgroschen und herzhaften Dankeshymnen in der Tasche verabschiedete sich auch der spirituelle Gesandte, der später immer mal wieder bei seinen Notopfern vorbeischaute.

Unversehrt erreichten die Urlauber ihr Domizil und erstaunten sich ob der gähnenden Leere ihres Wohnraums. Der alte Glanz war dahin, der Anblick gewöhnungsbedürftig. Die in Mitleidenschaft gezogenen Fenster wurden repariert, das Durcheinander des nächtlichen Raubzugs beseitigt, ein paar fehlende Leuchter und Schalen durch „Bauernsilber" ersetzt – und sogleich zeigten die Aufenthalts- und Essräume wieder vertraute Gesichter. Die Reise mit all ihren Hindernissen geriet alsbald in Vergessenheit. Lebendig blieben jedoch das Buch der Bücher und die Einsicht in die Begrenztheit der menschlichen Macht. Und so nahmen es Eric und Evina auch gelassen hin, als Gustavo wenig später seinen Austritt aus der Kanzlei verkündete, um in die Selbstständigkeit zu gehen. „Reisende soll man nicht aufhalten!", sagt der Volksmund. Also: keine Gegenwehr! Die bittere Nachricht sorgte zunächst für Unverständnis. Traurigkeit legte sich vorübergehend auf die Gemüter. Ein solch gravierender Schritt nach so langer Zeit? Der Verstand konnte keine schlüssige Antwort geben. Aber von einer höheren Warte aus gesehen würde auch dieses Adieu seine Richtigkeit haben.

Mit großem Bedauern verabschiedete sich das treue Zugpferd Gustavo von Anwalt & Co., und mit großem Bedauern gab auch Eric einen Austritt bekannt. Der seit Studienzeiten mit der Institution Kirche hadernde Freidenker löste abrupt die Bande zur römisch-katholischen Gruppe und schenkte deren Oberhäuptern in einem blauen Brief reinen Wein ein. „Die Willkürherrschaft des ehemaligen Hitlerjungen, nunmehr im feinen weißen Gewand des ‚Stellvertreters', bedroht und beleidigt meine körperliche und geistige Integrität. Ich bin der Überzeugung, dass der von einer treulosen und hinterhältigen Clique hofierte ‚Gebenedeite' im Vatikan die Kirche ins Verderben führen werde. Mir fehlt die Macht, Einhalt zu gebieten; mir bleiben Protest und Emigration!", so lautete der Text im Schreiben an das Pfarramt, das in der Folge einen Steuerzahler weniger zu verzeichnen hatte. Und wie immer, wenn Solidarität gefragt war, reagierte die andere Hälfte entsprechend. Auch Evina kündigte die Mitgliedschaft auf, allerdings bei der protestantischen Gegenseite. Als Heidin, weil immer noch ungetauft, figurierte sie seit Jahren sowieso nur als zahlendes Glied einer Vereinsliste, war sie bis heute eine Scheinbeziehung auf dem Papier eingegangen, die jetzt sachgerecht aufgelöst wurde. Klar, sie konnten den Gang der Dinge nicht aufhalten, aber sie konnten den von gieriger Menschenhand angelegten Irrgarten mit seinen rituell verschnörkelten Einbahnstraßen, die allesamt in eine Sackgasse führten, verlassen und sich vertrauensvoll der wahren Macht der unpersönlichen Liebe zuwenden. Sie wussten längst, dass es auf Erden keinen einzigen Ort gab, an den man gehen könnte, um seine wahre Natur zu erfahren. Religion, die Rückbindung an den jedem Menschen innewohnenden göttlichen Kern, ist eine ganz intime Liebesbeziehung mit sich selbst, die nur in der Stille, in der Freiheit von Gedanken, im eigenen Innenraum erkannt und gelebt werden kann. In diesem Sinne hatten Eric und Evina in ihrem letztjährigen Weihnachtsrundbrief mit den Worten von Angelus Silesius an diesen heilenden göttlichen Kern erinnert: „Und wäre Christus tausendmal in Bethlehem geboren – und nicht in dir –, du wärest tausendfach verloren!"

Kapitel XI

Schicksalswende

Im Wissen, in guten Händen zu sein, in den Händen des All-Einen, der Urkraft, die alles beseelt, passierten Eric und Evina unverdrossen die Stationen, an die der Götterbote Leben sie vorbeiführte. Immer mehr gelang es ihnen, sich des Begleitservice des Hier und Jetzt zu bedienen.

Die Welt draußen vor der Tür zeigte sich wie üblich von einer getrieben-unruhigen Seite. Atemlos rannten die Menschen zwischen ihren gedanklich aufgestellten Hürden hin und her, klebten unbewusst auf der Oberfläche ihres Da-Seins und waren deshalb gestresst und gehetzt. Es war wieder Herbst geworden. Regen und Wind fegten die Blätter von den Bäumen. Die Natur wappnete sich für ihren Winterschlaf. Das Laub ließ sich fallen in der Erde Schoß, welkte dahin, unterwarf sich gebührlich-natürlich einer Wandlung, um im Frühling neu aufzuerstehen. Unbemerkt wird jedes Blatt anonym, unsichtbar gemacht in seiner individuellen Form, und ist doch nicht verschwunden, ausgelöscht, nur eins geworden mit dem Ganzen. Großartig zu sehen, dass nichts verloren geht. Vom kleinsten, unscheinbar mitwirkenden Element bis hin zur größten menschlichen Individualität in der Welt der Materie hat auf Dauer nichts Bestand. Alle Gaukler und Artisten, die ihre gedanklich ausgeklügelten Kunststücke im Erdenzirkus vorführen, alle Hochseilakrobaten, die tollkühn in der Manege stehen, sich disziplinieren und Drangsal und Mühe auf sich nehmen – sie alle sind nur Sklaven ihrer trügerischen Hoffnungen, der Illusionen, die sie in Leid und Leiden gefangen halten. Sie glauben an eine Welt, in der sie sich beweisen müssen. Sie definieren sich über Name, Titel, Status, als Vater, Mutter, Führer, Freund oder Freundin eines anderen Menschen und sind doch immer dasselbe: eine unsterbliche Seele, ein unsterblicher Funke der All-Einen Energie. Sie sind ein Nichts und doch sind sie gleichzeitig alles. Ihre falsche Wahrnehmung der universellen Gesetzmäßigkeiten verhindert die Erkenntnis, dass die Wurzel allen Übels, aller Sorgen und Probleme einzig in der Abkehr von der Quelle zu finden ist, im Vergessen um die Einheit, die Verbundenheit *aller* Schöpfungen. Die wunderbare Freiheit, die der Mensch besingt und anzustreben versucht, wird von seiner Angst, der Angst zu leben und der Angst zu sterben, verhindert.

Seit das Ego die Macht übernahm, grassiert die Angst wie ein Nachtgespenst mit seinen unzähligen Erscheinungs- und Ausdrucksformen auf dem Planeten Erde. Nichts anderes in der dualen Welt zeigt sich so facettenreich, so Furcht einflößend und bedrohlich, hinterlässt so unheilvolle Spuren wie dieses kleine Wörtchen „Angst"! Alle Arten von Krankheit, Ruhm, Ehre und Machtgelüste, Kriegsgeschrei, sportliche Kämpfe, sämtliche Wettbewerbskampagnen, Sektierertum, Religionswahn, Organisation in Gruppen und Vereinen, Habgier, Sexorgien, selbst kleinste Meinungsverschiedenheiten, alles Haben- und Seinwollen sind unbewusste Äußerungen der Angst. Ja, Angst – aber wovor? Es ist die Angst vor dem, wonach der Mensch zeitlebens im Außen sucht: „Liebe"! Jede Form von Angst ist letztendlich immer ein Ausdruck der Angst, aufzuwachen aus dem Traum der Illusionen, der Angst vor der Wirklichkeit, vor dem Licht, der Angst vor der Liebe, die jeder von uns ist, war und immer sein wird.

Von genau dieser Angst wurde auch Eric noch einmal gepackt, als er in trüben Herbsttagen die Vorladung zu einem Gerichtstermin im südlichen Ausland in Händen hielt. Mehr als zehn Jahre waren vergangen, seit er das letzte Mal persönlich vor Ort war, um seine Unschuld in dieser leidigen Angelegenheit zu beweisen. Alle Warnungen hatte er damals in den Wind geschlagen, die Befürchtungen seiner Berater nicht gehört und war reinen Herzens, Gott vertrauend, mit gutem Gewissen und einer Prise Humor freiwillig in den Ring gestiegen, um der Hetzjagd auf ihn endgültig zu entkommen. Mutig waren Eric und Evina durch schwere Zeiten gestapft. Die öffentliche Zurschaustellung durch die Medien kostete den unbescholtenen Advokaten seine Ämter in diversen Gremien und Verwaltungssitze in zahlreichen Unternehmen. Über lange, harte Wochen hatte die Presse in einem für sie packenden, lukrativen Fall Eric zum Sündenbock gemacht und als Verräter unehrenhaft abgestempelt. In diesem Lebensstadium kristallisierte sich heraus, wer wahrhaftig Freund war. Der empathische Eric lernte viele seiner Mitmenschen von ihrer wahren Seite kennen und bestätigte täglich aufs Neue, was Evina schon lange wusste: „Es kennzeichnet unsere Gesellschaft, dass sich jeder berufen fühlt, zu werten, zu urteilen, zu verurteilen und vorzuverurteilen, dass diese zivilisierten Gesellschafter sich genussvoll-gierig am Leid des Anderen laben und ergötzen!"

Eigenartig, wie die Menschen unserer Tage unterwegs sind. Der Einsatz einer Waffe, eines Mordinstruments in der Hand eines Einzelnen wird gestraft, gesühnt. Das Opfer wird betrauert, der Verletzte therapiert, der Täter balbiert. Das Tötungswerkzeug in der Tasche eines vom Staat beauftragten Soldaten hingegen darf ungeniert, zielgerade auf den Bruder gerichtet werden. Im Gegenteil wird der Waffennutzer noch ordentlich dekoriert. Und was ist mit den zahllosen Verwundeten, die durch verbal geformte Munition auf Lebenszeit abgerichtet werden? Von ihnen spricht niemand. Rücksichtslos überflutet der vom Ego aufgebauschte Wahnsinn die Erde und verhindert die Einsicht:

„Was zum Munde eingeht, das verunreinigt den Menschen nicht; sondern was zum Munde ausgeht, das verunreinigt den Menschen."

Matthäus 15, Vers 17

Auch die harmoniesüchtige Waage Eric hatte sich seinerzeit von schmalzigen, selbstgefälligen Gesängen aus dem Mund eines Bruders und vom falschen Glanz der Materie verführen lassen. Evina erinnerte sich noch gut an die Szenerien, wie alles begann. Als Sekretärin der Kanzlei hatte sie einen schwarz behüteten Monsignore in Empfang genommen, der gekommen war, den Advokaten Eric mit einem Mandat zu betrauen. Eric war damals völlig aus seiner Fassung geraten. Ein Gesandter aus dem Vatikan in seiner Kanzlei! Verunsichert von so viel Ehre und verblendet von trügerischen Vorstellungen, wie sie täglich millionenfach auf diesem Planeten um sich greifen, hatte sich Eric kurz entschuldigt und den „Abgott" für einen Moment sich selbst überlassen. Er war zunächst zu Gustavo, dann zu Evina geeilt, hatte sich vibrierend vor ihrem Schreibtisch aufgebaut und um Rat gefragt. Sollte er den Auftrag annehmen? Evina als Wassermann mit Widder-Aszendent, die sich nie vor irgendeinen x-beliebigen Karren spannen ließ, setzte sogleich ihr Bauchgefühl in eine abweisende Drohgebärde um. Auf keinen Fall, so hatte sie Herrn Doktor angefleht, sollte er sich mit den scheinheiligen Gefährten der selbstsüchtigen Garde von Heilsverkündern einlassen. „Stellen Sie den großkrempigen Hut dankend vor die Tür!", waren Evinas letzte Worte, die ungehört in den gerechten Räumen verhallten. Für einen kurzen Augenblick hatte Eric die wirkliche Welt aus seinem Blickwinkel verloren und sich dem verlockenden Angebot des Ego gebeugt. Ein kleiner Entscheid, im Nullkommanichts gefällt, eine so gewaltige, folgenschwere Wirkung.

Über fünfzehn Jahre waren seit diesem denkwürdigen Tag vergangen. In diesen letzten Herbsttagen nun holte das Schicksal Eric mit der Vorladung zu einer erneuten Einvernahme wieder ein. Der vorausschauende gütige Himmel über ihm hatte jedoch ein weiteres Mal vorgesorgt und Jana zu einem Besuch ins Heim von Eric und Evina eingeladen. Die gute Fee war erst wenige Wochen zu Gast, da überschlugen sich die Ereignisse.

Ein gemütliches, fröhliches Beisammensein mit Freunden aus der engsten Truppe am Samstag, ein ausgiebiger sonntäglicher Spaziergang durch Feld, Wald und Wiese und ein zünftiges Essen im nahegelegenen Waldgasthof lagen hinter ihnen. Der Engel mit der Montagsposaune blies zur Mobilmachung für die neue Arbeitswoche, da geschah's! Ein herzzerreißender Schrei aus dem Bad dröhnte durchs Haus hinunter in die Küche, wo Evina den Tisch fürs Frühstück eindeckte. Noch in der Schrecksekunde befand sie sich auf der Treppe, nahm je zwei Stufen auf einmal und rannte, so schnell sie konnte, zu Eric, der zusammengekrümmt vor Schmerz über dem Waschbecken hing. Die Kapsel aus der vom Arzt verordneten Medizin war rasch gefunden und verschaffte Erleichterung. Eric und Evina atmeten auf. Vor zehn Tagen, wenige Stunden nach Sichten der richterlichen Anordnung, hatte Eric einen ähnlichen Anfall erlitten, der ihn zum ersten Mal in seinem soeben vollendeten vierundsechzigsten Lebensjahr veranlasste, ein Krankenhaus aufzusuchen. Bis dahin hatte Eric wie sein Eheweib Evina bei jedwelchen körperlichen Beschwerden und seelischen Verstimmungen auf die heilende Kraft der Homöopathie – die Kraft der Natur – vertraut und war in all den Jahren gut damit gefahren. Nun aber hatte das Geschäft mit der Angst ihn übermannt und überwältigt. Die Spezialklinik für verwundete Herzen öffnete weit ihre Pforten, verschlang Eric und bettete ihn auf den Operationstisch, den er wenig später, ausgerüstet mit zwei Stents, gegen ein Krankenlager austauschte. Den Tränen nahe versuchte Eric tapfer, sich mit dieser Ausnahmesituation anzufreunden, was ihm erst gelang, nachdem er, angekettet an einen Tropf, im Fumoir, in der Rauchkabine, seine Friedenspfeife anzünden durfte. Jana und Evina begleiteten Eric auf Schritt und Tritt. Andächtig hörten sie dem Patienten zu, der sich dankbar über die Rettungsaktion äußerte, aber Anstoß nahm an der trost- und seelenlosen Therapie. Kein Arzt hatte sich nach dem Auslöser des Anfalls erkundigt, keiner der weißgewandeten Heilkundigen sich für seinen emotionalen Notstand interessiert, in den ihn die Angst nach Enthüllung des Gerichtstermins gestürzt hatte. Daran hätte auch der in Aussicht gestellte vierwöchige Kuraufenthalt in einem Rehabilitationszentrum nichts geändert, den Eric dankend ablehnte. Nach nur zwei Nächten in kaltabweisender, blankgetünchter Umgebung erbat er seine Entlassung und eilte schnurstracks an seinen geliebten, ihm vertrauten Arbeitsplatz.

Es dauerte nicht lange, da nahm Eric die sich in seinem Körper abzeichnende „Jahreszeit des Herbstes" wieder gelassener hin. Jana, diese Mischung aus Standfestigkeit und Zuversicht, die das Wunderwerk Mensch so rein symbolisierte, erwies sich dabei als echtes Sprungbrett. Durch ihr stilles, bescheidenes Auftreten wandelte sie als Miniaturausgabe von Evinas Mutter durch aufmerksame Präsenz Hilflosigkeit in Geborgenheit um. Als ruhender Pol, ohne Wertung, ohne Verurteilung, entpuppte sie sich als kraftvolles Heilmittel für den verunsicherten Eric und die verstörte Evina. Der boshafte Eigenwille zu herrschen und zu beherrschen, diese untrüglichen Charakterzeichen des Ego, waren bei Jana fehl am Platz. Aus kindlicher Unschuld heraus, ohne sich dessen wirklich bewusst zu sein, vermittelte Jana klar und eindeutig, dass Liebe stärker ist als Angst. Und so hinterließ sie bei ihrer Abreise eine ruhig-ausgewogene See und eine sanfte Brise.

Seite an Seite, sich selbst treu bleibend, machten sich Eric und Evina gemeinsam auf den Weg, weitere Erfahrungen zu sammeln und über die Liebe in ein größeres Einssein hineinzuwachsen. Dann lag der nächste Prüfstein vor ihnen. Der Gerichtstermin rückte näher und näher. Auf Wunsch von Eric hatte Evina inzwischen zwei männliche Gefährten mobilisiert, die sie auf den Weg nach Canossa begleiten sollten. Flor, ein stattlicher Jungunternehmer, fuhr gegen Ende Januar mit seinem Allrad-Kombi vor die „13", lud die kostbare Fracht ein, um sie an den Bestimmungsort zu transportieren. Im Fond, zur Linken von Evina, verströmte Jako, langjähriger und engster Vertrauter der Verwandtschaft, sein sonniges Gemüt und nahm der riskanten Expedition jegliche traumatischen Vorstellungen. Nebst Meister Gregorius und Carmen & Co. zählte Jako zu den treusten Begleitern von Eric und Evina und hatte sich über all die Jahre in allen Lebenslagen als kaiserliche Galionsfigur im Kreise seiner

Liebsten bewährt. Er war der Morgenstern am Firmament, der seine Strahlkraft unentwegt auf sein Umfeld senkte. Ähnlich Nico und Nele umrahmten Jako und Flor das gereifte Traumpaar wie „Kinder", die einzig zur Freude der „Eltern" in Beziehung zu ihnen getreten waren.

Der Winter hatte den nördlichen Teil der Alpen fest eingefroren und die vorbeiziehende Landschaft mit einem dicken, schneeweißen Tuch abgedeckt. Nur an den der Sonne zugewandten Hangseiten der Berge unterbrachen dunkle Flecken die winterweiße Monotonie, die das weite Land der Seele melancholisch berührte. Eine sorgsam wahrnehmbare, fast feierliche Stille legte sich auf die Mitfahrer, ein sanftes Gefühl des Friedens, das durch die feintönigen Motorengeräusche des preschenden Wagens paradoxerweise noch stärker hervorzutreten wusste. Die Korona durchfuhr den längsten Straßentunnel der Welt, an dessen Ausgang sie ein strahlend blauer Himmel und milde Sonnenstrahlen begrüßten. In der kältesten Jahreszeit wehte hier bereits ein laues Lüftchen, das sich an ihrem Zielort noch nachhaltiger verbreitete und die Gangart der Menschen leichtfüßiger, beschwingter erscheinen ließ.

Während Eric in den Räumen seiner Verteidigungsequipe zu einer Vorbesprechung Einsitz nahm, paradierte Evina unter der Schirmherrschaft der feschen Jünglinge vorbei an von südlichem Flair geprägten Modewelten und mit schnatternden Gänsen und Gantern überfüllten Straßencafés. Ein deliziöses Abendessen führte die vier Geschworenen wieder zusammen und verfeinerte die erdrückenden Gespräche um den morgigen Tag und den von Eric vorzuführenden Hochseilakt. Zu vorgerückter Stunde erwartete sie das bequeme Stadthotel, wo die Nacht ihren dunklen Schleier über die vier müden Häupter ausbreitete.

Die benachbarte Turmuhr hatte gerade die Geisterstunde angekündigt, da war Evina schon wieder wach. Erneute Versuche, sich in den Schlaf zu wiegen, scheiterten. Sie stand auf, tastete sich zur offenen Balkontür vor und schaute aus schwindelnder Höhe auf das nächtliche Treiben, das in diesen Breitengraden nie zum Stillstand kam. Ein auf Eric gerichteter intensiver Blick legte die Vermutung nahe, dass er tief und fest im Niemandsland verweilte. Evina schlich zu ihrem Handköfferchen, kramte vorsichtig darin herum, entnahm ihm den kleinen roten Beutel, der stets prall mit Zigaretten, Feuerzeug und Taschenaschenbecher gefüllt war, und verschwand im Bad. In Ermangelung einer passenden Sitzgelegenheit hockte sie auf den Klodeckel und rauchte mit Hochgenuss ein erstes Zigarettchen. Nur das winzige Lämpchen hinter dem in einer Ecke angebrachten Vergrößerungsspiegel spendete ein wenig Licht. Nebulöse Schatten legten sich auf die meditative Stille, in die Evina abrutschte. Sie konnte sich des Eindrucks nicht erwehren, dass die Energie der Großen Mutter hier und jetzt zugegen war und ihr etwas mitteilen wollte. Evina wurde unruhig. Gebannt hörte sie in sich hinein. Es war, als ob eine vertraute Stimme sie aufforderte umzukehren ... Eine erneute Tuchfühlung mit der Zigarettenschachtel war ein Griff ins Leere. Evina erschrak. Das Bad schien einen prima funktionierenden Abzug aufzuweisen; von Rauchimmissionen keine Spur. Wie lange wohl mochte sie auf dem „Thron“ verweilt haben? Sie reckte und streckte sich, bis die eingerosteten Gliedmaßen körpergerecht funktionierten, und begann heftig zu gähnen. Sie näherte sich dem gedämpften Lichtstrahl hinter der Schminklupe, hielt ihre Armbanduhr in den blassen Schein und konnte nicht fassen, welch vorgerückte Stunde die Zeiger avisierten. Behutsam öffnete sie die Tür und bewegte sich in aller Langsamkeit mit tastenden ausgestreckten Händen zu einem Sesselchen am Fenster, das sie einlud, Platz zu nehmen. Entspannt saß sie da, hielt ihre Augen geschlossen und bemerkte erst jetzt, wie müde sie war. Dann regte sich etwas. Das Zimmer erstrahlte plötzlich in hellem Licht. Aus blütenweißen Kissen tauchten fragend Erics blaue Augen auf. Schlaftrunken musterte er sein Gegenüber und ahnte sofort, dass die Nachteule das Traumland noch nicht betreten hatte. Der Erwachte schob sich in die sitzende Position, griff nach seiner auf dem Nachttisch ruhenden Tabakpfeife und kaum war die Glut entzündet, stöberte Evina kreuz und quer durch ihre Gefühlswelt. Sie überschlug sich förmlich, ihrem Liebsten von der energetischen Begegnung mit dem Großen Mütterchen zu berichten und ihn davon zu überzeugen, den Gerichtstermin platzen zu lassen und nach Hause umzukehren. Eric schwieg eisern. Die Stirn in Falten gezogen starrte er das Eheweib, das ihm immer wieder Rätsel aufgab, ungläubig an. Zweifel umgarnten ihn wie die Klette den Baum. Eine unbezwingbare Kraft ging von Evina aus, als sie mit gelassener, starker Stimme ihre Wahrnehmungen aus der Tiefe ihres Herzens eindrücklich vor dem Gatten ausbreitete. Sie wertete den in ihr aufgestiegenen Impuls „umzukehren" als göttlichen Fingerzeig und fügte lachend hinzu, dass die so zahlreich dargebotenen „Rauchopfer" keineswegs wirkungslos gewesen waren. Ihr Gesichtsausdruck wurde wieder ernst, als sie ihren Liebhaber anflehte, die stark empfundene Eingebung nicht in den Wind zu schlagen. „Bitte Eric, du hast es nicht nötig, dich zu beweisen und dich als tollkühner Held vor die Gaukler Gottes zu stellen, nur um dein kleines Ich zu liebkosen, das sich gerne wichtigmacht. Damals in der Kanzlei hast du mein Bauchgefühl mit Füßen getreten und wie so oft deinen Dickschädel durchgesetzt. Für mich ist dieser Fall längstens verjährt und nur über ein ungesetzliches Schlupfloch nochmals aufgerollt worden. Komm Eric, lass uns verschwinden!" Eric paffte und schwieg. Evina wartete geduldig, bis ein jämmerlich tönendes „Oh je!" an ihr Ohr drang. „Was, oh je?", züngelte das Weib und setzte seine Litaneien fort und sagte: „Eric, vertrau meinem Gefühl nur ein einziges Mal, höre ein einziges Mal auf mich und lass den Termin sausen!" Weiter kam sie nicht. Eric unterbrach ihren Wortschwall. „Und welchen Grund gebe ich für meine Absenz und die Abreise an?" „Nichts leichter als das!", flötete es aus dem Sessel. „Wir missbrauchen einfach dein Herzilein für eine neue Attacke!"

Tiefes Schweigen. Eric nuckelte sinnend an seiner Tabakpfeife. Einige Minuten vergingen. Dann die Reaktion. Er nahm den Telefonhörer, weckte nacheinander die beiden Jünglinge und vereinbarte ein Treffen im Frühstücksraum um sieben Uhr. Flor konnte seine Enttäuschung über die bevorstehende Heimreise nicht verbergen. Zu gerne hätte er seine Neugier befriedigt und an einem realen öffentlichen Verhör teilgenommen, zu gerne wäre er einmal persönlich eingetaucht in die Welt der Richter und Henker und leibhaftig als Zuschauer an vorderster Front mit von der Partie gewesen. Jako hingegen kapierte ohne Umschweife, um was es hier ging, und stimmte dem weise gefassten Entschluss ohne Widerrede zu. Pünktlich um acht traten die beiden Verteidiger ins Blickfeld, um das Konsortium abzuholen. Eric hatte die bittere Pille inzwischen geschluckt. Er rapportierte über seinen nächtlichen Herzanfall, die Kontaktnahme in den frühen Morgenstunden mit dem behandelnden Arzt und versicherte so glaubhaft dessen Rückpfiff, dass Evina grinsen musste. Tiefes Mitgefühl stieg in dem mächtigen „Advocatus Dei" und seinem Adlatus auf. Mit den besten Wünschen für Wohlergehen und die Heimreise entließen die hohen Herren Eric in die Freiheit. Holterdiepolter erstürmten die „Siegreichen Vier" den Transporter und entkamen dem Haifischbecken auf schnellen Rädern. Die Aktion war das Gesprächsthema am Mittagstisch des Restaurants, wo die Glückskinder Eric und Evina vor einundzwanzig Jahren in Anwesenheit ihrer Zeugen das Ehebündnis gefeiert hatten. Auf Erics Wunsch hatten sie nach rasanter Fahrt hier Station gemacht und waren unverhofft einer weiteren Überraschung begegnet. Gerade eben hatten sie in der gleichen Ecke wie damals am Tisch Platz genommen, da tauchten Edda und Huldrich auf, die nicht fassen konnten, wen sie hier vorfanden. Vor wenigen Monaten hatte Edda eine schwerwiegende Diagnose erhalten und war heute mit Ehemann Huldrich angereist, um am Vespergottesdienst im gegenüberliegenden Kloster teilzunehmen.

Das Erstaunen über den „Zufall“ war groß. Noch größer zeigte sich das Befremden in Eddas abschätzigem Blick, als Eric den Hindernislauf der letzten vierundzwanzig Stunden beschrieb, der auf Anraten von Evina so zackig zu Ende gegangen war. Bevor die Schwägerin mit ihren abwertenden Kommentaren weiter vordringen konnte, übernahm Jako, der Adept, die Wortführung und dirigierte das Gespräch in die richtige Richtung. Klar und unmissverständlich pflichtete der „Schüler“ seiner „geistigen Urmutter“ bei und erklärte den Anwesenden stark und mächtig, dass der nächtens in Evina aufgekeimte Impuls, diese innere Regung, die einem Stromstoß gleichkommt, nicht zu verachten sei. Unerschrocken fuhr er mit seiner Rede fort und sagte: „Glaubt mir bitte, ich spreche aus Erfahrung. Wie meine ‚geistigen Eltern‘ Eric und Evina versuche ich, die eine Wahrheit, die Essenz des Ursprungs, die uns alle miteinander verbindet und uns gleichmacht, zu leben. Wie Eric und Evina gerate auch ich immer wieder aus der Spur und falle in alte Muster und Prägungen, in die Verlockung des ichhaften Eigenwillens, ins dicht verwobene Fangnetz des Ego zurück. Doch immer wieder und immer öfter gelingt es mir, die Ego-Spielchen zu durchschauen. Ein einziger achtsamer Augenblick, ein kleiner Funke intensiver Bewusstheit genügt, den unruhigen, flatterhaften Gedankenstrom, der uns alle von früh bis spät umhertreibt, zu durchbrechen. Doch sobald der Kopf still wird, die Gedanken bewusst vorbeifließen dürfen, ohne dass wir sie unentwegt als ‚bare Münze‘ nehmen, ohne dass wir ihnen unverzüglich unseren egoistischen Stempel aufdrücken, kommt das, was tiefer liegt, das Wahre, das, was wirklich ist, zum Tragen. Vielleicht schon morgen, dessen bin ich mir sicher, werden wir alle, die wir am Tisch hier versammelt sind, die wundersame Auswirkung erleben, die Evinas intuitive Eingebung hervorgebracht hat.“

Mit Herz und Mut hatte sich Jako für Enneli stark gemacht. Und tatsächlich. Bereits am darauf folgenden Tag ging Jakos Prognose in Erfüllung und allen Tischgenossen von gestern sprichwörtlich unter die Haut. Die Nachricht, die der „Advocatus Dei" überbrachte, verbreitete sich wie ein Lauffeuer. Der „Hohe Rat" konnte Eric keinen Fehltritt nachweisen, sein ramponierter Ruf wurde mit einem minimalen Bußgeld reingewaschen. Und was das Beste war: Die Verteidigung gratulierte zu dem schicksalsträchtigen Abgang und betonte mehrfach, dass Eric durch sein Nichterscheinen die Sache endgültig besiegelt hatte. Wäre er, der von einer bestechenden Aura umgebene Eric, der smarte, gut aussehende, elegant gekleidete Gentleman, ins Schlangennest getreten, Neid und Missgunst hätten ihn unweigerlich nur schon auf Grund seiner umwerfenden Erscheinung und perfekten Attribute verurteilt und zu Fall gebracht.

„Glückhaben" wie eine gute Fügung! Doch das begeisterte die Medien nicht mehr. Ihr Trallala und Hopsasa beschränkte sich nachweislich auf kompromittierende Schlagzeilen und bloßstellende Berichterstattung. Deshalb erstaunte es nicht, als die Zeitungen nur in einem verschwindend kleinen Passus eine Anmerkung über Erics Rehabilitierung notierten.

Die nachfolgenden Monate zeigten sich wiederum von einer extremen Intensität. Von Ruhestand war bei Eric nie die Rede. Während Evina sich nach wie vor um Haus und Hof kümmerte und als Botschafterin zwischen den Welten hantierte, beackerte der Gatte unermüdlich das Feld seiner Berufung und eiferte als Friedensapostel und Verfechter der Gerechtigkeit den siegreichen Abschlüssen seiner Mandate entgegen.

Es war ruhig geworden im Haus von Eric und Evina. Nach wie vor teilten sie einander Freud und Leid, wobei die innigste Freude, die friedvollste, in den gemeinsamen Abendessen, in stillen Momenten der Vertrautheit, manchmal sogar im Austausch banaler Alltagsgeschichten, zu finden war. Nach all den kurzweiligen Jahren knisterte es auf einer tiefen Seinsebene immer noch zwischen ihnen. Nie hatte es einer gewagt, sich am andern festzuklammern, nie hatte es ein herkömmliches Besitzdenken zwischen ihnen gegeben. Seit Kindheitstagen hatte Evinas feines Sensorium das Leben nie in falsche Bahnen gelenkt, sie im Gegenteil ein tiefes Verständnis ihrer selbst gelehrt. Sie war sich selbst genug, und Eric, dieser traumhafte Gefährte an ihrer Seite, war für Evina seit Anbeginn ihrer Zweisamkeit ein Extra-Bonus, eine herzliche Bereicherung, ein Geschenk, das sie immer aufs Neue dankbar annahm.

Eines Abends, nicht lange vor seinem Wiegenfest, betrat ein nachdenklich gestimmter Eric das Haus. Nach einer eher verhaltenen Begrüßung, noch bevor er das allabendliche Ritual – Körperpflege, Einstieg ins Pyjama, Ummantelung mit Morgenrock – einleitete, stürmte er in die Küche, ließ sich ein Gläschen Weißwein und die unentbehrlichen Salzmandeln servieren und platzte aufgeregt mit einer Vorahnung heraus. Er habe am Mittag bei Edda vorbeigeschaut, die ihn spontan zu einem unkomplizierten Essen eingeladen habe. Stillschweigend habe er dabei beobachten müssen, welch Höllenmarter sie durchlebte beim Versuch, Nahrung zu kauen und vor allem zu schlucken. Seit Ausbruch der Krankheit habe er heute erstmals gefühlt, dass es um den Gesundheitszustand der Schwester schlecht bestellt sei. Die schulmedizinische Behandlung, auf die Edda ausschließlich gesetzt hatte, war ihr nicht gut bekommen und hatte sie sehr geschwächt. „Was meinst du, Enneli, sollen wir die Reise aufs Eiland trotzdem wagen?“ Lange schaute Evina in Erics blaue Augen, die flehend zu ihr herüberblickten. Sie reagierte erst nach einer kleinen Weile der Besinnung und sagte dann: „Eric, ich habe ein ungutes Gefühl, lass uns die Ferien annullieren, auf die Geburtstagsfeier verzichten und zu Hause bleiben.“

Der Tod der geliebten Schwester kam schneller als erwartet. Eine Woche vor Erics 65. Wiegenfest verabschiedete sich Edda in der Notaufnahme eines Spitals von der Weltenbühne. Es war

Samstag. Stundenlang hatte Eric am Bett der „Ältesten" gesessen und ihre Hand gehalten. Ein kurzer Augenblick unverhofften Erwachens aus komatösem Schlaf, ein leichter Augenaufschlag, ein stilles Lächeln unter dem Hauch von Erics Namen hatten den „Jüngsten" selig berührt. Dann hatte Schlafes Bruder leise an die Tür geklopft und Edda zurück in den voranschreitenden Prozess der Wandlung genommen. In diesem friedlichen Zustand hatte sich Eric von der Sterbenden verabschiedet, die ihre Krankheit würdevoll zu akzeptieren wusste und deren „Ich" sich jetzt von ihrem „Selbst" befreien ließ.

Tief bewegt war Eric damals heimgekehrt, beruhigt, weil Huldrich und die Töchter die Krankenwache übernommen und sie, Eric und Evina, die Urlaubspläne gestrichen hatten. Kurz vor Mitternacht kam die traurige Nachricht übers Telefon. Erics großer Tag fiel dieses Jahr ins Wasser seiner Tränen. Und ganz sachte stieg aus den tiefsten Gründen seiner Seele das flackernde Licht der Wahrheit empor und die Gewissheit, dass nichts in der Welt der Formen Bestand hat, dass nur das Unsichtbare, das wahre Selbst, die Energie des Einen, ewig ist. In der zerlesenen, zerfledderten Bibel der Großen Mutter, einem wahren Prunkstück aus deren Nachlass, wo die eindrücklichsten Verse mit Tintenstift umkränzt waren, fand Eric die Bestätigung für seine Erkenntnis:

„Denn was sichtbar ist,
das ist zeitlich;
was aber unsichtbar ist,
das ist ewig."

2. Korinther 4, Vers 18

Mit dem „Hinübergehen" von Edda in die feinstoffliche Dimension wurde beiden, Eric und Evina, klar bewusst, dass die Reihen sich immer stärker lichteten. Die Altvorderen weilten längst nicht mehr unter ihnen. Die nächste Generation rückte an die vorderste Stelle und eilte – gewollt oder nicht gewollt – dem Tod, der Wandlung, entgegen. Unzählige Wegbegleiter waren im Lauf der Jahre in die energetische Ebene eingetreten. Das Quartett der alten Damen, die Trauzeugen, Elisabetta, Frédéric, Paolo, Hilla, die Bauch- und Busenfreundin aus der Jugendzeit, selbst junge Menschen aus ihrem Kreis hatten den Übergang „geschafft" und waren, oft schockierend plötzlich, aus dem Erdendasein herausgerissen worden und zur Quelle, zum Ursprung, heimgekehrt. Unbemerkt von der Masse gehen sie alle dahin, die menschlichen Formen, eine nach der andern, lösen sich auf und verschwinden aus der manifesten Welt, verglühen wie Funken von Feuerwerkskörpern am nächtlichen Himmel.

Der Tod von Edda erinnerte an die eigene Endlichkeit und stach wie ein scharfes Messer in Erics Herz, schärfer als die Klinge durch die Abtitulierungen der Presse und der „Hohen Gerichtsbarkeit". Zuspruch von Seiten Evinas und ein vertrautes Gespräch mit dem Weisen in den Bergen beförderten Eric seinem Selbst vertrauend auf die neutrale Ebene, die reinste, höchste Lebensform, die er ab jetzt erneut mit Evina zu teilen vermochte. Wieder einmal bewahrheitete sich, was Bertineken in ihrer Eigenschaft als Sternenguckerin zeitlebens verkündete: „Partner, die zueinander gehören, werden von einem Fleisch, einem Denken und Fühlen sein, denn sie wurden aus der gleichen kosmischen Idee geboren."

Kapitel XII

Vollendung

Was macht das Leben leichter? Gutes Zubehör? Tragen all die Errungenschaften und Statussymbole im Außen dazu bei, das Leben lebenswerter zu gestalten? Sind es die modernen luxuriösen Behausungen, technischen Spielereien, die teuren Designerklamotten, die über Glück oder Unglück bestimmen? Fördern die karriereträchtige Laufbahn in einem der vielen Scheinberufe, die hinlängliche Staffage mit Geldenergie oder die „dicken Autos" den friedvollen Zustand des Da-Seins? Geben körperliche und seelische Befindlichkeiten, die Wunscherfüllung jedwelcher Begierden schlechthin den Ausschlag für Glückseligkeit? Nein! Eric und Evina waren sich einig: Im kerzenwarmen Licht durch die Gezeiten zu gehen, ist nur möglich, wenn wir bereit sind, eingefleischte Gewohnheiten, Muster und Prägungen hinter uns zu lassen. Wollen wir zu unserem wahren Selbst, zum wahren Frieden in uns finden, sollten wir den Blick von den Verlockungsangeboten im Außen abwenden und die Schau nach innen richten. Wir sollten vermehrt hinter die Fassade von Schönfärbereien des Verstandes schauen und erkennen, dass alle Wohlstandssymbole, aller materielle Tand nur Spielbälle der Illusionen im Bühnenstück der göttlichen Komödie sind. Könnte es uns doch nur gelingen, die Fesseln der Kleingläubigkeit, des öden Gebundenseins an die Gedanken zu sprengen und das Elendsviertel zu verlassen, in das uns unser kleines Ich auf seinen wackligen Beinen hineinmanövriert hat. Anstatt uns mit verheißungsvollen Nichtigkeiten und vermeintlichen Wichtigkeiten vollzudröhnen, anstatt weiterhin fraglos die anerzogenen Gepflogenheiten einer Gesellschaft zu übernehmen, die seelisch-geistig längst ihren Bankrott erklärt hat, sollten wir dringend lernen zu *ver*lernen. Freiheitlich bei uns selbst verweilen. Gedankenleer und unverkrampft die Stille in uns entdecken, sie ertragen, sie nicht durch Ablenkungen stören. Ausharren ohne Gegenwehr, ohne Widerstand, uns fallen lassen in die Liebe, die wir sind. Friedvoll wird unser Herz, freudvoll hüpft unsere Seele.

Der Tod von Edda war die Initialzündung, nicht länger in den Konzepten des falschen Selbst, des Eigenwillens, gefangen zu bleiben. Beharrlich gingen Eric und Evina ans Werk, die barbarischen Einflüsterungen des Ego wieder genauer unter die Lupe zu nehmen. Noch bevor die Lichter am Weihnachtsbaum erstrahlten, strömte ein gelassener Friede aus ihren Herzen. Frohlockend, süß erklangen die Lieder, die über die zum Fest geladene sangesfreudige Gruppe in der wohligen Atmosphäre des Heims von Eric und Evina widerhallten. Dann, eine Woche später, am 31. Dezember, verstummte die Sangeslust für den Husch eines Augenblicks, nachdem Evina kurzfristig außer Gefecht gesetzt wurde. Auf das Klingelzeichen hin hatte sie die Eingangstür geöffnet und war in großer Vorfreude den Gästen entgegengelaufen. Das „Vorsicht, bleib stehen, es ist alles vereist!" kam zu spät. Noch vor Ausklingen des Zurufs lag sie bäuchlings auf der Schlinderbahn. Evina raffte sich auf, stellte sich in die Senkrechte und lachte lauthals aus sich heraus. Das Handgelenk tat weh. Die hellsichtige Cassandra diagnostizierte eine leichte Verstauchung, keinen Bruch. Drei Globuli Ruta C200 besänftigten den Schmerz, doch Eric riet zur Schonung. Unaufgefordert, ohne Umschweife schlüpften Jako und Aaron in die Rolle der Gastgeberin und walteten emsig wie zwei engagierte Hausdiener ihres Amtes. Sie servierten, räumten ab und räumten auf und hinterließen in den frühen Morgenstunden des frisch aus dem Ei geschlüpften Jahres eine blitzblanke Stätte ihres Wirkens. Zum wiederholten Male bestätigte sich der Kreis um Eric und Evina als zuverlässig und in Notsituationen höchst präsent.

Zu Beginn des neuen Jahres wurde es ruhiger. Die Tage schlichen dahin. Jeder stand wieder an seinem Platz und lernte die Lektionen, die das Leben vorgab. Am 13. Mai, dem Todestag ihrer Mutter, gehorchte Evinas Körper ein weiteres Mal ihrer Unbewusstheit, ihrer fehlenden Aufmerksamkeit durch den kontinuierlichen Gedankenstrom in ihrem Kopf. Ruhelos strich sie im Heute hin und her. Unentschlossenheit machte sich breit in ihr. Die Idee, sich in Gartenarbeit zu versenken, war gestört. Wie „Hansguckindieluft" stand sie zögerlich auf der Treppe, die hinunter in den veilchendurchwobenen Wiesenteppich führte. Ihre Gedanken befanden sich überall und nirgends. Dann machte es „bautz!", und Evina fand sich der Länge nach ausgebreitet neben der Vogeltränke im grünen Gras wieder. Auf einen Schlag hatte sie vier Treppenabsätze überwunden, ohne sie berührt zu haben. Der Schreck saß tief, weckte sie auf und holte sie augenblicklich zurück ins Hier und Jetzt. Sie hob langsam den Kopf, bewegte ihre Arme und schob sich hoch. Der Körper schien unversehrt. Nur an Knie und Unterschenkel klaffte eine Wunde. Den Schock im Nacken humpelte Evina ins Haus. Sie konnte nicht auftreten, der rechte Fuß schmerzte. Cassandra diagnostizierte übers Telefon einen Bruch am Fußknöchel, den die Röntgenapparatur im Spital bestätigte und dem der herbeigerufene Arzt sogleich operativ zu Leibe rücken wollte. Wie durch eine Nebelwand vernahm Evina die Aufzählung von Widerfahrnissen, die ihr ohne Eingriff an diesem Splitterbruch blühen könnten. Evina erinnerte sich! Operation? Eine solch brutale Vorgehensweise hatte ihr vor langer Zeit schon einmal jemand vorgeschlagen. „Danke Herr Doktor, nicht nötig! Ich erziele Heilung auf meine Art!", platzte es geradewegs aus ihr heraus. Das ungehorsame Kind reichte dem Heilkundigen die Hand, bevor es aus dessen Blickfeld verschwand und hinter der Tür in die wartenden Arme des Taxifahrers fiel. Zurück in ihrer Trutzburg braute Evina eine Flüssigtinktur mit Arnica LM3 zusammen, gab drei Tröpfchen davon unter ihre Zunge, legte mit Calendula durchtränkte Umschläge auf die Wunde und überließ alles Weitere den Selbstheilungskräften ihres Körpers. Sie bettete sich aufs Sofa, positionierte das lädierte Bein auf den mit dicken Kissen ausgestopften Sessel und harrte der Dinge, die auf sie zukommen würden.

Von Weitem nahm Evina die Stimme von Eric wahr, der sein Rufen nach ihr wie üblich schon auf der Straße erschallen und auf diese Weise seine Heimkehr allabendlich auch der Nachbarschaft mitteilen ließ. Verwundert über Evinas Fernbleiben läutete der Heimkehrer Sturm, öffnete per Schlüssel die Tür und schickte Evinas Namen in diversen Variationen und Tonlagen durchs Haus. Er reagierte verdutzt, als sich das Eheweib aus dem oberen Stockwerk meldete, erklomm gemächlich die Stiegen und sah die Bescherung. Die Aufregung war groß. Evina besänftigte den Gemahl mit einem herzhaften Lacher. Während Eric zur rituellen Waschung im Bad verschwand, bewegte sich Evina auf ihrem Hinterteil sitzend, das kaputte Bein vor sich ausgestreckt, Stufe um Stufe in die Diele. Von dort hüpfte sie einbeinig in die Küche, schnappte sich einen Stuhl, kniete mit dem geschundenen Laufwerkzeug auf der Sitzfläche, legte ihre Hände auf die Lehne und robbte mit ihrer neu erfundenen Gehhilfe durch die Genusswelt, um ein schmackhaftes Essen auf den Tisch zu zaubern. Eric geriet ob des unkomplizierten Verhaltens der Ehefrau völlig aus dem Häuschen. Er gab sich alle erdenkliche Mühe, die Köchin durch Handreichungen zu entlasten, und tatsächlich entwickelte er als Assistent und Zulieferer ungeahnte Qualitäten. Wie ein Pfadfinder folgte er Evinas Anweisungen und lernte auf einfache, spielerische Art sein Haus und die darin verborgenen Alltagsgegenstände kennen. Evinas Handikap machte sie findig, ideenreich, bescherte Eric eine kostenlose Ausbildung zum Hausmann und beiden, Eric und Evina, spannende, von kindlichem Gekicher gekrönte Unterhaltung.

In den kommenden drei Wochen rief die Havarie ungewöhnliche kulinarische und seelsorgerische Verwöhnprogramme auf den Plan. Eric freute sich, wenn Roxana, Carmen oder Fatima ihre mitgebrachten Essenstöpfe auf den Tisch stellten und die Tafelrunde durch persönliche Teilnahme erweiterten. Aber Geselligkeit ist nicht immer alles. Und so geriet Eric mehr und mehr ins Schwärmen, wenn er in trauter Zweisamkeit mit Evina seine Talente und die Begabung als Küchenjunge umsetzen durfte.

Die vom Schicksal erzwungene Auszeit gestaltete sich zu einem Gesamterlebnis der besonderen Art. Tagaus, tagein saß Evina mit hochgelagertem Fuß in einer kuscheligen Sofaecke, versorgte sich morgens und abends mit je drei Tropfen ihrer potenzierten Arznei und vertiefte sich ansonsten in das Buch der Bücher. Ausgerechnet jetzt, in Zeiten der Ruhebedürftigkeit, tobten auf Höhe des Wohnsitzes die höllischen Auswirkungen einer Baustelle. Bedrohlich laut wälzten sich Kranroboter, Tatzelwürmer und allerlei Baumaschinen dem Haus entlang durch die Gasse, gaben sich Straßenarbeiter mit ratternden Presslufthämmern unter dem Fenster ein Stelldichein, bebten und zitterten die Mauern unter dem Druck von panzerartigen Planierungsraupen. Während Evina den Bruch am Gelenk kurierte, ließ sich die kleine Seitenstraße operativ den maroden Asphaltbelag und defekte Röhren entfernen und wartete zeitgleich mit der Rekonvaleszenten auf Instandstellung.

Willig hatte das Unfallopfer die Verletzung und deren Folgen angenommen. Der Tagesrhythmus, das „Immer-irgendwie-beschäftigt-Sein", war nicht mehr da, und draußen fegten die Immissionen von Lärm, Dreck und Gestank durch die taghelle Stille. Anfänglich war die Ablenkung durch die Bauarbeiten enorm. Hunderte Male hatte die Widerspenstige sich dabei ertappt, wie sie gedankenlos, nicht gedankenleer, auf immer dieselbe Stelle im Buch starrte, wütige Tiraden von Schimpfworten vor sich hin brummelte, ja sogar Flüche ausstieß, die die Krachmacher draußen kleinkriegen sollten. Gnadenlos setzte sie ihre Gegenwehr fort, und je länger sie sich enervierte, sich dem, was ist, entgegenstellte, umso unerträglicher wurde die Geräuschkulisse. Das Buch der Bücher auf ihrem Schoß tappte sie immer wieder in die Egofallen. Lächerlich! Dann endlich an Tag vier gelang es Evina, das Gelesene erfolgreich umzusetzen. Ohne Widerstand veränderte sich die Wahrnehmung. Auf einmal war sie da, die Ruhe, die Stille. Als Beobachterin ihrer Gedanken, die Aufmerksamkeit auf das gerichtet, was ist, ohne es zu benennen, zu bewerten, löste sich der Störenfried, die Reizüberflutung von Wut und Empörung, in nichts auf. Die erkrankten Stellen an Fuß und Hirn heilten gleichzeitig aus. Evina war entzückt. Angekommen im „Jetzt" strömte Sanftmut aus ihrem Körper und ihre Seele gebar unerschöpfliche Einsichten, die sie über einen Stift in ihrer Hand in tiefsinnige Gedichte einfließen ließ. Eric verblasste im Angesicht der kreativen Phase der geliebten und liebenden Gefährtin, die allabendlich mit wunderbarer Lyrik aufwartete. Überraschung stellte sich auch ein, als er nach drei Wochen wieder persönlich an der Haustür willkommen geheißen wurde. Selbst Dr. Friedolin von Freienbach, der neue Medikus an ihrer Seite, schaute ungläubig drein, als ihm die Patientin nach so kurzer Zeit gemächlich, aber standfest auf zwei Beinen, frisch geputzt, gepudert und geschminkt entgegenschritt. Merkwürdig. Evina staunte. Drei lange Wochen ohne Bad, ohne Dusche, ohne Haarewaschen, nur mit Katzenwäsche hatten kein einziges Mal ein Gefühl von Unsauberkeit aufkommen lassen. Für sie war klar: Auch der moderne Tanz um die äußeren Reinlichkeits- und Verschönerungsorgien, dieser übertriebene Hang zu makelloser Selbstdarstellung, war letztendlich ein Indiz für die geistige Verschmutzung, die sich gleichwohl in den äußeren Müllhalden spiegelte.

Das in Buchform verpackte Rettungspaket „Jetzt!" hatte einen nachhaltigen Eindruck hinterlassen, ein weiteres Mal die Anker gelichtet und Evina „freie Fahrt voraus" geschickt. Hand in Hand mit Eric schipperte sie auf der Liebe Wellen weiten Horizonten entgegen. Schlag auf Schlag führte die Route durch die Alchemistenküche der Transformation. Ab jetzt wurde schrankenloses Vertrauen in den Gang der Dinge gefordert. Es war, als ob der Himmel für etwas Großes Vorsorge traf. Das Streichholzheftchen Leben hatte das letzte Hölzchen in Brand gesetzt. Langsam, ganz sachte hob sich der Vorhang zum dritten Akt des gemeinsamen Bühnenstücks.

Ein nasskalter Tag im Januar lenkte Evinas Schritte hinunter in die Stadt. Erics Vorräte an englischem Tabak waren zur Neige gegangen, das kleine Speziallädeli, das geeignete Anflugsziel, die Warenlager mit den favorisierten Mischungen aufzustocken. Die Einkaufstaschen prall gefüllt, verließ sie die letzte Anlaufstation ihrer Mission, trat hinaus in die nebelverhangene Luft, da machte es schon „bums!". Evina fiel geradezu in die Arme von Jako, der erst nach seinem „Hoppla, entschuldigen Sie bitte!" den Zusammenstoß mit seiner Urmutter registrierte. So ein Zufall, oder nicht? Beide grinsten. Jako übernahm ohne Zögern Evinas schwere Taschen und brauste mit ihr in Ermangelung ihres Autos auf vier stabilen Rädern bergwärts in das kleine Reich. Es dauerte nicht lange, da gesellte sich ein überpünktlicher Eric zu ihnen, knabberte seine Salzmandeln und prostete seiner Dame und dem Gast mit einem Gläschen Weißwein munter zu. Er schien guter Stimmung zu sein, strahlte seine Gegenüber an, aber in seinen Augen flackerte ein mattes Licht und über die in Falten gelegte Stirn huschte ein müder Schatten, als er zu sprechen begann: „Es ist bestimmt kein Zufall, dass ihr euch vorhin in die Arme gelaufen seid. Ich bin froh, dass ihr hier seid, dass ich mit euch reden und mein Herz ausschütten kann. Aufgrund einer vagen Vermutung habe ich vor einigen Tagen einen Mediziner aufgesucht, der mir gestern bestätigte, dass ein ‚ungebetener Gast' sich bei mir eingenistet hat, der mich zu vernichten droht!", weiter kam Eric nicht. Jako unterbrach Erics Beichte mit einem herzzerreißenden Schluchzen. Tränen kullerten über seine Wangen, als er seine Hand auf die von Eric legte und seinen mitfühlenden Blick still auf ihn gerichtet hielt. Evina, gewohnheitsgemäß, wenn schockierende Worte sie in Schieflage brachten, ließ einen kurzen, hysterischen Lacher vernehmen, bevor sie zur Salzsäule erstarrte. Ein großes Schweigen legte sich über den Raum. Eric wiederholte sich und bekannte mehrfach, froh zu sein, dass der Stein auf seiner Seele endlich ins Rollen gebracht worden war. Er wirkte irgendwie gefasst, von Ausgeliefertsein und Hilflosigkeit war seltsamerweise nichts zu spüren. In all den Jahren hatte Eric sich nie eine Tarnkappe aufsetzen können. Wusste er heute auf überzeugende Weise seine Angst zu verbergen oder hatte er sich dem „Dein Wille geschehe!" ergeben? Es sah tatsächlich danach aus! Eric unterbrach die messerscharfe Stille, bekundete Hunger und entführte seine zwei Mitwisser und Verbündeten ins Restaurant am Ende der Straße.

Befreit von der Bürde, Geheimnisträger einer unheilvollen Nachricht zu sein, umspielte ein gütiges Lächeln den ganzen Abend lang Erics Mundwinkel. Widerstandslos verströmte er seine bewegende Energie auf Jako und Evina. Die engelhafte Aura, die Eric umgab, irritierte Evina, deren Herz blutete und die innerlich so aufgewühlt und zerrissen war wie nie zuvor. Hatte die Schockwirkung auf Eric eine derartige Wandlung vollzogen? Wie war es möglich, dass *sie* sich so elendig und unglücklich fühlte und sie alle Felle wegschwimmen sah? Was war los mit ihr? Klar, sie hatte sich mit der Schreckensmeldung in tausend Ahnungen und Vorstellungen verstrickt. Ihr Geist war völlig aus den Fugen geraten und die Angst, diese lieblose Gefährtin des Ego, hatte sie mit Beschlag belegt und sie vom Weg des Vertrauens, von ihrer Herzensbindung, abkommen lassen. Mit einem Mal erkannte sie die Tragweite ihrer Emotion. Sie wurde ruhig. Allmählich ging der Abend zur Neige und wich unaufgefordert dem Dunkel der Nacht. Das ängstlich zitternde kleine Ich war vom großen Ich verschlungen worden. Evina hatte wieder Anschluss gefunden an das Wahre, das Wesentliche. Die Trauer hatte sich in Liebe verwandelt, die aller Furcht entbehrte. Ohne Zweifel, ohne Hadern ließ sie sich gemeinsam mit Eric ins Niemandsland fallen. Gute Nacht!

Von hier auf gleich war das alte Leben verschwunden. Der Traum ausgeträumt, die Illusion zerplatzt wie ein zu fest aufgeblasener Luftballon. Eric entschied, sich nicht unters Messer zu legen. Er konsultierte Dr. Friedo, dem es mit homöopathisch-dynamischen

Arzneien gelang, den „ungebetenen Gast", den neuen Mitbewohner, in Schach zu halten. Mutig, intensiv und hingebungsvoll gingen Eric und Evina den Weg weiter, Schritt für Schritt, und absolvierten einfühlsam die Stationen ihrer Zweisamkeit. Unermüdlich ließ Eric die Energie in seine Schaffenskraft einfließen, richtete aber auch vermehrt sein Augenmerk auf das „Nicht-Tun". Die Arbeitszeiten waren nicht mehr so streng reglementiert. Seit Neustem räumte Eric der privaten Sphäre einen übergebührlichen Platz ein. Exkursionen in esoterische Grenzwissenschaften nahmen zu und Entspannungsübungen auf dem Golfplatz beschränkten sich nicht länger auf die Wochenenden. Auf ausgedehnten Spaziergängen geriet er mehr als je zuvor ins Staunen über die natürliche Einfachheit und Kraft der Natur. Selbst die sinnliche Beobachtung der Schöpfungen in seinem Gartenparadies erzeugte in ihm ein nie da gewesenes Gefühl von Verbundenheit mit allem, was in der Welt der Formen sichtbar ist. Hier ging es nicht mehr darum, Petersilie von Schnittlauch zu unterscheiden, zu lernen, dass Kartoffeln unter der Erde und nicht wie Bohnen an Stangen wachsen. Nein. Hier tauchte unversehens ein ganz anderes, ein tieferes Verständnis auf. Abstecher in die Region des geliebten Eilands und des winterlich verschneiten Hochgebirges, jeder noch so kleine Schritt führte nach und nach zu der Erkenntnis, wie machtlos und winzig sich der Mensch gegen die unendliche Macht des Multiversums ausnimmt und doch ein Teil des großen Ganzen ist.

Die Jahre flossen dahin. Zufälliges, Unbegreifliches, Freud und Leid lagerten an den Meilensteinen des Weges, den Eric und Evina unbeirrt und offen weitergingen. Alle Kümmernisse und Liebkosungen des Lebens wurden integriert und in die Herzensebene aufgenommen. Kein Schweigen wurde geächtet. Kein Gefühl, kein Wort blieb unerwidert – und das schweißte Eric und Evina weiter zusammen. Und dann, eines unschuldigen Tages, rüttelte ein neuer Befund an die ichhafte Eingangstür von Eric und Evina und begehrte Einlass. An dieser Tatsache änderte auch der Satz „Wer misst, misst Mist!“, den Evina oft an Seminaren gehört hatte, gar nichts. Einverständlich mit Dr. Friedo wandte sich Eric an eine Privatklinik im südlichen Landesteil, die für hinlängliche Heilerfolge mit der klassischen Homöopathie bekannt war. Bereits die erste Medikation brachte sowohl markante Verbesserung an Leib und Seele als auch an der labortechnisch erhobenen Zahlenreihe hervor. Der Urian, der ungebetene Gast, begab sich erneut außer Sichtweite. Das zumindest bescheinigte das Papier, auf dem die neusten Auswertungen festgehalten waren.

Eric veränderte sich. In vertrauten Gesprächen mit ihrem Liebsten erstaunte sich Evina über die anhaltende Gelassenheit, die veränderte Wahrnehmung, die Eric von äußeren Dingen weg in die tiefen Gründe seines Herzens führte. Das Streben, sich in weltlichen Äußerlichkeiten zu beweisen, verlor immer mehr seinen Stellenwert. Das schwierige Unterfangen, sich vom kleinen Ich zu lösen und die törichten Mächte des Eigenwillens abzulegen, gelang ihm plötzlich mühelos. Es hatte tatsächlich den Anschein, dass Eric sich von der lebendigen Macht des Einen, der Urkraft, berühren und tragen ließ. Und während Evina sich kontinuierlich von hoffnungsvollen Zukunftsmelodien motivieren ließ, ihre Sicherheit aus Affirmationen und Gesprächen mit Gott bezog, die auch nur der oberflächlichen Ebene des Ego entsprangen, gab Eric seine Angriffe auf das, was ist, vollständig auf. Er wagte den Sprung durch die Krankheit hindurch in die wahre Heilung. Er erwies sich als Vorreiter auf einem Weg, an dessen Ziel ein Meisterbrief winkte.

Am Ende des Jahres erstrahlte im Heim von Eric und Evina zum ersten Mal kein Christbaum. Im Gegensatz zu ihrem Liebsten schwankte Evina auf der Gefühlsebene hin und her. Aller Saft und alle Kraft waren aus ihr gewichen. Sie schaffte es nicht, sich auf die Mühen und Vorbereitungen einzulassen, und nach Festivitäten war ihr einfach nicht zu Mute. Widerwillig folgte sie der Einladung von Carmen und der Aufforderung von Eric, sie anzunehmen, und setzte sich mit ihm an den reich gedeckten Weihnachtstisch der Großfamilie. Die tiefsten Tiefen von Schrecken und Qual, die sich in Evina verkeilt hatten, lösten sich auf. Einen Abend lang war sie mit ihrer traurigen Gefühlswelt nicht identifiziert. Nora, das dritte, schwerstbehinderte Kind von Carmen, zeigte einmal mehr an, was wirklich wichtig ist, worauf es im Leben in Wahrheit ankommt. Schon früher hatten sich Eric und Evina immer mal wieder gefragt, ob nicht gerade dieses Kind „Normalität" verkörperte, und das, was der moderne Zeitgenosse als „normal" betrachtet, in Tat und Wahrheit als „geistige Behinderung", als „Wahnsinn", eingestuft werden muss. Bei genauerem Hinsehen war die „kranke" Nora die hautnahe Versinnbildlichung eines Lebens im „Hier und Jetzt". Es gab keine Wertschätzung, keine Geringschätzung, keine Verurteilung, keinen Widerstand. Nora strebte keinen Besitz an, hatte nichts zu gewinnen und folglich nichts zu verlieren. Sie hing nicht an Dingen und an Menschen, Leid und Leiden, selbst Freuden hatten keine Überlebenschancen. Wurde sie heimgesucht von einer Grippe, einer Unpässlichkeit durch Bauchweh, was immer sie auch behelligte, war im nächsten Augenblick vergessen. Wenn fröhliche Lieder erklangen, sang sie eifrig mit, wobei der Text nicht immer stimmte, die Melodie jedoch originalgetreu ertönte. Nahm sie als Begleitperson an einer öffentlichen Veranstaltung teil, genügte eine kurze Erklärung und sie war still, rührte sich nicht. In ihrem Schweigen, in dieser Stille, wenn der Verstand nicht auf Wanderschaft geht, fühlte man sich mit diesem Geschöpf verbunden. Ohne Ichbewusstsein, das machte Nora deutlich, erkennt sich jeder als eins mit der Schöpfung. Und so rückte die Bescherung, die Verteilung der materiellen Liebesgaben, an diesem Heiligabend in den Hintergrund. Das größte Geschenk des Tages war Nora, das als armselig abgestempelte Kind, das, wie alles Leben auf dem Planeten, den wahren Reichtum in sich trug und durch angeborene Unschuld zu offenbaren wusste. In diesem Zusammenhang kam Evina der Satz im Buch der Bücher von Eckhart Tolle in den Sinn: „Wir *unter*schätzen das, was wir in uns haben, und *über*schätzen das, was wir im Außen sind!“

Die Nacht war sternenklar. Ein eisiges Lüftchen begleitete Eric und Evina auf dem Nachhauseweg bergwärts in lichte Höhen. Evina hielt die kleine Liebesgabe von Eric fest an ihre Brust gedrückt. Die zwei in Tanzposition stehenden Bronzefigürchen, ein Mann und eine Frau, blinzelten sie pausenlos an und vermochten ihre Seele zu berühren. Der Gefährte hatte Evina das symbolträchtige Präsent unter einem gütigen Augenaufschlag überreicht und mit den huldvollen Worten verpackt, dass er sich freue, mit ihr durchs neue Jahr zu tanzen. Genau darauf freute sich auch die Beschenkte. Im Inneren ihres Herzens ging sie sogar noch einen Schritt weiter und dehnte die Tanzformation auf viele, viele gemeinsame Wanderungen durch die Gezeiten aus.

Der Jahresausklang, der krönende Abschluss einer weiteren 365-tägigen Etappe, wickelte sich dieses Mal unter der prächtigen Tanne in den gediegenen Räumlichkeiten von Jako ab. Cassandra sowie einige wenige „Außenseiter“, die nicht dem Kreis von Eric und Evina entstammten, standen sinnend an des Jahres Grenze, blickten vor sich in das neue hin. „Als ein Wunder steh'n wir da und zeugen von der reichen Liebe, von der Treu, von der Macht im Innern, die uns eigen, von der Gnade, alle Morgen neu.“ Noch ehe die Uhr zwölf schlug, die Kirchturmglocken mit donnerndem Klang den Übergang einläuteten, erinnerte sich Evina an das Lied, das sie in Kindheitstagen beim Silvestergottesdienst so gerne gesungen hatte. Ja, „als ein Wunder steh'n wir da und zeugen ...“, schmetterte sie im Geiste vor sich hin und dachte: „... und nehmen uns als Wunder gar nicht wahr!“ Ein Hauch von Traurigkeit legte sich auf ihr Gemüt. Zweitausend Jahre sind vergangen und noch immer haben die Menschen das in ihnen seit Urzeiten schlummernde Potential, das Wunder der Liebe, das sie sind, nicht entdeckt. Nach wie vor schleichen die meisten von ihnen als Bettler und

Hausierer durch ihre materielle Existenz und führen trotz aller auf den eigenen Nutzen bedachten Errungenschaften ein Da-Sein in geistiger Armut und in den Fesseln von Aggression und Depression. Ihr Sinnen und Trachten bleibt manisch auf Äußerlichkeiten gerichtet. Selbst der letzte Strohhalm, der ihnen im Tod als ewiges Licht der Wahrheit, der einzigen Wirklichkeit, entgegenleuchtet, wird nur von den Allerwenigsten ergriffen. Das Ego, das Ichbewusstsein, die Identifikation mit der äußeren Gestalt, ist dermaßen in ihnen verwurzelt, dass das Wahre, das Ewige, die Essenz des Ursprungs, die das letzte Geheimnis des Lebens enthüllt, nicht einmal dann erkannt wird.

Gemäßigt und erfüllend hatte das neue Jahr seine Neugeburt abgelegt und sich äußerlich mit einem neuen Zahlenring geschmückt. Die solide Gruppe um Jako wusste den feierlichen Akt glänzend zu würdigen, ließ die Gläser klingen und die Herzen singen. Sie wappnete sich freudig, Hand in Hand mit dem Zeitensprung auf die Weiterreise zu gehen.

Der Kalender zeigte Ende März, als ein rundes Dutzend neugieriger Gleichgesinnter um Eric und Evina sich aufmachte, das weinselige, walzertanzende Wien auf eine besondere Art kennenzulernen. Carmen, zeitlebens ruhelos und flüchtig auf der Suche nach Heilbehandlungen für ihr Kind, hatte über die Buschtrommel von einem brasilianischen Medium gehört, dessen Porträt sie persönlich ins Visier nehmen wollte. Es gelang ihr, zwölf Menschen zu motivieren, mit ihr auf die Reise zu gehen und João Teixeira de Faria, bekannt als João de Deus, und dessen „Wesenheiten", die sich in ihm inkorporierten, zu begegnen. Eric und Evina setzten ihren Fuß auf ein ihnen völlig unbekanntes Terrain und sahen gebannt der Pilgerfahrt entgegen. Es dämmerte noch, als die drei Taxis mit den weißgewandeten Insassen Wiens schönsten Aussichtsturm, den Kahlenberg, erklommen, wo sich vor den Augen der erwartungsfrohen Fahrgäste eine Endlosschlange mit Bräuten abzeichnete, die sich bewegungslos in Reihe und Glied formiert hatten, den Bräutigam João zu umwerben. Ein gespenstisches Bild, beeindruckend und unwirklich zugleich. Die Eingangstore wurden geöffnet. Fünftausend Menschen richteten sich still und leise in den geheizten Zelten ein. Evina kam die Massenhypnose des Billy Graham in den Sinn, die sich allein schon von dem starken Vibrationsfeld vor Ort massiv abgrenzte. Ein großer Trupp von Helfern organisierte nach und nach Kolonnen von Menschen, die sich lautlos verwinkelten Gängen entlang in tief gelegene Gewölbe schoben. Evina wurde von den starken Energien fast erschlagen. Je mehr sie dem Trancemedium entgegenschritt, desto stärker musste sie ihre Tränen unterdrücken. Die hohen schwingungsfähigen Frequenzen, die von den Hunderten Meditierenden ausgingen, schwängerten die Atmosphäre auf ergreifende Weise. Dann war es so weit. Eric, der vor Evina stand, trat vor das Heilmedium, dessen Körper wie ein nasser Sack in einem großen Sessel hing. Das Gesicht wirkte verklärt, die Stimme fremd. Die „Wesenheit", die aus João sprach, dirigierte Eric in den Operationssaal, Evina in den „Current-Raum", wo eine geballte Ladung Heilenergie sich auf sie ergoss. Unfassbar, was da an Emotionen in ihr emporstieg und sie umzuhauen drohte. Sie war baff.

In der Mittagspause fand sich das Grüppchen am zuvor ausgemachten Platz wieder ein. Eric und Mauro waren die Einzigen unter ihnen, die im sogenannten Operationssaal von João einer besonderen Heilbehandlung unterzogen und angewiesen worden waren, das Zentrum unverzüglich zu verlassen und sich drei Tage lang im Bett auszuruhen. Eric passte das gar nicht. Als Evina mit dem Rest der Gruppe am späten Nachmittag die Hotellobby betrat, entdeckte sie den Abtrünnigen zusammen mit Mauro und Carmens Ehemann Conradin gemütlich bei Kaffee und Kuchen sitzend. Von Hochstimmung befallen hatte das Trio die Gunst der Stunde genutzt und sich zu Fuß auf eine Erkundungstour durch die monumentale Hochburg der Stadt begeben. Sie waren noch nicht weit gekommen, da hafteten Eric und Mauro eine bleierne Müdigkeit, eine starke Erschöpfung an, die sie zur sofortigen Umkehr zwang. Sie hatten die Aufforderung, Ruhe zu üben, ins Bett zu kriechen und viel zu schlafen, eindeutig unterschätzt. Das Abendessen in froher Runde fiel heute aus. Wie in den Anfängen ihrer Zweisamkeit hockten sich Eric und Evina im Nachtkostüm aufs Bett und bedienten sich fürstlich an dem auf vier flotten Rädern eingefahrenen, reich gedeckten Essenstisch. Für einen kurzen, köstlichen Moment lag der Mittelpunkt ihres Interesses nicht im Bereich der unsterblichen Seele, in der geistigen Ausheilung. Nein. Für ein einziges Mal am heutigen an- und aufregenden Tag fokussierten sie sich ausschließlich auf die Energieversorgung mit Schmackhaftem aus der Wiener Küche.

Die kommenden drei Tage schlief Eric, der komplett ermattet war, einer Gesundung entgegen. Zwar hinkte seine Körperlichkeit immer noch nach und hin und wieder tauchte die Frage „Quo vadis Domine?" (Wohin gehst du, Herr?) auf, aber die angstvollen Gedanken, die ihn klein und unbewusst halten wollten, wurden weniger und weniger. Der eindrückliche Aufenthalt auf dem Kahlenberg trug, anders als der Name hergab, reiche Früchte und hatte die Abordnung aus „Eric und Evina-Land" in ihrem Seelengefüge still werden lassen. Die fünftägige meditative Einkehr hatte sichtbare Zeichen von Veränderung bewirkt. Die Gesichter waren entspannter, die Körper geschmeidiger, und auch im Umgangston untereinander schwang irgendwo etwas Feines, Weiches mit. Da gab es sogar eine bislang nie verspürte Lust, auf banale Kommunikation, ja generell auf belanglose Plaudereien zu verzichten. Der Wunsch, still zu sein, zu schweigen, drängte sich bei allen Teilnehmern in den Vordergrund. Die Schutzmechanismen um die Angst, zu zeigen, wer oder was sie wirklich sind, hatten einen Riss bekommen. Unbändig frische Lebenskraft begann zu fließen. Als bedeutungslose Wesen waren sie angereist. Als revitalisierter, sprudelnder Quell beendeten sie die Reise ins Innere mit einem abschließenden, fröhlichen Schaulaufen durch die Wahrzeichen der Stadt. Hier, in der ehemaligen K.-u.-k.-Monarchie, zeigte sich zum Erstaunen aller eine anhaltende Wertschätzung und Liebe zu den Objekten, die das Land als lebensfreundliche, naturverbundene Oase, als einzigartigen neutralen Flecken weit über die Grenzen hinaus bekannt gemacht hatte. Die Zugfahrt heimwärts durch unverfälschte Landschaften gestaltete sich zu einem echten Augenschmaus. Vielleicht, so sinnierte Evina im traditionellen Abteilwagen, lag es jedoch nur an der veränderten Sichtweise, an den inneren Augen, welche die Bilder im Außen so vollkommen erscheinen ließen.

Zurück am heimischen Herd waren die Tage und Nächte vorwiegend geprägt von Heiterkeit. Ausgelöst durch die Einhaltung mannigfaltiger „Gebote", die Eric für die Dauer von vierzig Tagen auferlegt worden waren, ging es zuhause hoch her. Nun hieß es, vierzig lange Tage auf jegliche Lebensmittel, die Schweinefleisch enthielten, auf die Würze von Pfeffer, auf Alkohol und Sex zu verzichten und die Lichter um 21.00 Uhr zu löschen. Vierzig Tage lang wurde Eric in die Wüste geschickt, wohin Evina ihn humorvoll begleitete. Nie zuvor in der Krankheitsphase hatten sich die Gesetzeshüter Eric und Evina entspannter und unverdorbener an die Umsetzung einer Anweisung herangemacht als an die eigentümliche Vorschrift dieses Heilungsprogramms.

Ostern, das Frühlingsfest, nahte, und in Eric flackerte der Wunsch auf, sich unter die Beobachtung des frisch aufbrechenden Grüns der Natur im südlichen Landesteil zu stellen. Es fiel ihm nicht schwer, sich weiterhin konsequent im Verzicht zu üben. Schließlich war Evina als Leidensgefährtin unterstützend an seiner Seite. Mehrmals konsultierte Eric die Herren Doctores in der weit oberhalb des Hotels gelegenen Klinik, die ihn staunend über seinen seelisch-geistig stabilen Zustand entließen. Mit der Wiedergeburt einer kraftvoll-zuversichtlichen Grundhaltung eroberte sich Eric seinen festen Platz im weltlichen Getümmel.

Energiegeladen steuerte er auf Carmen zu, als diese ihre Absicht, nach Abadiânia zu reisen und João de Deus in Brasilien zu besuchen, bekundete. Und immer, wenn die feurige Carmen etwas im Kopf hatte, nahmen die Dinge in Windeseile ihren Lauf.

Die Reise unter fachkundiger Betreuung war auf den 1. Mai festgesetzt. Zeit, Koffer zu packen, nach Hause zu eilen, die Gepäcktaschen zu entladen und das Reisegut mit vorwiegend weißer, leichter Garderobe zu bestücken. Eric war Feuer und Flamme. Einzig beim Gedanken an den langen Flug geriet er in Panik. Es graute ihm davor, sich bedingungslos unter die Fittiche der Flugkapitäne und letztendlich vertrauensvoll unter den Schutz der Ur-Kraft zu begeben. Weiß der Kuckuck warum, aber seit dem Crash in Halifax waren die metallenen Adler der Lüfte trotz großer Spannweite nicht mehr die geeigneten Zugvögel für sie beide. Bei Evina hatte sich der denkende Verstand von Anfang an gegen die Reise gewehrt. Kompromisslos hatte sie an ihrem „Njet" festgehalten, während Eric sich der Auswirkung seines spontanen „Yes, I will" erst bewusst wurde, als es zu spät war. Deshalb überraschte es die Daheimgebliebene nicht im Geringsten, als sie vom Drama um Eric erfuhr, der sich bei der Zwischenlandung in Lissabon krampfhaft gegen eine Weiterreise gestemmt hatte. Einigen verbotenen, aber genussvollen Zügen aus seiner Tabakpfeife und liebkosenden Worten aus den Reihen der Gruppe war es zu verdanken, dass Eric dem Dschungel der Angst entkommen und im Morgengrauen eines neuen Tages den südamerikanischen Dschungel betreten konnte. Von heiter bis wolkig hatte der Liebste wieder einmal die ganze Skala aus seiner Gefühlslage herausgekitzelt. Die Heilerfahrung mit João de Deus zeigte schon in den ersten Tagen nach Ankunft in der „Casa Dom Inácio" große Wirkung. Im 24-Stunden-Takt berauschte sich Evina an den Gesprächen mit dem Gatten und erfreute sich an dessen überschwänglichen, hautnahen Berichten. Eric war inzwischen, das erfuhr sie von Carmen, zum Liebling der Reisegruppe avanciert, hatte tiefe Eindrücke gewonnen und ebensolche hinterlassen.

„Schmerzen und Leiden sind subjektive Wahrnehmungen, die auf der feinstofflichen Ebene des Ur-Ich nicht empfunden werden." Diese Wahrheit hatte Bertineken in nächtelangen Gesprächen mit Eric und Evina immer wieder zu vermitteln versucht. Nun war der Moment da, in dem Evina mit der Tiefe und Tragweite dieser Aussage konfrontiert wurde. Sie stand mit Nico hinter der Glaswand am Terminal und beobachtete den Einzug der Gladiatoren. Dann entdeckte sie ihn, Eric! – und ein Zittern und Beben, unbegreifliche Emotionen durchbohrten ihr Herz. Der Heimkehrer näherte sich der Scheibe, warf dem Empfangskomitee einen Kuss zu, und Evina schrie innerlich auf. Sie konnte ihr Augenwasser nicht zurückhalten. Auch Nico wurde im Angesicht von Eric auf Gefühlsebene stark ergriffen. Er hatte reflexartig Evinas Arm erfasst und sich mit heftigem Ruck an ihren Körper geschmiegt. Friedvoll hielt Eric Blickkontakt zu den beiden Wartenden hinter der Wand. Er wirkte verklärt, seine Aura fremd, fast durchsichtig, als wäre er nicht von dieser Welt. Etwas strömte aus ihm heraus, das wortlos berührte. Schmerz und Leid schienen nicht zu existieren. Nein, keine Resignation, keine Kapitulation! Hier stand jemand vor ihnen, dessen Ichbewusstsein abhandengekommen war, jemand, der die Tiefendimension des Seins, des Einsseins mit der Ur-Kraft, offenbarte. Auch Conradin, der den Heimkehrern anschließend mit einem feinen Essen aufwartete, entging nicht, dass etwas radikal Umwälzendes, etwas Großes, in seinem Freund Eric ausgelöst worden war.

Die Sommermonate zogen dahin, leicht und luftig wie die Wolken am Himmel. „Alles, was gut ist, hat Zeit. Das Dumme eilt!" Diesen Satz der Großen Mutter hatte Evina sich auf die Stirn geschrieben. Geduldig begleitete „das Fräulein Ungeduld" Eric auf seinem Weg, den er achtsam und hingebungsvoll, Schritt für Schritt, weiterging, dem Barockdichter Gryphius zustimmend, der sagte:

„Mein sind die Jahre nicht,
die mir die Zeit genommen.
Mein sind die Jahre nicht,
die etwa mögen kommen.
Der Augenblick ist mein.
Und nehm' ich den in Acht,
so ist der mein,
der Zeit und Ewigkeit gemacht."

Nach wie vor kümmerte Eric sich um seine Kanzlei, die durch den Auszug von Gustavo, den Tod des internen Steuerberaters und durch die Selbstständigkeit der Jungadvokaten stark geschrumpft war. Ein Riesenvorteil auch für Evina, die sich maßlos über die freie Zeit mit Eric freute. Die sonnenreichen Monate boten Gelegenheit, in der Beschaulichkeit des prachtvollen Gartens zu verweilen und die Welt draußen draußen vor der Tür zu lassen, eine Welt, die Eric und Evina zu grell, zu laut und zu eitel war. Nach wie vor begehrten müde Wanderer Einlass in Heim und Garten, nach wie vor blieb Eric friedvoll – ohne Angst. Das allseits wütende Nachtgespenst, die fallenstellende Gespielin des Ego, kroch wieder hoch, als der nächste zahlentechnisch erhobene Befund ins Haus stand.

Zum dritten Mal jetzt hatte Evina beobachten müssen, wie kraftvoll und mächtig, wie vernichtend Gedanken und Worte sein können. Dreimal schon hatte sich Eric von der Aussichtslosigkeit auf Heilung durch unvorsichtige, unbewusste Tiraden einer allopathischen „Schnellschusskanone" hinreißen lassen. Klipp und klar war ihm beim letzten Besuch beigebracht worden, dass in seinem Fall keine Chance auf Heilung bestehe. Evina hatte das vernichtende Urteil und die neu entfachte Angst in Erics blauen Augen ablesen können. Zerknirscht und zerbrochen kam er von der Konsultation zurück, fassungslos über das unheilige Gebaren dieser Heilerzunft. Bis heute hatte der Körper, dieses funktionstüchtige Wunderwerkzeug, seinen Bewohner Eric so vollkommen durch die Gezeiten getragen. Er hatte nun, infiziert von frisch eingepflanzten Angstgedanken, augenblicklich dem Befehl des Verstandes gehorcht und das Krankheitsbild entsprechend verändert. Wahrlich, der Schuss hatte gesessen, sich tief in Erics Kopf vergraben und sich in einer abstrakten Zahlenreihe materialisiert.

Auf Erics Bitten hin begleitete Evina den Patienten zur zweiten Konsultation in die Praxis der Koryphäe. Auch dieser Besuch hatte es in sich. Es ging heute um eine Operation, die zwar keine Heilungschance in sich barg, doch Erics Leben vielleicht um einige Tage verlängern würde. Ein Fragebogen sollte den Eingriff zugunsten des Ärzteteams absichern. Evina war gelähmt vor Schreck, sagte kein Sterbenswörtchen und hörte der Eminenz weiter zu. Sie freute sich kindlich, als Eric das Frage-Antwortspiel unterbrach und darum bat, das Papier zwecks Durchsicht und allfälliger Unterschrift mit nach Hause nehmen zu dürfen. Gott sei Dank! Diesmal hatte Eric sich nicht einlullen lassen.

Die nach Bauernfängerei riechende Vorgehensweise und die rohe Gewalt, die hier grassierte, hatten Evina den Atem verschlagen. Eigenartig, was ihr jetzt in den Sinn kam. Seit sie die Praxisräume betreten und hinter der Schreibbarriere des berühmten Herrn Doktor Platz genommen hatte, war ihr das Schuhwerk ins Auge gesprungen, das vorwitzig unter dem Tisch hervorschaute. Schuhe, so dreckig, nicht schmutzig, dreckig und speckig, vergammelt und abgewetzt, die Evina mitleidig und des Wanderns müde anstarrten. Schuhe, die einen puren Gegensatz zum blankgetünchten Kaftan des Weißkittels bildeten, jedoch mit dem, was zu seinem Munde ausging, korrelierten, das heißt miteinander in Wechselbeziehung standen. Ihr Bauch hatte ihr sofort „Finger weg" signalisiert. Sie blickte zufrieden auf, als Eric sich mit dem Operationstermin in der Tasche, aber ohne unterschriftliche Zustimmung vom Ort des Grauens verabschiedete. Auf dem Heimweg im Auto erinnerte Eric sich an die Worte eines Hans Blüher, die er vor Kurzem aufgeschnappt hatte, und die da lauteten: „Chirurgie, die technische Nothilfe, die zwar Rettung bringt, aber keine Heilung. Heilung ist narbenlos!"

Zurück in der „13" kam der Vulkan gewaltig zum Ausbruch. Kontinuierlich schüttete Eric sein feuriges Lavagestein auf Jako, der zufällig vorbeigekommen war, umarmte ihn schluchzend und wehklagend und stammelte in einem fort: „Ich will diesen Eingriff nicht, ich fürchte mich davor!" Seit der ungebetene Gast Einzug gehalten hatte, waren derartig krasse Gefühlswallungen kein einziges Mal in Eric aufgestiegen und dann in einem Meer von Tränen versandet, waren Situationen so ausgeufert wie heute. Evina hatte Schüttelfröste und schwitzte zugleich. Nicht einmal der Tod von Erics geliebter Maman hatte ihn damals so außer Rand und Band gebracht, ihn so offensichtlich verstört. Dann schaute Carmen herein und die Lage eskalierte, als die geprüfte Krankenschwester den Fragebogen einsah, den Eric noch vor dem „Schlachtfest" unterzeichnen sollte. Jetzt war es um Eric geschehen. Er griff zum Telefon und sagte den Termin ohne jegliche Begründung ab. In den darauf folgenden Wochen glätteten sich die Wogen. Unter Anwendung der klassischen Homöopathie und tatkräftiger Mitwirkung derer, die diese sanfte Heilkunst anzuwenden wussten, besserte sich der Gesamtzustand des Patienten auf subtile Art und Weise.

Der siebzigste Geburtstag stand an und weckte in Eric den Wunsch, rund um diesen Tag ein kleines Fest zu veranstalten. Evina traf alle Vorbereitungen, den Aufenthalt für die illustre Gästeschar im sonnigen Süden des Landes so angenehm wie möglich zu machen. Sie reiste mit dem Jubilar ein paar Tage früher an, um sich zu akklimatisieren und Eric Gelegenheit zu geben, sich über zwangloses Golfspiel und Aufenthalt in frischer Luft mit der Unbill des Lebens zu versöhnen. Dann war es so weit. Auch Maya und ihr Ehemann Hape samt Kindern und Gefährten wurden herzlich in der Runde begrüßt. Zeitgleich mit dem Schlag der alten Turmuhr eröffnete Conradin den Geburtstagsreigen mit einer Lobrede auf seinen werten Freund, die mit der Überschrift „Monitum" (Mahnung) betitelt war und sich folgendermaßen anhörte:

„Lieber Eric

Genau heute vor vierzig Jahren, also an deinem dreißigsten Geburtstag, brachte John Lennon von den Beatles einen Song auf den Markt, der noch einmal die großen menschlichen Vorstellungen rekapitulierte, die große Utopie: ‚Imagine'. Aber es mag eines der Probleme sein, sich ein Leben als ‚Geschichte' zu denken, die man erleben will, und kaum als einen Raum, in dem Dinge geschehen, wie sie geschehen, in dem sichtbar wird, wie wenig man Vorstellungen und Wünsche umsetzen und verwirklichen kann.

Der französische Poet Arthur Rimbaud hat einen Satz geprägt, der mir seit jungen Jahren immer wieder und bei verschiedenen Gelegenheiten vorkommt: ‚Toute recherche doit finir dans l'inconnu!' (Jede Suche, alles Sehnen endet im Unbekannten.) Er erkannte schon früh, dass ein ‚Leben' nicht in Programmen zu verstehen ist, sondern als Bereitschaft, immer wieder an einem Anfang zu stehen, sich überraschen und geschehen zu lassen, was geschieht.

Lieber Eric, du siehst hier quasi symbolisch ein richtig großes Geschenk für dich. Geschenke sind eigentlich nur dann ‚richtige' Geschenke, solange sie eine Überraschung bergen, man nicht genau weiß, worin sie bestehen, sie sozusagen inhaltlich unbekannt sind. So ist es auch mit dem Geschenk ‚Leben', das sich auf diese Weise wieder anders eröffnet. Möge also der heutige Tag in dieser Art begriffen und von dir wahrgenommen werden: Als ein Geschenk, als Beginn von etwas Neuem, angesichts dessen du dich um das Bekannte hinter dir nicht weiter kümmern musst, als einen Anfang, gleichsam: ‚Toute recherche doit finir dans l'inconnu!'

Lieber Eric, wir alle wünschen dir herzlich nur das Beste – und so drücke nun auf den Knopf, auf dass dein Geschenk sich öffne!"

Die Zauberkiste tat sich auf. 70 rote Luftballons mit 70 auf bunten Kärtchen angehefteten Affirmationen aus der Hand von Nele und Nico flogen nacheinander davon und bahnten sich ihren Weg in den siebten Himmel der Liebe. Eric verfolgte freudig das luftig-lustige Treiben und siebenundzwanzig Gesichter, den Kopf in den Nacken gelehnt, starrten gebannt ans wolkenlose Firmament. Doch was war das? Evina sah es als Erste! Sofort reckten alle ihre Hälse, folgten Evinas Fingerzeig und staunten über zwei riesige, ringartige Gebilde, die leicht übereinandergeschoben wie UFOs weit hinten am Horizont klebten. iPhones blitzten auf und hielten fest, was da Fremdartiges erstaunte. Die saturnartigen Teller waren als Föhnlinsen bekannt und schienen keine ungefährlichen Brüder zu sein. Wer in den Kreis dieser Gesellen eingesogen wurde, kam, so hieß es, nicht ungeschoren heraus. Sogar Flugzeuge, das stand geschrieben, würden wie Kartoffeln unter dem Stampfer zu Püree gemacht.

Die heiße Maronensuppe bot die richtige „Abkühlung" der erhitzten Gemüter im Sinne von „similia similibus curantur". Eric, der wie Evina am Nachmittag bei einem Nickerchen ausreichend Schlaf getankt hatte, stellte jetzt seine Gästeschar in einer seiner berühmten Reden vor, umgarnte jeden einzelnen mit feinem Wortzwirn und leerte gekonnt humoristisch und voller Elan seine Wertschätzung über die versammelte Mannschaft aus. Tosender Beifall heizte die Stimmung weiter an. Ein traditionelles Duo spielte auf und lud zum Tanzen ein, und mit dem letzten Walzer des Traumpaares Eric und Evina neigte sich der Abend dem Ende zu. Das alte Postauto nahm die müden Krieger unter sein Blechdach und kurvte gemächlich, laut ächzend, durch die engen Straßen und stillen Gassen talwärts in die Herberge.

Wieder daheim kehrten Ruhe und Frieden ein. Der Alltag hatte sie wieder – und das war wunderbar. Dem Außergewöhnlichen nachjagen war ihnen beiden, Eric und Evina, längst abhandengekommen, davon hatte das Leben ihnen genug beschert. Sie fühlten sich im Gewöhnlichen am wohlsten. Das Glanzlicht des Jahres verbrachten sie unter dem Christbaum von Jako, der zum Niederknien schön und gleich dem Festessen einfach herrlich war. Zum Jahresausklang öffnete Roxana ihre Türen und lud zu einem leichtmütigen, wohligen Abend ein. Am Mittag des zweiten Januar, dem als „Berchtoldstag" gewürdigten Feiertag, lockte Carmens Zwillingsbruder Carlos ins höchstgelegen bewohnte Dorf, wo er ein Bio-Bauerngehöft bewirtschaftete. Eric, der am dritten Januar einen Termin in der Klinik des Südens wahrnehmen musste, begeisterte sich spontan für die Idee, Carlos aufzusuchen, umso mehr, als mit dem Zwischenhalt bereits die Hälfte des Weges hinter ihm lag. Die Begegnung auf höchster Höhe war ein wahres Sonntagserlebnis. Die sauberen Stallungen mit den glücklichen Kühen, Schafen, Ziegen und Hühnern, die aromenreiche Käserei mit den köstlichen Endprodukten, der duftende akkurate Heuschober, das urige Wohnhaus, das von einer eigenen Quelle gespeist wurde, zusammen mit den unverfälschten Menschen, die sie hier antrafen, entrückten die Besucher für einen satten Augenblick in die Zauberwelt der Märchen. Am Tag drei des neuen Jahres setzte sich Carlos ans Steuer von Carmens Auto und fuhr mit Eric über steile Passstraßen gen Süden und begleitete ihn zu dessen Konsultation.

In der großen Bauernküche mit angrenzender Stube erwartete Evina hoch oben auf dem Kachelofen der Länge nach ausgestreckt die Rückkehr der Ausflügler. Leidenschaftlich sog sie die unwiderstehliche heiße Glut bis in die tiefsten Tiefen jeder Zelle ihres Körpers ein und nahm ungefragt und gerne die Verwöhnprogramme von Jule, der Ehefrau, Mutter, Wirtschafterin und Köchin des Hauses, entgegen. Eine kunterbunte Vielfalt von köstlichen Gerüchen regte Evinas Erinnerungsvermögen an und ließ heimelige Erfahrungen mit dem Großen Mütterchen auferstehen. Mehrmals hatte sie Jule ihre Hilfe anerboten, die jeweils strikt abgelehnt worden war. Und da ihr niemand außer den zwei lauernden Katzen ihren Beobachterposten auf der zeitlosen Heißluftanlage streitig zu machen versuchte, ging Evina ihrer heutigen Lieblingsbeschäftigung, dem Nicht-Tun, nach. Sie hörte hinein in das effiziente, klappernde Hantieren von Jule und ihrer Tochter, belauschte gedankenleer deren Gespräche mit Carmen und Conradin und ließ sich von den leise rieselnden Schneeflocken vor dem Fenster verzaubern. Es kam Evina vor, als wären Heerscharen von Engeln und Gott persönlich anwesend, ein paradiesischer Zustand der Stille und des Friedens, in dem sie auf ewig hätte verweilen mögen. Die Schneeflocken vor dem Fenster wurden größer, fielen geballter hernieder zur Erde und funkelten in der Abenddämmerung und im fahlen Licht der alten Straßenlaterne wie silberne Sterne. Billionen Kristalle hielten die Eiskugeln, als wären es Wattebäuschchen, zusammen. Durch dicht auf dicht folgende Tanzformationen hatte sich mittlerweile ein dickes, weißes Tuch über die Landschaft gelegt. Evina erschrak, als der tiefe Gong der Pendulenuhr sechsmal schlug. Wo waren Eric und Carlos? Sie stieg von ihrer Aussichtsplattform herunter und gab den reservierten Platz frei für die beiden Katzen, die seit Stunden mit den warmen Ofenkacheln geliebäugelt hatten. Evina gesellte sich zu Carmen und Conradin an den ungehobelten Tisch, labte sich am frischen Quell aus der gläsernen Karaffe, da ging die Tür auf. Herein spazierten die beiden Ausflügler. Tiefes Aufatmen ging durch den Raum. Es langte noch für eine stürmische Begrüßung – dann ward es finster. Stromausfall. Nichts Ungewöhnliches für die Anwohner, erst recht nicht ein Problem. Kerzen, spiritusgetränkte Kandelaber und manuell aufziehbare Lampen wandelten das Dunkel in Licht. Die brodelnden Essenstöpfe auf dem holzbefeuerten Küchenherd summten leise und einvernehmlich kichernd das verpönte Lied vom Abgesang auf altes Brauchtum und zeigten einmal mehr, wer der Gewinner im Wettstreit mit den hochmodernen

Installationen war. Auch der Wasserhahn krähte bei Betätigung laut und vernehmlich und sprudelte munter seinen Lebensquell vor sich hin. Nichts in dieser mittelalterlichen Wohnanlage ließ sich von der technischen Störung beeinträchtigen. Alles nahm seinen gewohnten Gang. Und auch die Rinder im Stall, die Schafe und Ziegen standen unter Schutz, waren sie doch bewusst auf eine überschaubare Anzahl beschränkt, die es erlaubte, bei Versorgungsengpässen von Hand zu melken.

Der kurze Abstecher in die bäuerliche Region war zu Ende. Die Abfahrt ins Unterland hatte bei Evina einen dicken Kloß in Hals und Magen hinterlassen, der sich am darauf folgenden Tag durch exzessives Erbrechen bemerkbar machte. Was war los mit ihr? Forderten die vielen Aufregungen, die ungestümen Berg- und Talfahrten der letzten Zeit ihren Tribut? Jede Regung ihres Körpers zog einen beharrlichen Erguss nach sich. Es schien Evina, als habe sie im Gegensatz zu Eric die Widerfahrnisse nur erduldet, ertragen, die unliebsamen Zwischenfälle weggedrückt, anstatt sie widerstandslos anzunehmen, wie sie sind. Wollte sie düstere Ahnungen, die ihr vorschwebten, jetzt einfach nur wegkotzen? Sie ertappte sich dabei, dass sie ihren Verstand immer aufs Neue mit Gedanken fütterte, die das Rätselraten um Unbekanntes ankurbelten. Das Tohuwabohu in ihrem Kopf machte sie schlapp. So schlapp, dass Eric sich drei Abende am Essenstisch von Carmen bedienen musste. Wie hatte sie es wagen können, Eric so im Stich zu lassen. Selbstvorwürfe quälten sie, sie tat sich selber leid. Arme Evina! Ihre ureigenen ängstlichen Gedanken hatten sie in die Verbannung geschickt, sie zermürbt und über sich selbst stolpern lassen. Es reichte! In dieser klaren Erkenntnis wurde sie schlagartig von Unbewusstheit geheilt. Sie kam an bei sich selbst.

Die Sonne war wieder sichtbar. Eric und Evina saßen gemeinsam beim Frühstück, als Eric seine Liebste ins Gebet nahm, um sie ein weiteres Mal nach ihrer Meinung zu befragen. Der heute anstehende Termin bei „Medikus Nummer vier" erforderte einen Entscheid. Evina, die oft Dinge sagte, die keiner hören wollte, brachte es kompromisslos wie eh und je auch in dieser frühen Morgenstunde wieder auf den Punkt: „Eric, du weißt, du bist mir das Liebste auf der Welt, aber ich kann dir deinen Entscheid nicht abnehmen. Ich kann dir nur sagen, was ich tun würde, und ich würde der Empfehlung der Homöopathen folgen und eine Biopsie ablehnen." Eric schaute enttäuscht. Eigentlich hätte er wissen müssen, wie die Altvermählte reagierte. Er erhob sich nachdenklich, ging ins Bad, machte sich parat und verließ das Haus. Er wollte noch Jako in dessen Geschäft aufsuchen, ihn für eine Gesprächsrunde im nahen Café gewinnen und auch ihn nochmals zum Thema befragen.

Tagsüber war es ruhig. Evina hörte nichts mehr. Am späten Nachmittag überraschte sie ein höchst aufgewühlter Eric mit einem unglaublichen Bericht. Er habe die Praxisräume seines Duzfreundes Eugen, dem „Medikus Nummer vier", mit der festen Absicht betreten, von einer Gewebepunktion abzusehen. Er habe gegenüber Eugen seine Ängste und Bedenken zum Ausdruck gebracht, die auf unfruchtbaren Boden fielen. Der Arzt habe auf ihn eingeredet, ihn zu beschwichtigen versucht, ihm dann eine Beruhigungsspritze verpasst und gemeint, dass es keine große Sache sei und auch nicht weh tun werde. Augenblicklich sei er zur Tat geschritten und habe den verheerenden Eingriff durchgeführt. Eric schwitzte bei seiner Berichterstattung, als ob er gekocht würde, und vor Evina taten sich alle Abgründe auf.

Im Sinne von „contraria contrariis curantur" (das Entgegengesetzte wird mit dem Entgegengesetzten behandelt), der Kampfansage der Allopathen, hatte der Angstmörder Eugen routinemäßig zur chemischen Keule gegriffen, und, ohne es zu bemerken, in Unkenntnis der kosmischen Gesetze die Angst vorübergehend unterdrückt und dadurch letztendlich verstärkt. Das Resultat wurde prompt sichtbar, als die Wirkung der Spritze nachließ.

Erics Schweißattacken nahmen zu, mündeten in Kaltfronten, die den Gepeinigten in Form von Schüttelfrösten heimsuchten. Schwitzend und schlotternd zugleich, durchbohrt von zunehmendem Schmerz, lag Eric in seinem Miller-Chair und wimmerte vor sich hin. Evina musste handeln. Die Ambulanz, die Eric aufgenommen hatte, bahnte sich den Weg durch Schnee und Eis. Die Fahrt schien endlos zu sein. Bis in die frühen Morgenstunden stand Evina, Hand in Hand verschlungen mit dem Liebsten, still an dessen Notlager. Die künstlich betäubte Angst war auferstanden und hatte Erics Herz, seinen stärksten und gleichsam schwächsten Punkt, erneut in Mitleidenschaft gezogen, was das Setzen eines weiteren Stents erforderlich machte. Auch die Entnahme der Gewebeprobe rächte sich und förderte blutrünstige Symptome zu Tage. Die „schlafenden Hunde" waren geweckt, der Leib schwächelte. Aber das jedem Menschen innewohnende Leuchten nahm zu. Es war wieder da, das Ursprüngliche. Die Strahlkraft, die ansatzweise zeitlebens in Eric sichtbar war und jetzt wieder durchschien wie damals am Küchentisch mit Jako, als Eric das Geheimnis um seine verstimmte Lebensenergie lüftete.

Während Evina revoltierte und von Wutgedanken auf die allopathische Kampftruppe durchlöchert wurde, verharrte Eric reaktionslos in Gleichmut und Gelassenheit. Keinerlei Vorwürfe an irgendeine Adresse, kein Hass – einfach nur Liebe.

Diese Liebe im Gepäck fuhr Jako gen Süden und begleitete Eric und Evina auf ihrer Reise in den Frühling. Tagtäglich ging das Trio auf Wanderschaft. Die Luft war noch kühl. Das Grün wagte nur zaghaft den Durchbruch in die nächste Inkarnation, in die Schönheit des Seins. Genau das machte die Pfade, auf denen sie die Täler und Kastanienwälder durchzogen, so beschaulich. Eric marschierte kräftig mit. Jede Bewegung in der Natur verbesserte sein Wohlgefühl. Das Sitzen hingegen, vor allem das ruhige Sitzen bei Tisch, fiel ihm zunehmend schwer.

Der „ungebetene Gast" hatte neuerdings Verstärkung ins Haus geholt und weitere Mitbewohner Einsitz nehmen lassen. Die hoch über dem Hotel thronende Klinik öffnete ihre Pforten und ließ die Einkehrer Eric und Evina zwei Wochen nicht aus den Augen. Evina hatte ihr schmales Spitalbett ganz nahe an das von Eric herangezogen, sodass sich die Verbundenheit auch über die verschlungenen Hände ausdrücken durfte. Eine Nacht nach der andern lagen sie dicht an dicht beieinander, führten abgrundtiefe Gespräche oder hörten hinein in die Botschaften des Eckhart Tolle, die der „Walkman" abspulte. Bislang hatten sie alles, was das Leben für sie bereithielt, miteinander geteilt. So war es diesmal auch mit den Ohrstöpseln, von denen je einer im Gehörgang des andern steckte.

Äußerlich sichtbare Heilerfolge blieben aus, dafür veränderten sich augenfällig Erics Wahrnehmungen. Nach Evinas Empfinden hatte der Umbruch in Eric bereits vor Ausbruch der Krankheit angefangen und seit den intensiven Begegnungen mit João de Deus massiv an ihn herangeklopft. Wenn sie die Gespräche von damals in Betracht zog, in denen Eric wunderliche Dinge zum Ausdruck brachte, die Evina nicht einzuordnen wusste, spürte sie, dass gravierende Prozesse schon früher unbemerkt in Gang gesetzt worden waren. Sanft und leise, aber stetig hatte sich in seinem Innern eine Wandlung vollzogen, die den Umstehenden jetzt nicht mehr verschlossen blieb.

Eric war müde geworden. Aller therapeutischen Maßnahmen, der miserablen Verköstigung und des sterilen Umfelds überdrüssig, drängte es ihn nach vierzehn Tagen in die eigenen vier Wände. Der Wonnemonat Mai ließ sein blaues Band durch die Lüfte flattern. Eric labte sich sowohl am frischen Grün der garteneigenen Pflanzen und Bäume als auch an der farbenfrohen Kulisse seiner privaten Wohnburg. Das ehemalige Arbeitstier kehrte der Kanzlei endgültig den Rücken. Die körperlichen Kräfte schwanden dahin. In vertrauter Umgebung deckte Eric immer mehr die Geheimnisse des wahren Lebens auf. Das Denken war mit nichts mehr besetzt. Kein Wünschen, kein Wollen, keine Vorstellungen, keine Erwartungen. Die starke, liebevolle Aura, die ihn umgab, widerspiegelte das Himmelreich in ihm. Und während Eric eindrucksvoll, losgelöst von allem Ichhaften, ohne Angst und Schmerz seine Ablösung von allem Irdischen vorantrieb, stand Evina Kopf. Sie verlor sich völlig in Betriebsamkeit, rotierte durch den Tag und durch die Nacht, präzise funktionierend wie das Laufwerk einer Uhr. „Kraft wird nur gebraucht, wo Kraft gebraucht wird", sagt der Volksmund, und es war tatsächlich so. Die Kraft war einfach da, die Kraft machte Mut. Und obwohl das Thema Tod allgegenwärtig war, von Eric ab und zu aufgegriffen und an Evina herangetragen wurde, räumte sie dem Sterben kein einziges Mal einen Platz ein. Sie ließ sich weder von unliebsamen Vorkommnissen noch von äußeren kritischen Beurteilungen des Krankheitsverlaufs in die Enge treiben. Sie war sich sicher – überzeugt, dass der Herzallerliebste die Krise überwinden und genesen werde.

Dank der ausdauernden Unterstützung von Carmen war es möglich, dem ausdrücklichen Wunsch von Eric nachzukommen und Telefonanrufe und Besuche von ihm fernzuhalten. Da standen tatsächlich Menschen vor der Tür, deren übermächtiges Ego sie zu der Aussage hinreißen ließ, dass es ihnen nichts ausmache, einen Schwerkranken in Augenschein zu nehmen. Und es gab solche, die sich empörten, wenn ihnen ein persönliches Gespräch übers Telefon verwehrt wurde. Die Beweggründe, die einige Zeitgenossen vorgaben, um zwecks „Begutachtung" einer erstarkten Seele in geschwächter Hülle vorzudringen, waren mannigfaltig. Carmen hatte alle Hände voll zu tun, Evina Hilfestellung zu leisten, wenn jemand frivol und despektierlich versuchte, sich über Erics Willen hinwegzusetzen, und die Gemahlin in die Pufferzone zwängte. Einzig Maya wurde nach Absprache mit Eric in die Krankengeschichte eingeweiht und am Bett des Bruders willkommen geheißen. Auch die Ankündigung eines Besuchs von João de Deus in „Eric und Evina-Land“ hatte Eric erfreut entgegengenommen und in ihm neue Lebensgeister geweckt. Unter Zuhilfenahme eines Rollstuhls formierte sich die kleine Gruppe um den Patienten und ermöglichte abgeschirmt von den Massen eine weitere Heilbehandlung. Hier erlebte Evina in Realität, was Eric ihr oft schon zu erklären versucht hatte, sie aber bisher nur gedanklich und deshalb mangelhaft nachvollziehen konnte. Erstmalig gelang es ihr, in das Kraftfeld ihres Körpers hineinzufühlen, die Schwingungsebene wahrzunehmen, die sich ihr erschloss. Ein phänomenales Erlebnis. Die materielle Begrenzung des Körpers war ausgelöscht, seine Schwere wie weggeblasen. Nichts als Energie war zu spüren, die sich weiter und weiter ausdehnte, ja grenzenlos zu sein schien. Nein, das war kein Hirngespinst! Wie der Keim, der aus dem Samen einer Pflanze wächst, wie die Kraft, die den Grashalm durch den Boden treibt, war Evina in ein Spannungsfeld eingetaucht, das den Kern der Wirklichkeit erkennen ließ.

João hatte den Heilungsraum längst verlassen, da beendete Evina ihren Ausflug ins Unbekannte; die Welt der Formen nahm sie wieder in ihre reellen Arme. Druck und Stress waren von ihr abgefallen, eine Ausstrahlung der besonderen Art hatte sie umhüllt. Und so erstaunte es auch nicht, als Eric plötzlich Wohlbefinden bekundete und die Anwesenden mit der Aussage erheiterte, dass er sich jetzt auf ein feines Rindsfilet freue. Ein schweres Gewicht legte sich erneut auf Evinas Brust, als Eric seinen Rollstuhl bestieg, würdevoll darin verharrte und sich in sein Lieblingsrestaurant geleiten ließ, wo er seine Gelüste auf Rind gegen Fisch eintauschte. Eric im Rollstuhl zu sehen, brach Evina das Herz und zeigte ihr klar und deutlich, dass sie vom „Dein Wille geschehe!“ noch meilenweit entfernt war.

Die nächsten Wochen beobachtete Eric das Licht der Sonne und hielt von der oberen Terrasse seinen Blick auf die Weiten des Universums gerichtet. Evina saß still an seiner Seite, da gesellte sich eine Krähe zu ihnen, schritt auf dem Handlauf des Geländers hin und her, ließ sich frontal vor Eric nieder und blieb reglos dort sitzen. Die Grenzgängerin zwischen zwei Welten – Geburt und Tod – erinnerte mit ihrem tiefschwarzen Federkleid an die Dunkelheit des Nichts. Evina erschrak. Eric lächelte. Ein Lächeln, das ihm kontinuierlich anhaftete und Evina ganz und gar irritierte. Es war ein Glück, dass sie so stark gefordert und fest in Erics Pflege und Betreuung eingebunden war, sie nahezu bis zur Erschöpfung alles geben musste, was sie zu geben hatte. Nur so blieb keine Zeit zum Denken, blieb der Kopf leer. Pausenlos war sie im Einsatz. Selbst in der Nacht sprungbereit und wie bei einem Säugling sofort in Aktion, wenn Eric umgelagert werden wollte, nach Wasser, einem Vanilleeis oder seiner Tabakpfeife verlangte. Der Delegation der homöopathischen Ärzte, von denen täglich einer vorbeischaute, war es gelungen, über die Vergabe potenzierter Arzneien Angst und Schmerzen zu eliminieren. Vielleicht aber lag es auch am erwachenden selbst verwirklichten Bewusstsein, an der sich immer mehr abzeichnenden Feinstofflichkeit, wo Schmerz und Leid nicht empfunden werden.

An einem Sonntag Mitte August brach eine ungestüme Welle der Freude über Evina herein, die den Hoffnungsfunken auf vollständige Gesundung neu entzündete. Eric schlief tief und fest. Alle Weckversuche von Nico und Evina waren erfolglos geblieben. Carmen hatte Dienst auf der Notfallstation und ihr Kommen erst gegen Abend zugesichert. Panisch hatte Evina zum Telefon gegriffen und sämtliche „Familienmitglieder" und Homöopathen angeheuert, um das komatöse Schlafverhalten von Eric zu deuten. Einer nach dem andern trudelte ins Haus ein, scharte sich auf und um das Bett herum, als Eric Punkt dreizehn Uhr seine leuchtenden blauen Augen aufschlug. „Wo kommt ihr denn alle her?", stellte der „Erwachte" munter fest und berichtete, dass er eine phantastische Neuigkeit für sie habe. „Monatelang haben wir alle auf ein Wunder gewartet. Jetzt ist das Wunder da!" Ein stummer Schrei bohrte sich durch Evinas Seele und bahnte sich als geräuschvolles Aufatmen und freudig erregtes Schluchzen seinen Weg nach außen. Ein Stein nach dem andern fiel augenblicklich hörbar von der Seele der versammelten Wegelagerer, und Dr. Friedo rüttelte seine zügellose Freude dermaßen durch, dass er die Kontrolle verlor und von seinem Hocker rutschte. Ein Gefühlschaos ohnegleichen! Sofort äußerte Eric sein Verlangen nach frischem Wasser. Und während er sich am belebenden Quell labte, nach jedem Schluck beteuerte, ein solch köstliches Nass seit Langem nicht mehr getrunken zu haben, sortierten sich die Emotionen. Die aufgewühlten Gemüter beruhigten sich.

Von nun an verwandelte sich Eric, dieses einzigartige Design aus Kraft und Freude, in ein einzigartiges Design aus reiner Liebe. Das Licht, das Evina früher so oft durch Eric hatte scheinen sehen, gewann mehr und mehr an Intensität und berührte die Seele der Umstehenden. Erics wundersame Prognose allerdings schien sich nicht zu erfüllen, zumindest nicht in der vom kleinen Ich erdachten Form. Aufgrund kritischer Beurteilung des Gegenwärtigen musste jeder Oberflächenerkunder davon ausgehen, dass das „Wunder" nie wahr werden würde. Nur für die mit inneren Augen, für die wahrhaftig Sehenden, war das „Wunder" längst wahr geworden. Es zeigte sich in Erics ausnahmsloser Hingabe an das, was ist, im Erkennen seines wahren Selbst. Tatenlos musste Evina zuschauen, wie Eric immer transparenter wurde für das „Ewigwährende". Ein Zustand, der für sie nur auszuhalten war, indem auch sie sich dem, was ist, ergab. Seit dem Zusammentreffen der zwei Hälften hatten beide, Eric und Evina, unentwegt in der Schatzkiste des Lebens gekramt und nach dem „Einen" gesucht. Von Anfang an hatten sie gemeinsam den geistigen Weg beschritten, unverhoffte Ausrutscher und mühsame Umwege in Kauf genommen, aber immer wieder auf ihre Spur zurückgefunden. Nun war es Eric, der die große Hürde geschafft, seinen wahren Freund – sein Selbst – gefunden hatte und das letzte Geheimnis des Lebens jetzt offenbarte. Seit sein Ego die Angst verloren, er den wahren göttlichen Kern in sich entdeckt hatte, konnte Eric sich ganz zulassen, er ER selbst sein. Das ganze Sammelsurium von unnützem irdischen Tand, von banalen, vermeintlich wichtigen Geschichten um die eigene Person, hatte sich verflüchtigt, sich in Staub und Asche aufgelöst. Das Erkennen des wahren Da-Seins, das so überwältigend, so voller Staunen ist, des wirklichen Lebens in seiner groß-gewaltigen Einzigartigkeit, hatte alles Unwichtige, alles Belanglose in den Schatten gestellt und Eric die Einheit allen Seins erfahren lassen.

Abschied fällt schwer ... dennoch sagte Carmen Adieu und schickte Nele, Nico und Nora allein mit dem Vater auf Reisen. Der vorausschauende Himmel war gnädig, stellte Schwester Carmen in ihren vierzehn Ferientagen an Evinas Seite und garantierte damit eine fließende Rundumbetreuung des geliebten und beliebten Eric. Bereits in der ersten Nacht an ihrem „Urlaubsdomizil Nr. 13“ forderte das Schicksal zu einer weiteren emotionalen Achterbahnfahrt heraus.

Es war kurz vor Mitternacht, als Eric unruhig wurde und nach Luft verlangte. Wie der Blitz schoss Carmen aus ihren Startlöchern, wirkte beruhigend auf den gepeinigten Patienten ein und hielt ihn mit Atemübungen „über Wasser“. Bislang hatte Erics körperliche Verfassung weder die Vergabe von Sauerstoff noch von Morphium erfordert. Nun verlangte das strapazierte Herz nach zusätzlicher Atemluft, die von der herbeigefunkten Ambulanz aus der Flasche gereicht wurde. Während die Sanitäter sich gemeinsam mit Carmen um Eric kümmerten, bat die anwesende Ärztin Evina um ein Gespräch unter vier Augen. Was war denn nun schon wieder? Evinas Hilferufe verhallten ungehört in ihrem Herzen. Stillschweigend führte sie die Heilkundige ins Nebenzimmer und harrte der Dinge, die auf sie zukommen würden. Evina zog es den Boden unter den Füßen weg, als sie mit Ungeheuerlichkeiten bombardiert wurde, die sie verunsicherten und deren Tonart sie schockierte. Schlimmer als damals anlässlich der Teestunde mit der grauen Eminenz wurde Evina hier durch die Mangel gedreht. Stand sie noch vor wenigen Augenblicken hoch oben auf dem Mount Everest der Überzeugung einer Wunderheilung, betäubten jetzt die Giftspritzen des unsensiblen Drachens Evinas Zuversicht. Durchtränkt von Erics „Wunder" fiel Evina kurzfristig in Verzweiflung. Es war, als knallte sie, bildlich gesprochen, auf den Betonboden der Realität. „Was glaubte die Samariterin eigentlich, wer sie war, dreist und unverfroren zu behaupten, dass Eric die nächsten vierundzwanzig Stunden nicht überleben werde?", schrie eine lautlose Stimme in Evina auf. Einer Ohnmacht nahe, zitternd an Leib und Seele ergriff sie das Wort und entschied Erics Einlieferung in eine Klinik.

Während Eric in der Notaufnahme bereits wieder sanftmütig lächelte, versteinerte sich Evinas Gesicht aufs Neue. Ein weiterer Medikus in Frauengestalt erteilte die Order, Eric ein „normales" Spitalbett zuzuweisen, und ließ sich zur Behauptung herab, dass eine „Intensivbehandlung" sich nicht mehr lohne. Was war nur mit den Menschen los, hatten sie inzwischen das bisschen Feingefühl, das man von ihnen hätte erwarten können, auch noch verloren? Klar, dachte Evina, wie kann ein Mensch, der sich selbst nicht liebevoll begegnet, etwas weitergeben, was er nicht kennt; wie kann ein Mensch etwas verkörpern, was er in seinem Innern nicht sieht! Es war Carmen, die ihre freundliche Maske abnahm und sagte, was zu sagen war. Evina hielt sich zurück. Sie wusste: „Beschützt ist der, der seine Macht abgegeben hat!", und das war eindeutig Eric. Im Beisein von Carmen und Evina bezog er sein neues Quartier und stabilisierte sich unter der Zufuhr von Sauerstoff. Fünf Tage und fünf Nächte wichen die zwei Wärter, Carmen und Evina, nicht von Erics Bett. Abwechselnd legten sie sich für zwei, drei Stunden auf eine bereitgestellte Pritsche, um ein wenig Schlaf zu finden.

Dann war er da, der Tag, an dem Eric in seinem Glanzstück formvollendet debütierte. Wie zwei Engel wachten Carmen und Evina über Eric, saßen eine zur Rechten und eine zur Linken in meditativer Stille und hielten ihre Flügel ausgebreitet über den Patienten, der schlief. Dann geschah etwas, für das Evina einfach keinen Ausdruck fand, für das ihr Wortschatz nicht ausreichte, um auch nur annähernd eine hinlängliche Beschreibung abzugeben. Etwas ganz und gar Heiliges, wie es nur vom wirkenden, nicht vom denkenden Geist erfasst werden konnte. „Im Sterben geschieht mehr, als wir sehen!", schreibt Dr. Monika Renz in ihrem Buch „Hinübergehen". Und tatsächlich: Eric erwirkte ein weiteres „Wunder", das auf der Tiefenebene berührte. Er hatte sich aus dem Traumland geswitcht und hielt seinen offenen, durchdringenden Blick auf Evina gerichtet. Sein Gesicht war an Schönheit, Klarheit und Güte nicht zu überbieten. Reglos, ohne den Hauch eines Wimpernschlags, ohne jedes Zucken eines Mundwinkels ruhten Erics Augen auf der Geliebten, die an der schneidenden Stille, dem tiefen Frieden im Raum fast zerbrach. Evina weinte und schluchzte, konnte sich dieser Einweihung nicht entziehen. Das „Dein Wille geschehe!", der Wille des wahren Selbst, des großen Ich, der Wille des Seins, die Energie, die Eric verströmte – es war fast nicht aushaltbar. Alle ichhaften Reflexe waren abgefallen. Die ungestillte Sehnsucht, die den Menschen zeitlebens antreibt, hatte in Eric Erfüllung gefunden. Erics Hingabe rüttelte auf, machte sprachlos und demütig. Der „Erwachte" legte den Kopf zur Seite, schloss seine Augen. Das Gesicht verwandelte sich, es bekam das Aussehen eines buddhistischen Mönchs jugendlichen Alters. Dann tauchte Eric ab in einen heilsamen Schlaf.

Carmen nahm die völlig aufgelöste Evina an die Hand, verließ lautlos mit ihr das Zimmer und führte sie an die frische Luft. Draußen setzten sich beide auf eine Bank, zogen begierig an einer Zigarette, bis Carmen endlich die wortlose Stille unterbrach. Eine immense Bewegtheit hatte von ihr, der Krankenschwester,

Besitz ergriffen und war mit ihr auf die Reise in eine andere Dimension gegangen. Wie viele Menschen hatte sie schon im Sterbeprozess begleitet und war doch nie mit einer so starken, erhebenden, wundersamen Energie in Berührung gekommen. Sie war es auch, die das Wort „Erleuchtung" in den Raum und Erics Abschied von der irdischen Welt in Aussicht stellte und Evina damit in Angst und Schrecken jagte. Und nachdem Carmen die von Evina empfundene Momentaufnahme des „Wunders" als anhaltendes Zeitgeschehen von über einer halben Stunde Dauer beschrieb, geriet Evina vollends aus der Fassung. Wie war das möglich? Die in den Strudel der Wunderwirkung hineingerissene Evina hatte in den bewegenden Augenblicken jegliches Zeitgefühl verloren, und, ohne es wahrzunehmen, wie Eric in der Zeitlosigkeit des Ewigwährenden verweilt. Carmen ließ nicht locker in ihrem Bemühen, die verschreckte Freundin aus ihrer Scheuklappenmentalität herauszuholen und sie vom Unverständnis für die vorliegende Situation zu befreien. Sie appellierte an Evinas Wissen um die geistige Verbundenheit und präzisierte das Geschehen mit einem Satz von Thorwald Dethlefsen: „Erst wenn der Mensch bereit ist, dieses Leben aus der Isolierung der Einmaligkeit zu lösen und als Glied einer Kette zu erkennen, wird er den Sinn und die Gerechtigkeit des Schicksals begreifen lernen."

Zurück im Krankenzimmer übernahmen Carmen und Evina ihre Sitzwache und versenkten sich, eine zur Linken, eine zur Rechten, in die meditative Stille. Die morgendliche ärztliche Visite war wie alle vorausgegangenen zu einer eigentlichen Pflichtübung verkommen. Niemand wollte oder konnte noch etwas für den Patienten tun. Eric, einem Gesundbrunnen gleich, der die Maskerade klar durchschaute, drängte es unwiderstehlich heimwärts. In vertrauter Umgebung eröffnete er seinem geliebten und liebenden Enneli von Angesicht zu Angesicht, dass das Unaussprechliche geschehen, dass er sterben werde. In großer Liebe sprach Eric aus, was Evina nie hören wollte. Eine

Eiseskälte, eine tiefe Starre, breitete sich in ihr aus. Sie stand sich selbst gegenüber, klein, hilflos, ängstlich, mit dem Gefühl, versagt zu haben. Auf einmal war sie ein Niemand, unbedeutend, ohnmächtig, ein Nichts. Traurig blickte sie in Erics leuchtende blaue Augen, drückte seine Hand und ward still. Kein Wort bahnte sich den Weg aus ihrem Mund, kein Gedanke geisterte in ihrem Kopf. Es gab keine Tränen, keine Emotionen – nur gähnende Leere, sonst nichts.

Eine ganze Woche, acht intensiv berührende Tage, weilte der schon zu Lebzeiten als Engel unterwegs gewesene Eric noch unter ihnen und weihte alle Umstehenden in das große Wunder der Liebe ein. Bevor er als Schmetterling den Kokon der Materie verließ, hüllte der Herzallerliebste seine zweite Hälfte in unermessliche Liebesbezeugungen ein, die gegen das Ende hin aufgrund der Rasselatmung kaum mehr verständlich, nur fühlbar waren. Die einzige Antwort, die Evina blieb: die Lippen des geliebten und liebenden Eric mit tausend Küssen zu bedecken.

Irgendwann läutete es an der Tür. Evina überließ Eric einen kurzen Moment sich selbst und öffnete. Und während im Heim von Eric und Evina die Tür aufging, schob sich der Riegel an der Himmelspforte zu Erics neuer Heimat beiseite. Evinas Abwesenheit war für Eric das Signal, auszuatmen und in eine neue Metamorphose einzutreten. „Der Mensch bekommt, wonach er strebt!“, sagen die einschlägigen Schriften. Eric hatte sein Reifezeugnis erhalten, gefunden, was er zeitlebens suchte. Das „Dein Wille geschehe!“ hatte ihn friedvoll und freiheitlich zurück zur Quelle geleitet, ihn in die Einheit allen Seins geführt.

In die Wiege des Lebens wird ein Wesen gelegt,
das Umfeld freut sich, das Kind wird gepflegt,
gehätschelt, bewundert – das Ego ist groß,
wenn ein Wesen steigt aus der Erde Schoß.
Man gratuliert, freut sich, nimmt teil an dem Glück,
doch niemand denkt an des Kindes Geschick:
Es kam aus der Quelle, hat die Einheit verlassen,
das Leiden beginnt, die Freuden verblassen.

In den Sarg des Todes wird ein Wesen getan,
das Umfeld leidet, zerbricht fast daran,
Tränen fließen – das Ego ist groß,
wenn ein Mensch flieht aus der Erde Schoß.
Man kondoliert, leidet, nimmt Teil am Geschick,
doch niemand denkt an des Toten Glück:
Der, zurück in der Einheit, wieder im Licht,
das Leiden beendet – Frieden in Sicht.

ChMW

Im vorliegenden Roman wurde auf eine breite Auswahl von Quellen zurückgegriffen. Besonders hervorzuheben sind folgende Bücher:

Dr. Gerhard Buchwald
IMPFEN – Das Geschäft mit der Angst
emu-Verlags-GmbH, 56112 Lahnstein, 1994

Eckhart Tolle
JETZT! – Die Kraft der Gegenwart,
J. Kamphausen, 9. Auflage 2004
und
EINE NEUE ERDE – Bewusstseinssprung anstelle von Selbstzerstörung, Goldmann Verlag, 2005

Jiddhu Krishnamurti
Ideal und Wirklichkeit, Humata Verlag, Harold S. Blume, Bern

Dr. Mohinder Singh Jus
Die Reise einer Krankheit, SHI Homöopathie AG, Zug

Dr. med. A. Voegeli
Warum so krank?, Verlag VOLKSHEILKUNDE – Bochum, 1980

Dr. Monika Renz
Hinübergehen – Was beim Sterben geschieht, KREUZ VERLAG, 2011

sowie die DVD-Dokumentarfilme:

Erwin Wagenhofer
alphabet – Angst oder Liebe

Dieter Broers
(R)EVOLUTION 2012
Die Menschheit vor einem Evolutionssprung

Die Autorin

Christina Maria Werner, 1948 im Ruhrgebiet geboren, absolvierte nach der Mittleren Reife eine Ausbildung zur Fremdsprachensekretärin und erhielt ihr Abschlussdiplom von der IHK Bonn. Bereits in jungen Jahren weckte das Lesen von Büchern ihre ungeteilte Aufmerksamkeit und die Abfassung von Versen und Kurzgeschichten gehörte zu ihren Alltagsfreuden. Auch später in ihrer beruflichen Laufbahn gelang es ihr mühelos, das kreative Schreiben am Arbeitsplatz einzubringen. Seit dem Tod ihres Mannes lebt sie zurückgezogen in ihrem eigenen Innenraum, wo sie ihre sensiblen Wahrnehmungen zum Sinn des Lebens enthüllt und den Menschen zu vermitteln versucht. Nach «Botschaften aus dem Nichts» überrascht sie nun mit «Lust am Leben – Lust am Sterben» mit einem ungewöhnlichen Richtungspfeil, der auf die allen Menschen innewohnende Kraft verweist, sie daran erinnert, wer oder was sie wirklich sind.